УДК 820/89-3
ББК 84(2Рос-Рус)6
Р82

Оформление серии и компьютерный дизайн
Пашковой Н. В.

Рубина Д.

Р82   Двойная фамилия: Повести. Рассказы. — М.:
«Издательство Астрель», «Олимп», «Издательство АСТ», 2000. — 432 с.

ISBN 5-271-00291-8 («Издательство Астрель»)
ISBN 5-8195-0103-9 («Олимп»)

Дина Рубина — автор более десяти книг, переведенных на двенадцать языков мира. Сборник «Двойная фамилия», изданный в
1996 году во Франции, был признан лучшей книгой года.

Ее герои, попадающие в сложные, порой безысходные жизнен-
ные ситуации, стремятся сохранить мужество и благородство. Вечные
темы отцов и детей, добра и зла, одиночества и спасительной
любви — основные в творчестве Дины Рубиной.

УДК 820/89-3
ББК 84(2Рос-Рус)6

ДИНА РУБИНА

ДВОЙНАЯ ФАМИЛИЯ

ИЗДАТЕЛЬСТВО
Олимп Астрель
Москва
2000

ДВОЙНАЯ
ФАМИЛИЯ

А в чем, собственно, дело, сказал я ему, чем тебя смущает моя двойная фамилия?

В конце концов твою я взял, вот она, красуется в паспорте, вполне благозвучная, — Воздвиженский. Хоть поклоны бей. А? Я говорю — хорошая, звучная, церковно-славянская...

Ты смотри на дорогу, сказал я ему, а то мы в дерево врежемся...

Да, мамина не такая звучная, но понимаешь, меня все-таки мать воспитывала. Да если хочешь знать, сказал я ему, я б и фамилию Виктора себе присобачил, только боюсь, что на строчке не поместится. И потом тройную уже вряд ли кто запомнит. Особенно в армии, представляешь, как меня из строя вызывать или на гауптвахту сажать? Так что не переживай, сказал я ему, вполне прилично: Крюков-Воздвиженский.

Не дуйся, что тебе — тесно? Неуютно?.. Почему — глупо? А Голенищев-Кутузов, сказал я ему сразу, а Лебедев-Кумач, а Борисов-Мусатов, а Римский-Корсаков? А Семенов-Тян-Шанский, а Мусин-Пушкин? Ну?

Да, я начитался, сказал я ему. Есть такая слабость. Вот именно, не порок. И даже, как принято считать, — достоинство...

...Ну конечно, изменился, сказал я ему, мы ж три года не виделись. Я ж расту, па, сказал я ему, я в принципе живу дальше...

И пусть тебя моя двойная фамилия не тревожит. На Западе, знаешь, почти у каждого человека двойное или даже тройное имя. Почему это тебе плевать на Запад, поинтересовался я, плевать никуда и ни в кого не следует, па, это некрасиво. А то плюнешь, сказал я ему, и попадешь ненароком в Эриха Марию Ремарка, или в Федерико Гарсиа Лорку, или в Габриэля Гарсиа Маркеса. Будет неловко... Запад люблю? Конечно, люблю, па, я все люблю: и Запад, и Восток, и Юг, и Север.

Я не дер-зю, сказал я ему, я поле-мизи-рую. И потом у меня ж переходный возраст еще не кончился, так что не расстраивайся.

Да ты смотри на дорогу, сказал я ему, мы же о столб шмякнемся!

...Ой, не спрашивай, не береди открытую рану. Еле переполз. По алгебре трояк, по физике — переэкзаменовка. Мать надеется, что за лето ты со мной подзанимаешься. Думаю, это был решающий момент в пользу моей поездки к тебе. Ты же знаешь, сказал я ему, она всегда косо смотрела на эти поездки.

По химии тоже трояк, но более жизнеспособный...

Знаешь, сказал я ему, сам удивляюсь, в кого я такой тупой? Все-таки мать — конструктор, баба толковая, ты у меня вообще: не кот начихал, изобретатель с медалями, три кило патентов. А я как увижу эти ряды формул, так мне тошно становится, вот здесь, под ложечкой. Упрусь взглядом в цифры и ничего не хочу понимать. Организм протестует. Ну почему я должен ползти к этому дурацкому аттестату, почему?!

По сути дела, сказал я ему, происходит многолетнее насилие над человеческой личностью... Как — над чьей? Над моей, конечно! Чего ты смеешься? Это очень серьезно. У меня надорванная психика.

Ну, по литературе, по истории пятерки, конечно, сказал я ему, а что толку? Недавно доклад сделал, историчка просила: «Отражение истории Российского государства в полотнах русских художников». Да, ничего вроде получилось. Бегло, конечно, очень общо, сказал я ему, разве можно такую тему за полтора часа охватить... Репродукции Виктор дал, это ж его хлеб, у нас тьма альбомов дома.

Устроили, конечно, из этого мероприятие, согнали три девятых класса, историчка сидела на задней парте и тихо млела — ей же это засчитывается за внеклассную работу. А вообще, па, все это чепуха, сказал я ему...

Ни за что! Делать из этого профессию? Быть, как Виктор, каким-нибудь искусство-ведом или литературо-ведом? Да ты что, па, ты меня не уважаешь, сказал я ему. Всю жизнь насиловать искусство только потому, что у меня неплохо подвешен язык и я прилично разбираюсь в живописи?.. Нет уж, спасибо. Существовать в искусстве достойно можно, только создавая что-то свое. А понимание — это всего лишь неплохие мозги, разве можно *понимание* искусства делать профессией? И потом, я как услышу это слово — искусствовед, мне смешно становится. Представляю себе этакого типа, который искусством ведает, вроде завхоза со связкой ключей. Нет и нет!

А талантов, сказал я ему, никаких за мною не водится, увы...

А никем не хочу... Нет, правда, никем не хочу быть. Ну, ты меня серьезно спрашиваешь, а я серьезно отвечаю.

Нет, ты не так понял. Не в смысле плевать в потолок. Не хочу всю жизнь быть к чему-то привязанным: к месту работы, к такой-то квартире по такому-то адресу, к такой-то женщине, записанной в моем паспорте. Это, по сути дела, крепостное право... Как представляю? А вот как, сказал я ему: я — свободен, совсем, передвигаюсь куда хочу, когда хочу и как хочу, зарабатываю необходимый минимум на хлеб, картошку и книги как получится — где вагон разгружу, где на прополку овощей наймусь... У нас такая личность называется «бич» и преследуется законом, а вот во Франции очень принято, например, наняться на сезон в Голландию — тюльпаны сажать.

Ну что ты заладил, па, сказал я ему, «смотришь на Запад!». Я кругом смотрю, не только на Запад. Я смотрю вокруг себя, сказал я ему, а не только в указанном направлении, хотя мне с детства направление

пытались указывать все кому не лень. Родители — еще
туда-сюда, куда их денешь, сказал я ему, но вот тебя
хватают за шиворот, суют в общий вагон, и всех в одном
направлении: сначала октябрятская звездочка, потом
дружный коллектив класса, потом комсомольская ячей-
ка института, и так до конца жизни... Ой-ой-ой, испу-
гал: единоличник! Надеюсь, сказал я ему. Надеюсь, что
я — едино-личник. Все, что сделано в искусстве и
науке, сделано единоличниками.

Ну ладно, сказал я ему, не пугайся. У тебя, па, вид
такой обескураженный. Думаешь, наверное, что я попал
в лапы наших врагов. Мало ли чего я болтаю, сказал я
ему, возраст такой, переходный, и три года мы не виделись. Ты меня здесь за лето обстругаешь и отполи-
руешь до зеркального блеска. Смотри на дорогу... Гру-
зила новые купил? Молоток... Помнишь, на Голубых
озерах цаплю, похожую на твоего Кирилл Саныча! Ох,
умора! Па, а правда у меня совсем уже бас установился?
Почему это — баритон? Бас, бас, сказал я ему, нату-
ральный бас. Нас с Виктором почему-то путают по
телефону, говорят — голоса похожи. По-моему, совсем
не похожи... При чем тут Виктор...

Дома как? Нормально дома... Мама? Ну ты же
знаешь, сказал я ему, мама всегда больна...

«...В самом деле, и чего я привязался к нему с этой
двойной фамилией? Просто в тот момент, когда он с
гордостью продемонстрировал новенький, словно от-

утюженный паспорт с этой самой фамилией-поездом, меня вдруг как обухом: он все знает!

Боже мой, как я его ждал! Как я выцарапывал его *оттуда* в это лето телефонными звонками, письмами, телеграммами. Я отправил на дорогу всю премию, хотя на билет хватило бы ее пятой части. До вчерашнего дня я так и не был уверен, что они отпустят его. Ведь изобретали же они причины все эти три года.

Ничего, ничего, я просто перенервничал. Все в порядке, шеф, все в полном порядке. Досадный срыв — не спал две ночи, с утра гонял на рынок за фруктами, драил свою берлогу и все время думал: теперь он взрослый парень, взрослый. Мы же три года не виделись. Он с такой щенячьей гордостью показал мне паспорт со своей двойной фамилией, черт бы меня подрал. И я вдруг глупо прицепился к нему, дурак, жалкий старый дурак!

Да, я растерялся. Хотя при чем тут двойная фамилия? Вот при чем: запахло жареным. Столько лет я частенько в мыслях жалел Виктора, да, мне в голову не приходило жалеть себя. Я так и думал этими словами: «бедняга Виктор», думал я. А тут, когда в самую точку было бы пожалеть Виктора именно сейчас, я испугался. Я понял впервые, что чувствуешь, когда тебя прошибает холодный пот.

...Ну что ж, наивно думать, что мальчик проживет всю жизнь, так и не узнав правды. Это несправедливо по отношению к нему. Когда-нибудь придется все рассказать, расставить по местам каждого из нас, разъяснить эту дикую ситуацию, разобрать по камешкам крепость лжи, возведенную для его спокойствия. И что говорить при этом? Доведись мне — что бы я сказал ему?

Видишь ли, мужик, мы лгали во имя тебя, сказал бы я ему. Ради тебя трое взрослых людей поддерживают доброжелательные отношения по телефону, договариваются о разных бытовых мелочах, обсуждают твой характер и планы на будущее, — трое взрослых, которым давно хочется забыть друг о друге...

Видишь ли, мужик, сказал бы я ему, начинать-то надо не с тебя, а с того, что восемь лет тебя не было, и с каждым годом таяла надежда, что когда-нибудь ты появишься. Мама всегда была больным человеком — почки, гипертония, то-се, а главное, органы, которые предназначены для этого дела, ну, ты взрослый парень, сам понимаешь... Восемь лет...

Да, сказал бы я ему, это верно, мы неважно жили с твоей мамой. Не сразу, конечно, но наша тающая надежда теплилась, как чахоточная девочка в семье. Знаешь, это подтачивает отношения мужчины и женщины. Нет, конечно, есть семьи, прекрасно существующие без детей, но здесь другой случай.

Словом, когда надежда на твое появление совсем зачахла, тут ты и забрезжил. В один прекрасный для меня день. Врачи уверяли, что наш случай один на тысячи. И тогда я подумал: мой ребенок должен быть чертовски везучим, если ему удалось возникнуть и выжить тогда, когда это не удается тысяче другим. Мой ребенок будет счастливчиком, думал я, ведь ему уже повезло. И я стал ждать тебя. Я неистово ждал тебя, мужик, сказал бы я ему, для меня уже тогда ты был не смутным зреющим комочком, а конкретным человеком, личностью, уже совершившей поступок тем, что крохотной клеточкой уцепился за жизнь на краю небытия и выжил.

Знаешь, мужик, сказал бы я ему, вот тогда все изменилось у нас. Твоя мать стала вдруг очень нежна со мной. Ее обычная раздражительность растворилась в нашем общем ожидании тебя. Ну что ж, говорил я себе, значит, это правда, что женщина становится мягче и трепетнее в этот период. Ты уже взрослый парень, мужик, сказал бы я ему, бойся внезапной женской нежности. Это нежность подползающего удава, заранее жалеющего свою жертву.

У меня нет ненависти к твоей матери, мужик, сказал бы я ему. Просто у нас с ней свои счеты, и не твоего ума это дело.

Да, это правда, что я не забыл и не простил ей никогда, но — не предательства, нет — все мы слабые люди, сынок, и всякое может случиться с человеком; я не простил ей этой обдуманной нежности. И в дальнейшем я не прощал этого всем женщинам, которых встречал на своей дороге. Поэтому я один, мужик, сказал бы я ему...»

... — Мама? Ну, ты же знаешь — мама всегда больна, поэтому проживет дольше нас всех. Почему груб? Я не груб, сказал я ему, а критичен. Мать я люблю, она меня вырастила, просто объективно оцениваю действительность. Вот кто правда сдал в последнее время — это Виктор. Кажется, я писал тебе, что полгода назад его трахнул небольшой инфаркт? Словечко? Да брось ты, па, сказал я ему, это не хамство, я прост и суров. Ты просил рассказать, как дома, я рассказываю.

Так вот, Виктор... После этого инфаркта он постарел, как будто разом от всего устал. Он вполне приличный дядька, ты же знаешь, мы с ним всегда ладили, а в последнее время он стал угрюмый, вспыльчивый, пару раз даже стычки у нас были... Ну и что? Больной не больной, это не повод орать.

Что на днях было, к примеру: сидели мы на кухне, завтракали. Я, не помню уже, по какому поводу, говорю матери, мол, что за имя вы с отцом мне выбрали — Филипп! Дура классная уже раза два острила, что мой аттестат будет филькиной грамотой. Не могли назвать каким-нибудь нормальным Сашей или Димой?

А мать мне на это, довольно мирно, между прочим, говорит: зато, мол, этих Саш и Дим в каждом классе по пять штук, а ты такой один на всю школу... Ой, па, ей-богу, смотри ты на дорогу, сказал я ему, что ты каждую минуту на меня вытаращиваешься!

Так вот... А я тут и говорю ей: тогда надо было назвать меня Остеохондроз, я был бы один такой на весь земной шар. Нормально схохмил? Вот. Был бы, говорю, Остеохондроз Георгиевич Крюков-Воздвиженский... Дело в том, что, понимаешь, мать разыскала у себя новую болячку, этакую милягу — остеохондроз. Целыми днями только и слышишь: остеохондроз там, остеохондроз здесь. Он прямо как член семьи у нас поселился. Ну ты же знаешь, когда мать увлекается какой-нибудь новой болезнью, она делает это вдохновенно и с большой душевной отдачей.

Нет, ты не подумай, сказал я ему, мать я вообще-то жалею, но больше всех ее жалеет она сама. Ой, ну ладно, дай дорасскажу, потом насчет сострадания выдашь.

Только я пошутил про этот самый остеохондроз, Виктор вдруг ни с того ни с сего ка-ак шарахнет кулаком по столу и давай нести всякую ахинею: тра-та-та благодарность, ну ни к селу ни к городу, а главное, совсем не из своей оперы. Какой-то воспитательный момент из плохой телевизионной киношки. Я даже оторопел. Так и такие словеса, между прочим, мелькали, про поим-кормим-одеваем. Ну разве не гадость, па? Тем более что ты очень прилично на меня посылаешь. Я возмутился и демонстративно свой бутерброд надкушенный ему предоставил прямо под нос... Между прочим, так и уехал не помирившись. Виктор, надо сказать, переживал и в последний день даже подлизывался слегка, хотел наладить отношения. Но я — фиг вам, я человек суровый.

Не морочь мне голову, па, почему я должен спускать несправедливость только потому, что человек себе инфаркт нагулял? Да нет, «нагулял» — это, конечно, опечатка, сказал я ему. Куда Виктору гулять при его брюшке и лысине, кому он нужен! Вот ты у меня молоток, сказал я ему, подтянутый такой, сухопарый американец. Грива седая, суровые морщины лоб бороздят. Смотрю на тебя, и мне льстит мой портрет в ста... в зрелом возрасте, я хотел сказать... Кстати, как у тебя в личном, па, без новостей?.. Ну, извини, извини, сказал я ему, главное — смотри на дорогу, мне еще жить да жить...

«...Поэтому я один, мужик...

Впрочем, одну женщину неизменно вспоминаю с почтительной нежностью незнакомца.

Я даже имени ее не знал. Вообще я ничего не знал о ней. Только видел. Ночью, когда она включала лампу, чтобы покормить своего ребенка.

Ты, конечно, не помнишь нашей старой квартиры. Тесная такая двухкомнатная квартирка, какие строили лет тридцать назад. И дома строили кучно, чуть ли не впритык один к другому. Наши окна и окно этой женщины просто гляделись друг в друга.

Это было время, когда я отсчитывал дни до твоего рождения. Ты же знаешь, я люблю работать по ночам. Кофе покрепче, пачка сигарет, чертежная доска и тетрадь с расчетами — да, бывают вечера, когда за работой я чувствую себя счастливым. А в те месяцы, мужик, мне удавалось все необычайно, минутами я верил, что в своем деле способен на нечто выдающееся...

Так вот, около двенадцати тихим светом озарялось окно в доме напротив. В освещенном, без занавесок, прямоугольнике окна простоволосая женщина в сорочке двигалась по комнате медленно и сонно, как рыба в аквариуме.

Иногда, накормив ребенка, сразу укладывала его в коляску и гасила свет. А бывало, подолгу укачивала его, лунатически слоняясь по комнате. Никого другого никогда в этом окне я не видел. Женщина всегда была одна. Она и ребенок.

Сначала мне казалось странным, как при такой скученности домов она не догадалась повесить занавески, ведь вся комната с унылой железной кроватью и детской коляской просматривалась от стены до стены. Потом я понял: ей было не до того. Когда каждую ночь тебя будит голодный плач ребенка, и ты с усилием отрываешь от подушки тяжелую голову, и собственное тело кажется ватным и свинцовым одновременно, и это изо дня в день, вернее, из ночи в ночь много месяцев, — тогда, конечно, тебе абсолютно до лампочки, что там видят из окон соседи, а если и видят, то пусть катятся ко всем лешим.

Я понял это пару месяцев спустя, когда родился ты, и наши окна стали зажигаться почти одновременно — на перекличку Великого Братства Кормящих. Только у меня не было такого преимущества, как благодатная грудь, полная молока. Поэтому, натыкаясь на косяки и поскуливая от усталости, я сначала тащился на кухню разогревать бутылочку.

Но все это было потом, сказал бы я ему, потом, после того звонка.

День, когда ты родился, когда я наконец дождался тебя... Ладно, не будем об этом, не стоит распускать слюни, мужик, а без слюней я здесь не обойдусь, сказал бы я ему. Видишь ли, мне исполнилось в тот год сорок лет. Когда мужчине стукнет сорок, это, как ты говоришь, не кот начихал. Мне было сорок лет, и я кое-что умел в своем деле, и вот у меня родился сын.

Я до сих пор помню голос женщины в справочной роддома, голос с певучим украинским растягиванием гласных: «Сы-ин у вас...»

Да, мужик, сказал бы я ему, незачем гневить судьбу — я пережил это мгновение. И целых два дня потом у меня был сын. У меня был сын, мужик, целых два дня. И я этому моему сыну успел накупить все, что требуется для счастливой жизни, — пеленки, распашонки, шапочки и замечательную коляску цвета морской волны.

А потом мне позвонили... Накануне вечером я поздно лег — до часу клеил обои в будущей твоей комнате. И всю ночь мне снилась наша эвакуация в Ташкент, черные, паленные солнцем толкучки и мама, удивительно живая и сытая. Всю ночь крутилась муторная карусель — тяжелое, давящее сердце, детство, а в полвосьмого меня разбудил звонок.

— Георгий? — спросил прерывистый, торопящийся голос женщины. — Вы знаете, что ваша жена родила не от вас?

Это было продолжением дурного сна.

— Вы не туда попали, — сказал я.

— Туда! Туда! — крикнула она надрывно, толчками и, кажется, плача. — Господи, о чем вы думаете?! Вы что — считать не умеете? Жена рожает после курорта восьмимесячного ребенка на четыре кило, а муж как слепой, как дурной — ходит и радуется!

— Какой курорт? — спросил я, растирая ладонью занемевшее сердце. — Что вы мелете?

— Ну турпоездка, куда там они ездили — в Киев, в Минск? Какая разница? — Она плакала.

— Кто вы такая? — спросил я. Хотя мне уже было все равно, кто она такая, потому что я вдруг разом и окончательно понял, мужик, что все это — правда.

— Да я и есть жена Виктора!

— Какого Виктора? — спросил я. Кажется, у меня был очень спокойный, замороженный до бесчувствия голос.

— Вы что — спите?! — крикнула она. — Вы понимаете, что я вам сказала? Господи, вы понимаете, что в нашей жизни произошло?! Мы были у вас в прошлом году, вспомните, на дне рождения!

— Я ничего не помню, — сказал я.

— Мы пришли с Тарусевичами!

— Я ничего не помню, — тихо повторил я. Видишь ли, мужик, кто там куда пришел с Тарусевичами, зачем и когда — вся эта галиматья меня уже не интересовала. Главное заключалось в том, что у меня отняли сына.

— Что вы молчите?! — кричала она. — Алло! Вам что — плохо? Вы слышите меня? Я жена Виктора. Он позавчера бросил меня, ушел, сказал, что любит вашу жену. Мы должны это пресечь, слышите?! Сделайте что-нибудь, вы же мужчина! — Она всхлипнула и добавила тише: — Только не бейте ее, а то молоко пропадет.

Проклятая бабья солидарность, подумал я тогда, даже в такой ситуации.

Чего она добивалась, на что рассчитывала эта женщина, когда, сидя на руинах собственной семьи, громила чужую? Впрочем, что может рассчитать обезумевшая от горя женщина...

Я опустил трубку, но весь день чудилось, что подними я ее — и забьется, заколотится внутри надрывный плач.

Я собрал чемоданчик. При моей профессии, мужик, и с моей башкой я мог устроиться где угодно и мог ехать куда угодно, лучше — подальше. И мог с чистой совестью открывать, как говорится, новую страницу своей жизни. Я и собирался это сделать.

Мне было сорок лет, и я кое-что умел в своем деле и был одинок и свободен, одинок и свободен. А ведь это немало, правда? И не стоит очень вдаваться в мои чувства, сказал бы я ему. Ей-богу, не стоит очень носиться с моими тогдашними переживаниями. Подумаешь — кто-то кого-то предал, вернее, предавал, расчетливо и долго. В жизни ведь и не такое случается, верно, мужик, жизнь — штука страшная.

Оставалось только забрать из роддома ее и этого ребенка. Ведь она была совсем одна в Москве, а рыскать по городу в поисках пресловутого Виктора с тем, чтобы он принимал свое хозяйство... Нет уж, увольте... Мне не было дела до этого Виктора. Все-таки к тому времени мы прожили с твоей матерью почти девять лет, а это — как ты говоришь? — вот-вот: не кот начихал... Отделаться запиской на столе? С детства привык выяснять отношения лицом к лицу. Да и странно было бы уехать не объяснившись. Впрочем, особенно-то разбираться в этой истории я не собирался; где там они встречались, сколько и когда — а катились бы они к такой-то матери.

Но вот один вопрос я бы ей задал. Наверное, трудно, спросил бы я, носить под сердцем ребенка от одного мужика, а обнимать другого. Наверное, трудно, спросил бы я, говорить при этом нежно: «Наш маленький...» Наверное, трудно, очень трудно улыбаться, когда мужчина бережно притрагивается к большому, драгоценному для него животу, чтобы почувствовать толчки чужого ребенка?.. А, ладно!..

Словом, в положенный день я сложил в пакет необходимые для младенца вещички, все честь по чести, и пошел в роддом. Между прочим, даже с цветами. Уж что-что, думал я, а цветы она заслужила, все-таки настрадалась, человека родила, моего — не моего, какая разница, боль одна.

Сидел я в этом зальце, куда по одной выводили рожениц с кружевными свертками нежных тонов, мусолил букет гвоздик и ждал, когда выведут ее.

Устал я от всего страшно, от черной пустоты, которую, словно дупло в дереве, выжгла во мне горечь. Сидел и равнодушно прислушивался к писку новорожденных в комнате за дверью, где их одевали. Что было мне до этого писка, когда моего сына не существовало на свете!

Наконец вывели ее. И такая она оказалась измученная, желто-восковая, тощая, как говорится, краше в гроб кладут, что сердце мое вдруг сжалось. Бог ее знает, о чем она передумала там, в палате, глядя на своего ребенка. Тоже ведь, поди, нелегко, одно дело — носить его, неизвестного, а другое дело — в лицо заглянуть: вот он, лежит в пеленках, дышит, сосет. Человек. Рано или поздно о чем-нибудь да спросит.

Такая у меня, должно быть, физиономия была, что всю дорогу в такси твоя мать спрашивала тревожно: «Что с тобой? Что-то случилось?»

А как увидела в прихожей мой чемоданчик, все поняла: сжалась, голову в плечи втянула, маленькая и сутулая.

Я положил сверток в кроватку, ребенок завозился и чихнул два раза очень забавно, как взрослый... Безбровый и насупленный, словно рассерженный. А носа и вовсе нет — две дырочки.

— Важный, — сказал я, рассматривая его. — Директор. Наверное, на Виктора похож?

— Клянусь тебе!! — выкрикнула она жалко и пронзительно. — Клянусь тебе, это сплетни! Это ложь! Он твой, клянусь тебе!

И по тому, мужик, как она извивалась, как она кричала — задушенно, словно птица, которой мальчишки сворачивают голову, — я убедился окончательно, что все — правда. И еще она подалась всем своим тощим телом к кроватке — закрыть, защитить от меня своего птенца, будто я мог причинить ему какой-то вред.

И так мне жалко их стало — и ее, и этого чужого малыша. Ведь они были одни, вдвоем, на всем свете. Беспомощные, они принадлежали друг другу, как косточка принадлежит сливе, и в этом заключалась мощная правда жизни, а все остальное, и мои паршивые переживания в том числе, было ерундой.

И объясняться мне тогда расхотелось, и вопросы свои задавать. Такой у нее вид был замученный и худоба страшная — кого казнить, с кем счеты сводить? Что там творилось в ее душе, в ее совести, что она сожрала себя всего за неделю? Бог знает...

А потом ребенок заплакал и долго истошно верещал, потом надо было кормить его, потом он обмочил и испачкал подряд неимоверное количество пеленок, и их надо было сразу застирать и одновременно выгладить с двух сторон те, которые уже высохли, и — пошла крутиться карусель, какая бывает в доме с недельным младенцем, непрерывно орущим к тому же.

Я понял, что должен остаться дня на два, помочь ей освоиться, — она совсем растерялась, через час уже валилась с ног и даже раз пять принималась беспомощно рыдать, когда ребенок заходился в истошном крике.

А к вечеру выяснилось, что у нее высокая температура и боли в груди. К ночи она стала молоть галиматью и тоненько плакать.

Я вызвал «скорую». Толстая сердобольная докторша осмотрела ее и велела собираться в больницу. Твоя мать металась, хватала докторшу за полы халата, умоляла оставить ее, а та уговаривала:

— Ну что вы, милая, не убивайтесь так, ведь на отца оставляете, не на чужого дядю.

И когда твою мать под руки выводили к машине, она обернулась и посмотрела на меня таким затравленным взглядом, что я, мужик, задвинул свой чемоданчик ногой под стул, и она это видела.

Да, мужик, сказал бы я ему, вот так мы остались с тобою один на один, когда тебе исполнилась неделя.

Уже через час ты отчаянно орал, требуя материнскую грудь. Я распеленал тебя. Ты поджимал к животу красные скрюченные ножки, беспорядочно вздрагивал кулачками и верещал от голода. Что я мог сделать в двенадцатом часу ночи?! Магазины со спасительными молочными смесями для младенцев открывались в восемь, с голоду к этому времени ты бы, конечно, не умер, но душу из меня своим отчаянным криком к утру вытряс бы.

Я ходил по комнате, равномерно потряхивал тебя и едва не выл от сознания своей бесполезности.

И вот тут засветилось окно в доме напротив. Теперь я уже знал, что женщина зажигает свет не когда придется, а для двенадцатичасового кормления. Для меня же в ту кромешную ночь этот притушенный свет настольной лампы показался грянувшим с небес солнечным сиянием.

Я решился. Положил тебя, орущего, в кроватку, сбежал вниз, пересек темный двор и, взлетев на третий этаж, нажал на кнопку звонка.

— Кто там? — спросил за дверью заспанный женский голос.

— Откройте, умоляю, немного молока! — бестолково выкрикнул я, пытаясь унять шумное дыхание.

Она сразу открыла.

До сих пор не могу понять — как не побоялась

одинокая женщина открыть ночью дверь на маловразу-
мительные вопли чужого мужика. Но она открыла. И
спросила с готовностью:

— Что случилось?

Она так и стояла, какой я привык видеть ее в
окне, — в ночной сорочке, растрепанная, не слишком
уже молодая, с хронической усталостью на лице...

— Что у вас стряслось?

— Мальчик... — сказал я с дурацкой дрожью в
голосе, ежесекундно помня, что ты лежишь там один,
крошечный, орущий, ни в чем не виноватый червя-
чок. — Мальчик... всего неделя... мать в больнице...
безвыходное... умоляю вас...

— Тащите его сюда, — спокойно проговорила
она, — у меня молока немного, но вашей пигалице
хватит.

Я вернулся, схватил тебя, багрового от крика, за-
вернул в одеяло, пересек темный двор и взбежал на
третий этаж.

Женщина уже стояла в дверях, в той же сорочке,
даже халата не набросила. Взяла тебя и сказала:

— Ишь ты, колокольчик. Погремушка. Весь подъезд перебудил. — Она села на кровать и, нисколько
не смущаясь присутствием незнакомого мужчины, достала из глубокого выреза рубашки грудь, перевитую
голубыми венами.

Ты жадно схватил сосок, захлебнулся, закашлялся,
напрягая тонкую цыплячью шейку.

— Ну! — прикрикнула она и шлепнула пальцем по
твоей щеке. — С голодного края!

Ты опять схватил грудь и засосал, шумно цокая и глотая. И я наконец сглотнул слюну и погладил колени потными ладонями.

— Вы спасли нас, — сказал я.

— Ничего, — хмыкнула она, разглядывая тебя, — недели через две будете гораздо спокойнее переносить его плач. А что с матерью?

— Мастит. «Скорая» забрала часа три назад.

— А! — сонно пробормотала она, прикрывая веки. — Ничего, все наладится... Все у вас наладится...

Она кормила тебя с закрытыми глазами, чуть раскачиваясь и придавливая большим пальцем грудь над твоим носом. Ее ребенок тихо спал в коляске у стены. Она не знала, что ничего у нас не наладится, ничего...

Желтоватый свет настольной лампы мягко высвечивал и округлял ее плечо, грудь и локоть, на сгибе которого уютно примостилась твоя голова. И это было красиво, трепетно и свято, как на полотнах старика Рембрандта. Завороженный, я следил за скольжением пугливых теней по ее растрепанной, покачивающейся голове, по усталому лицу, по тонким нервным рукам, и в горле у меня... да, ну ты мал еще, сказал бы я ему, ничего не поймешь...

Мал ты и глуп, как и положено в твоем переходном возрасте.

...Наконец ты выпустил сосок, смешно выпятив при этом крошечную нижнюю губу. Из уголка рта стекла по щеке белая бусина молока, лоб блестел от пота. Ты спал.

— Ну вот, — сказала она. — И всего-то для счастья надо.

— Да, — согласился я, — лет через шестнадцать обеспечить ему счастье будет гораздо сложнее.

И мы с ней переглянулись.

— А как вы догадались про меня, — вдруг спросила она, — что я кормящая?

— Я вас в окне вижу каждый вечер, — сказал я. — У меня письменный стол перед окном.

— Да... — Она усмехнулась. — Занавески бы повесить, да руки не доходят. Мы скоро съедем, — добавила она, — это подруга пустила пожить на три месяца, пока в отъезде. А вообще мы с нею, — женщина кивнула в сторону коляски, — комнаты снимаем... Знаете что, — предложила она, — оставьте-ка своего парня у меня до утра, ведь часов в шесть он опять жрать потребует. А я его здесь, с собой, уложу.

Действительно, лучше тебе было остаться до утра под теплым боком женщины, близ кормежки.

— Пожалуй, — согласился я. — Спасибо вам за все. Не знаю, как и благодарить.

— Да никак, — усмехнулась она. — Вот посмотрела на хорошего отца, и самой легче стало. Выходит, все-таки попадаются...

...Я вернулся домой, сел за письменный стол и собрался ждать утра. Свет в окне напротив погас, а я никак не мог заставить себя лечь и заснуть. Я ходил по комнате, мимо твоей пустой кроватки, и не мог очухаться от всего, что на меня вдруг свалилось. Эта пустая кроватка торчала перед глазами. Выходит, я сбыл тебя с рук. Обрадовался. Отделался. Хоть до утра, но отделался. Сильный, здоровый мужик топтался вокруг пустой кроватки часа полтора и, наконец, не выдержал.

Я спустился, пересек темный двор, взбежал на третий этаж и снова позвонил в ее дверь.

На этот раз она долго не открывала, и я клял себя последними словами, но продолжал нажимать на кнопку звонка.

Наконец, она открыла.

— Ради бога, простите, я измучил вас, — виновато и торопливо произнес я. — Но знаете, лучше все же я заберу мальчика. Что-то места себе не нахожу... Кроватка эта пустая... Лучше принесу его вам в шесть утра.

— Я понимаю вас, — сказала она, нисколько не раздражаясь. — Посидите, я нацежу молока в бутылочку, покормите дома, из соски...

Чужой ребенок, я водворил тебя на твое законное место в моем доме и вздохнул с облегчением. Ты спал, выражение маленького лица по-прежнему оставалось директорским, но не сердитым, а важно-умиротворенным. Я наклонился и долго разглядывал выпуклый лоб, закрытые веки. Потом легонько притронулся указательным пальцем к носу — кукольному, блестящему. И вдруг уголок твоего рта дернулся и съехал вбок в насмешливой улыбке. Какие ангелы снились тебе в эту первую беспокойную ночь в нашем доме?

И вот тогда я сильно пожалел, что ты не мой сын, потому что ты мне нравился. Впрочем, мало ли чужих симпатяг-детей с пухлыми щечками и кнопками-носами встречается нам в жизни? Нет, ты был чужим сыном, и мне надлежало только смотреть за этим чужим сыном, пока не вернется из больницы его мать, моя бывшая жена...

Утром я сбегал в ближайший магазин, накупил коробки молочных смесей, колбасы и картошки — для себя, чтобы подольше не выходить из дому, и, вернувшись, позвонил на работу, попросил у Кирилл Саныча отпуск за свой счет, на две недели. Тот всегда ко мне хорошо относился, наверное, предчувствовал, что впереди у нас немало статей в соавторстве.

— Ты, Георгий, главное, не волнуйся, — сказал он, — а то молоко пропадет.

И засмеялся своей глупой шутке.

Я наварил тебе, мужик, жратвы на целый день и накормил до отвала, чтобы ты крепко спал и не морочил мне голову, пока я стираю пеленки и вожусь по хозяйству. И так мы довольно мирно жили до обеда, пока не нагрянула детская патронажная сестра, суматошная и шумная.

— Так, — начала она с порога, энергично оттирая ноги о сухую тряпку под дверью. — Здравствуйте, папа, поздравляю вас, с кем — мальчик, девочка?

— Мальчик, — пробормотал я, растерявшись от ее напора.

— Славненько! — Она вихрем промчалась в ванную, открыла оба крана до отказа и, моя руки, выкрикивала оттуда скороговоркой: — Замачивайте пеленки в ведре, немного марганцовки и мыла, потом прополоскать, и все! Иначе не настираетесь!

Из ванной ринулась в твою комнату, ни на секунду не умолкая:

— Водичкой поите? Хорошо! Писает часто? У-ю-ю, какие мы сердитые! Ну-ка, покажись тете, ну-ка, развернемся! Вот так! Прекрасно. Пупок зеленкой мажете? Хорошо. Ох, какой голосок звонкий! Ну, перевернемся на животик...

Вдруг она умолкла и ниже склонилась над тобой. Потом нашарила в кармане халата очки и, надев их, молча продолжала рассматривать какой-то неожиданный гнойничок на сморщенной красной спинке.

— Что-нибудь не так? — насторожился я.

— Еще как не так! — пробормотала она. — Ага, вот еще один. Под мышкой... И за ушком... Все это, папа, очень похоже на стафилококковую инфекцию. А где мать?

— В больнице, — упавшим голосом сказал я. — Скажите: насколько это опасно?

— Опасно! — энергично ответила она. — Но вы, папа, не психуйте. Ребеночка мы госпитализируем, там его антибиотиками поколют.

Что и говорить, мужик, большое это было для меня облегчение — сбыть тебя с рук на больничный харч и государственный уход. Но что-то не испытал я большого облегчения.

— Как — в больницу? Одного?

— Одного, одного, — бодро подтвердила медсестра. — Не с вами же... Вы только в руки себя возьмите, мужчина, что-то лица на вас нет. Сейчас малыша еще доктор наш посмотрит и быстренько выпишет направление.

Она вынеслась из квартиры, а я запеленал тебя, сел возле кроватки и стал на тебя смотреть. И стал, мужик, представлять тебя, пятидесятитрехсантиметрового, на большой-то больничной койке, и огромный шприц со здоровенной иглой, которую всаживают в твою крошечную попку, и как ты бессмысленно орешь при этом, не понимая, откуда взялась боль и за что она.

Участковая наша врачиха, к счастью, оказалась не такой энергичной особой. Она осмотрела тебя, помолчала, спросила про мать и, наконец, сказала:

— Как участковый врач, я должна настаивать на госпитализации. Но как мать троих детей и бабка пятерых внуков, очень советую вам воспротивиться и оставить его при себе. Выпишу антибиотики, наша медсестра будет приходить к вам на уколы четыре раза в день. Не смотрите, что она торпедная, уколы делает великолепно. Только заплатите ей, конечно, она не обязана. А подработает с охотой, она троих гавриков одна поднимает... Будем надеяться на хороший исход. — И, почему-то понизив голос, добавила: — У нас, разумеется, лучшее здравоохранение в мире, но родной отец есть родной отец. Вы меня поняли?

Все они, как сговорившись, пытались внушить мне, что я имею к тебе самое непосредственное отношение. Но больше всех это втолковывал мне ты сам: орущим голодным ртом, ладошкой, шлепающей по моей руке, когда я кормил тебя из соски, огромным количеством мокрых пеленок, которые я должен был перестирать и перегладить за день...

Потом наступили совсем плохие дни, мужик, когда твое маленькое тельце превратилось в сплошную воспаленную рану. И я держал тебя распеленутым, чтобы прикосновения воздуха хоть немного облегчали твои страдания. И ты не кричал уже, а стонал, как взрослый, и я думал, что сойду с ума от этих стонов. Ночами я носил тебя на руках и пел нечто вроде колыбельной. Я не знал ни одной приличной колыбельной и только бубнил гнусаво: «Баю-бай, ай-яй-яй, тру-лю-лю, бу-бу-бу...» И так всю ночь, от одного угла комнаты до другого и обратно. И когда загоралось окно в доме напротив, мне становилось теплее и бодрее и не так было страшно жить. Впрочем, недели через две свет перестал зажигаться, и я понял, что женщина и ребенок уехали.

Я носил тебя по комнате до утра, до прихода энергичной медсестры, до укола, который я ждал и в который верил. За эти дни, по рекомендации друзей и знакомых, я приглашал платных детских врачей — разных — и тех, что за пятнадцать, и тех, что за двадцать пять. И ничего нового они не говорили. Антибиотики. Домашний уход. Организм должен перебороть.

Одна соседская бабка посоветовала купать тебя в отваре череды, другая велела заваривать ромашку. И я заваривал череду и заваривал ромашку. Заварил бы и черта лысого, лишь бы тебе полегчало. А когда самое страшное миновало и я заметил, что в воде ты успокаиваешься, стал купать тебя три раза на дню, подолгу, подливая в ванночку теплую воду.

Организм должен был перебороть. И он переборол. А иначе и быть не могло, ведь однажды ты уже выжил там, где погибала тысяча других. У тебя уже был опыт выживания, и кроме того, ты родился личностью.

Да, я выходил тебя, мужик. И позже врачи говорили, что я закалил тебя тем, что не пеленал. С тех пор ты лежал в кроватке голый, розовый, пухлый и совсем не мерз. (А через год я спустил тебя на пол и ты неуверенно зашлепал босыми ножками по паркету. Ведь ты и сейчас круглый год дома ходишь босиком, к ужасу всех подружек твоей матери...)

...Из больницы она вернулась через полтора месяца — тихая, слабая и словно пришибленная. К тому времени ты уже выправился и окреп и из апоплексического старика гнома стал превращаться в ребенка — рыженького, голубоглазого и сладкого.

Она вернулась днем, когда ты спал, откинув одну ручонку, а вторую потешно прижимая к груди.

Она остановилась на пороге твоей комнаты и долго стояла так, глядя на тебя как безумная, не решаясь подойти ближе. Стояла и тихо плакала, вздрагивая худой спиной. Потом отерла ладонью слезы и сказала не оборачиваясь:

— Я в долгу перед тобой на всю жизнь.

— Сочтемся, — сухо ответил я. — Свои люди... Вот тут-то, мужик, мне и надо было опять достать свой чемоданчик, ведь я выполнил долг порядочного человека, я не дал тебе умереть. Тебе — чужому ребенку.

Да... Только вот то, что ты — чужой ребенок, я понимал теперь умом, так сказать, умозрительно. Но ей-богу, в тот день, когда твоя мать вернулась из больницы, я еще был настроен достать чемоданчик и валить отсюда на все четыре.

Да, говорил я себе, конечно, имеется налицо некоторая привязанность к малышу. Но ничего удивительного в этом нет. Когда в санатории месяц живешь в одной комнате с хорошим человеком, тоже грустно расставаться. Ничего, доказывал я себе, уедется — забудется. Мало ли чужих детей на свете...

Но уехать я не мог. Видишь ли, мужик, сказал бы я ему, выяснилось, что твоя мать тебя боится. Она попросту не знала, с какой стороны к тебе подойти, и с почтительной опаской наблюдала, как я привычно ловко переворачиваю тебя, кормлю. Когда она пыталась взять тебя на руки, ты орал и требовал меня.

Вообще, мужик, она была слаба, испугана, подавлена тем, что совсем незнакома с тобой. Я не мог уехать в тот момент, я должен был помочь ей узнать тебя. И кроме того, не по-мужски мне казалось свалить на нее сразу всю эту огромную ношу со стиркой пеленок, готовкой и прочей веселой музыкой, какая сопутствует выращиванию младенцев.

Я позвонил Кирилл Санычу и вымолил еще неделю отпуска за свой счет, а когда прошла и эта неделя и вы с матерью стали потихоньку привыкать друг к другу, я вышел на работу. Но в первый день слонялся от одного кульмана к другому, смолил сигареты и представлял, что ты в эту минуту поделываешь — спишь, гукаешь

2 Зак. 1853

гортанным своим голоском или сосешь из бутылочки, таращая вокруг темно-голубые зеркальные глаза.

Вечером я торопился домой, уверяя себя, что спешу помочь твоей матери со стиркой пеленок. Я лгал себе. Я торопился на встречу с тобой. Я начинал говорить с тобой уже на выходе из метро.

— Иду, иду, мой маленький, — бормотал я, — бегу... Вот уже по лестнице поднимаюсь... Уже ключи достаю...

...Когда тебе исполнилось два месяца, я сказал себе: хватит. Баста. Ты сделал все, что от тебя требовалось. Не будь тряпкой. Все равно ты не в силах простить ей ту проклятую нежность, ту извивающуюся ложь. Все равно твои руки никогда не коснутся ее плеч, ее груди с привычной лаской. А посему доставай чемоданчик и ощути наконец себя свободным человеком.

Так, мужик, я подбадривал себя все утро. Я принял душ, побрился и в последний раз перестирал в тазу накопившиеся за ночь грязные пеленки. Что ж, подумал я, теперь ей предстоит все это делать самой, как делают тысячи других женщин.

Я складывал в чемодан белье и рубашки, ты спал, а твоя мать сидела в кресле спиной ко мне, напряженно подняв плечи, словно ожидая удара сзади.

Она молчала. Она упорно и беззащитно молчала. А я не собирался затевать объяснение в день моего ухода. К чему объясняться, мужик, все было ясно, и я давно переболел. Сейчас меня ничего не привязывало к этому дому. Ничего, кроме твоей кроватки. Но и на нее мог

в любой момент предъявить права другой человек. Так
что все было ясно и просто, мужик, ясно и просто.

Когда я собрал чемодан, ты проснулся. И я зашел
в комнату — попрощаться с тобой и как-то перебороть
тоскливый страх в груди.

Ты лежал в кроватке, еще сонный, теплый, и важно
на меня таращился, словно собирался отчитать за что-
то. Я подложил под тебя сухую пеленку, поймал и
подержал в ладони брыкливую атласную пяточку, наклонился к тебе и прищелкнул языком. И тут случилось
невероятное: ты вдруг улыбнулся мне широкой, беззу-
бой, потрясающей улыбкой. Ты впервые сознательно
улыбнулся мне, именно мне, показал, что отныне из
обслуживающего агрегата я превратился для тебя в существо живое, важное и весьма тебе симпатичное. Не-
смышленыш, ты словно почувствовал, что я собираюсь
бросить тебя, и предъявил свой единственный могучий
козырь.

Я рванул дверь и вышел на кухню. И там, чтобы
не завыть смертным воем, я шарахнул об пол три тарелки подряд — одну, и другую, и третью. Будь я
проклят, сказал я себе, будь оно все проклято, почему
я должен уезжать от своего ребенка?! И пусть мне
кто-то посмеет сказать, что это не мой ребенок! А чей
же, чей?! Я переломаю кости тому, кто сунется сюда
за моим сыном, сказал я себе, я прошибу тому башку!
И что-то не видать на горизонте того, кому бы, кроме
меня, нужен был этот ребенок!

Потом я вернулся в комнату, раскрыл чемодан и
стал вешать в шкаф свои рубашки. А твоя мать все так

же молча сидела в кресле спиной ко мне, и спина эта о многом говорила...

А насчет того, кого я не видел на горизонте... Так вот, мужик, оказывается, все это время он был, понимаешь, был рядом с нами, бегал в больницу к твоей матери, мучился и страдал, но узнал я об этом позже, гораздо позже...»

... — Нонке-то? В сентябре будет одиннадцать. Она ничего, забавная. Глупая только очень. Любимое занятие — листать журналы мод под магнитофонные записи. Ни черта не читает, ни черта не знает, зато общественница. Староста класса. Но страшная балда! Представляешь, сказал я ему, недавно совершенно случайно вслушалась в программу «Время», а там как раз передавали насчет этого случая с папой римским. Нонка прибегает на кухню — глазища вытаращены, челка прыгает — и кричит родителям: «Вы здесь чай пьете?! А там убили папу Римского-Корсакова!» Хохма, да?..

Похожа? На Виктора похожа, сказал я ему. Мамина подруга, эта восторженная бегемотиха Маргарита Семеновна, уверяет, что мы с Нонкой «ужжжасно похожи». Глупая баба, как мы можем быть похожи, когда Нонка — в своего отца, а я — в своего. Правда, па?

По-моему, все женщины, даже самые умные, ужасные дуры, ты не находишь? Почему негативизм? Просто я наблюдательный. Нет, они ничего не сделали мне плохого, но, думаю, все еще впереди. Ты встречал хоть раз мужика, сказал я ему, которому женщины не сделали бы в жизни ничего плохого?

...Да ни в кого я не влюблен, отстань, чего ты привязался! Это в меня влюблена одна... Ну есть одна, сказал я ему, из параллельного класса. Только мы поссорились перед отъездом, так что я считаю себя морально свободным...

А чего ты улыбаешься? Нет, я видел, ты улыбнулся! Да нет, правда, я совсем не переживаю, сказал я ему, только ведь все равно неприятно, когда тебя продают... А, неохота рассказывать... Ладно, я расскажу, только, пожалуйста... ну, ты сам понимаешь...

Понимаешь, сказал я ему, застукал ее с Романюком. Есть такой любимец женщин из 10 «Б». Спортсмен-бодрячок... Они из подъезда выходили, между прочим, совершенно постороннего подъезда. Вдвоем. Спрашивается — что люди делают вдвоем в чужом подъезде? Конечно, целуются...

А лично я, па, не потерплю предательства. Никогда и ни от кого. Это я решил твердо... Она знаешь как рыдала! А я показал себя настоящим мужиком. Я был холоден и вежлив, насмешливо вежлив. Она меня слезами орошала, а я сказал, что сожалею, очень сожалею, что доставил столько огорчений, и понимаю впечатлительную натуру, которая отдает предпочтение великолепным бицепсам Романюка. Тем более, сказал я язвительно, что самый могучий, самый чугунный бицепс у Романюка находится там, где у других людей помещается мозг... Неплохо да, па? Клянусь, это была импровизация. Почти...

Кстати, деликатный вопрос: какая дама будет освящать наш быт в это лето? Нет, правда, если таковая имеется, то как мне ее звать — по имени-отчеству или, как прежде, ну, там — тетя Валя, тетя Наташа, тетя Оля?..

Почему не будет? Если ты думаешь, что я отнесусь к этому как-то не так, что я уже вырос и все такое, то ты ошибаешься. Нет, правда, я человек широкий, па, сказал я ему. При мне чувствуй себя свободно... В конце концов, это твое личное дело. Я даже не буду против, если ты вдруг соберешься жениться. Правда, правда, я отнесусь к этому вполне лояльно, сказал я ему... Не можешь ведь ты всю жизнь быть один.

Семейная жизнь, конечно, на мой взгляд, штука паршивая, но, как говорит наша соседка, надо иметь, с кем под старость выпить стакан чаю...

Вот я наблюдаю за своими: знаешь, бывает, за день насобачатся, особенно если оба в плохом настроении. Послушаешь, так и она ему жизнь испортила, и он ей что-то там поломал, а вечером глянь — она ему валидольчик тащит, а он ей пластырь куда-нибудь лепит. Идиллия!.. Так что смотри, па, если тянет на такую бодягу — валяй, женись. А я, например, никогда не женюсь. Правда-правда, чего ты улыбаешься?

Ты поглядывай все же на дорогу, а... Что-то раньше ты так не лихачил.

Кстати, не кажется ли тебе, что пора этот убогий «Запорожец» поменять на более пристойную тележку? Ну, на «Жигули», например, или даже на «Волгу». Как — где взять? Ой, не прибедняйся. Изобрети какой-нибудь перпетуум-мобиле, тебе это раз плюнуть, получишь премию в десять тыщ, и... Не иронизируй, при чем здесь «мерседес»? Ошибаешься, я патриот отечественного автомобилизма...

Вот, покупаешь, значит, «Волгу», а «Запорожец», чтоб не жалко было выбрасывать, отдаешь мне. Я, так уж и быть, приму эту рухлядь. Ха! Шучу. Чихал я на все блага вашей человеческой цивилизации. Что? Да... Да, сказал я ему, абсолютно все равно. Что есть, что носить, где жить и на чем ездить. А главное — все равно, что про меня подумают.

Вот взять хотя бы эту двойную фамилию. Знаешь, как наши дубари в классе ржали?.. Интересная штука: у нас есть девочка по фамилии Свинарь и парень по фамилии Покойный — и хоть бы что. Никакого эффекта. А моя — через черточку — привела их в дикий восторг и вызвала взрыв их убогой мозговой деятельности...

Да нет, я не всех презираю, сказал я ему, просто учусь с ними с первого класса, знаю всех как облупленных, и все они осточертели мне до чертиков. Это как в нормальной семье — любовь любовью, а грызня грызней. Потому что люди надоедают друг другу очень быстро, ты не находишь?..

Кстати, о семье: история с моей двойной фамилией потрясла основы нашей милой семейки... А? Да черт их знает почему. Во всяком случае, изрядная нервозность наблюдалась, сказал я ему.

Ты же знаешь, мать вообще особа нервная, а тут, месяца за два до моего шестнадцатилетия, стала прощупывать почву насчет этого... ну, чью, мол, фамилию я возьму. Нет-нет да осторожно так потрогает эту опасную тему. Как больной зуб раскачивает...

Почему опасную? Знаешь, сказал я ему, не хотел тебе говорить, но ведь мать давно осторожненько мне намекала, что, мол, Виктор меня воспитывает да, мол, прекрасно ко мне относится, что некоторые люди, мол, берут двойную фамилию, ну и... прочая бодяга...

Да нет, ты не подумай, сказал я ему, не свинья же я и Виктору вполне благодарен за то, что все эти годы он не лез в душу, не качал права и вообще оказался очень приличным мужиком. Могло ведь и хуже быть. Но... при чем тут мой паспорт и моя фамилия? Нет, правда, мне не жалко, но не могу же я приписать себе фамилии всех хороших знакомых, верно, па? У меня есть собственный отец и собственная фамилия, и, ей-богу, и тот и другая меня вполне устраивают...

Я матери так и сказал, когда она допекла меня этими намеками. И надо было видеть, что тут началось! Слезы, капли Вотчала, щупанье пульса — она специалист по части истерик.

Ладно, думаю, я вам устрою двойную фамилию! Пошел и устроил. Приношу домой паспорт, показываю, и тут начинается второй акт трагикомедии, на сей раз в главной роли — кто бы ты думал? Виктор!

Вот уж не подозревал, что ему есть дело до того, чью фамилию я буду носить — твою или его.

Он заперся в ванной и сидел там полдня. Надо было видеть эту картинку: мать прыгала у дверей ванной, как квохчущая курица: «Витя! Витя!» — а оттуда шаляпинское такое рычание: «Я брре-эюсь!»

Умора... Что ты на меня так глядишь?.. Да нет, просто лицо у тебя какое-то странное, сказал я ему... И смотри ты на дорогу, бога ради, охота живым до дома добраться...

«...Так вот, мужик, насчет того, кого я не видел на горизонте. Первый раз он появился в день, когда тебе исполнилось три года. К этому времени я напрочь забыл, что ты не моя кровинка. То есть не то чтобы забыл... Очень редко эта бесстрастная, обесцвеченная временем мысль всплывала, как совершенно посторонняя информация. Как, скажем, сообщение о встрече глав двух европейских государств или о строительстве атомной станции где-то в Швеции — нечто безусловно существующее, но не имеющее к нам с тобой ни малейшего отношения. Я любил всюду таскать тебя с собой — по магазинам, на работу, в поликлинику. Ты был общительным, забавным мальчуганом и мгновенно заводил знакомства со всяким, кто обращал на тебя внимание.

И обязательно в очереди находилась детолюбивая бабка, подпавшая под твое обаяние.

— Сразу видать — папин сын, — благосклонно замечала она, когда ты с размаху влетал в мои колени.

— А что — похож? — спрашивал я, с горделивой небрежностью вороша твои пушистые волосы.

— Вылитый, — убежденно отвечала она. И в моем

сердце, на донышке, в глубине, ее слова отзывались тихой и сладкой болью...

В день, когда тебе исполнилось три года, мы до изнеможения кутили в детском парке, и все аттракционы работали на нас. А на обратном пути заехали на птичий рынок и купили Главный Подарок в литровой банке: двух жемчужно-серых гурами, двух кардиналов и парочку радужнохвостых гуппи.

Тебе давно пора уже было спать, ты устал от длинного, утомительно-веселого дня рождения и плелся за мною, похныкивая от усталости и перевозбуждения. Когда мы завернули в наш двор, я остановился, чтобы взять тебя на руки, и в этот момент на лавочке возле песочницы увидел человека, чем-то мне знакомого. Я скользнул по нему взглядом и отвел глаза, но в следующую секунду память вдруг огрела меня жгучей оплеухой, и я вспомнил все: давний день рождения, и Тарусевичей, и незнакомую чету, случайно пришедшую на огонек.

Словом, это был твой отец. И он смотрел на тебя не отрывая глаз.

Уж не знаю как, должно быть, ладони вспотели — банка выскользнула у меня из рук и грохнулась об асфальт.

Они бились в лужице — жемчужно-серые гурами, красавцы кардиналы и парочка радужнохвостых гуппи. Ты потрясенно смотрел на их предсмертные прыжки и вдруг заревел — густым протяжным басом. Вот тогда, мужик, у тебя был бас. Тогда, а не сейчас. Сейчас все-таки баритон...

Я подхватил тебя на руки и пошел, плечами заслоняя от взгляда человека на лавочке. И хоть для этого, мужик, у меня были достаточно широкие плечи, все равно я чувствовал себя серым гурами, бьющимся об асфальт в предсмертном ужасе.

Когда мы пришли домой и ты наконец был успокоен, накормлен и уложен, я вошел в комнату твоей матери и бесцветным, ровным голосом сказал, чтоб предупредили кого следует: если еще раз увижу в нашем дворе... и не в нашем тоже... если увижу вообще, даже случайно, на другом конце города, — словом, все, что обычно говорят люди в бесправном и беспомощном положении вроде моего...

С того дня я постоянно чувствовал себя зверем, обложенным охотником. И при мысли об этом меня дрожью прошибала ярость зверя, у которого отнимают детеныша. Тогда я не знал еще, что отец твой вовсе не охотник, а тот же зверь, обложенный, как и я, азартной судьбою.

Второй раз она сшибла нас на даче.

В то сырое сумрачное лето тебе исполнилось пять, ты скучал без дворовых приятелей, и с самого утра, едва становилось очевидным, что и сегодня погода не задалась, ты сидел на веранде, вяло выкладывал из кубиков бастионы и ждал моего приезда из города.

Унылое лето я расцвечивал для тебя бесконечными историями про лесника Михеича и его верных зверушек.

Этот Михеич выходил у меня помесью лихого ковбоя с дедом Мазаем, а каждая очередная история напоминала походный суп, в который бросают все, что есть под рукою, — тушенку, рыбные консервы, колбасу, макароны. Но ты поглощал это варево с неизменным восторгом.

Очень скоро Михеич мне осточертел, но вечером, едва я переступал порог террасы, ты бросался ко мне с радостным воплем, предвкушая очередную порцию похождений. После ужина я укладывал тебя на квадратную, с цветастыми занавесками кровать, заваливался рядом, измочаленный после рабочего дня, магазинов, очередей, электричек, ненавидя Михеича и его зверюшек и вяло соображая, куда бы еще послать героя и зачем.

В этом придуманном мною лесу кроме добродетельного ковбоя Михеича и его смекалистой внучки Мани действовала еще разная коммунальная сволочь — лешие, ведьмы, водяные, домовые, а также представители животного мира всех широт, от белого медведя до крокодила.

Сейчас уже не помню, какие именно перипетии выпадали на долю героев, но недели через две я выдохся и каждый день клянчил у сослуживцев какой-нибудь свежий сюжетик на вечер для Михеича.

В то воскресенье, когда ты немилосердно рано разбудил меня, хлопая ладошкой по носу, по губам, по закрытым векам и повторяя: «Папа, я встал, папа, я проснулся, открой глаза, скорей, на окнах капнушки просохли», — в то воскресенье впервые за много дней показалось солнце. И к полудню оно жадно слизало влагу с кустов и трав, просушило ступеньки крыльца и выкатилось на ребристые крыши дач.

Мы пошли гулять и на радостях долго бродили с тобою, забрели на соседнюю станцию, вышли к рынку и купили у опрятной бабки два больших соленых огурца. Домой вернулись голодные, намаявшиеся и очень довольные жизнью.

Твоя мать накормила нас обедом и ушла на станцию за продуктами, а мы с тобой завалились спать, предварительно, конечно, обсудив небольшое ограбление лесной избушки коварной, но довольно симпатичной бабой-ягою.

— Знаешь, какое мое самое любимое счастье? — пробормотал ты, уже осоловев. — Спать, гулять и кушать...

Наконец, ты уснул, а я лежал рядом, привалясь щекою к твоему русому пушистому затылку, смотрел в окно и думал — сейчас не помню, конечно, о чем.

Сквозь дрему я услышал, как скрипнула калитка, прошелестели по траве чьи-то шаги. Не знаю, каким чутьем, каким звериным чутьем я почуял неладное, но вдруг открыл глаза и резко повернул голову к окну.

Там, приблизив к стеклу лицо и соорудив из ладоней козырек, с жадной тоской вглядывался в комнату твой отец. Две-три секунды, оцепенев, мы глядели друг на друга. Кровь бухнула в мои виски, подбросила меня, швырнула к двери, я шибанул ее кулаком и вылетел во двор.

Твой отец убегал по тропинке к калитке. Я бросился за ним — догнать... Избить? Убить? Не знаю, не догнал, слава богу. Он удивительно быстро бежал для своей довольно внушительной комплекции. Впереди мелькали мокрые пятна на рубашке, багровая от напряжения блестящая лысина.

Выбежав на главную улицу дачного поселка, я столкнулся с нашей соседкой, и обалделое выражение ее лица меня остановило. Я вдруг увидел со стороны, что в трусах и майке мчусь по улице за лысым дядькой.

Я остановился, свернул в переулок и там, под забором чьей-то зеленой веселенькой дачи, долго сидел в траве, опоминаясь.

Тоска и страх стояли по обе руки от меня, тоска и страх... Надо было догнать его, сказал я себе, догнать и вытрясти его жалкую душонку. Чтобы неповадно было шляться крадучись по чужим дачам, высматривать чужих сыновей.

Тоска и страх с обеих сторон вкрадчиво взяли меня под руки и повели по переулочку к нашей даче. Но было еще одно чувство, которое сверлило мою душу, о которое я спотыкался, как о сухую корягу. И я вдруг понял, что это — жалость. К покрасневшей от напряжения лысине, к мешковатой, нелепой в беге фигуре.

Дерьмо, сказал я себе, это ты здесь чужой, а он пришел взглянуть хоть одним глазком на свою женщину и своего ребенка. Это ты здесь дутый хозяин положения, на самом-то деле ничего тебе здесь не принадлежит. Все у тебя — понарошку, как у липового ковбоя Михеича. Липовая жена, липовый сын...

Господи, что происходит с нашей жизнью? Кто поставил ее с ног на голову и зачем, хотел бы я знать...

На террасе тихо возилась с посудой твоя мать. Боясь взглянуть на нее, я прошел в комнату и прилег рядом с тобою. Сердце мое так колотилось, что я отодвинулся, боясь тебя разбудить. Вот тогда явилась и тяжко придавила грудь мысль, которую все эти годы я трусливо гнал от себя. Это конец, подумал я. Еще день, неделя, месяц — когда-нибудь нам придется с тобою расстаться.

Так оно и случилось.

Безотрадное лето перетекло в свинцовую тяжесть осени. Мы перебрались в город, и вскоре, в один из таких дождливых, неуловимо прощальных вечеров, произошло, наконец, наше единственное объяснение с твоей матерью...

Ты давно уже спал, а я сидел за работой в соседней комнате и смолил одну сигарету за другой, потому что ничего у меня в тот вечер не клеилось, как и вообще в ту осень. Настроение было тяжелым, я словно ждал какого-то несчастья.

Поэтому, когда твоя мать постучала и вошла в комнату, мое сердце стукнуло дробно и тяжко, как дробил подоконники осенний дождь.

Я сидел не оборачиваясь, как сидела она в тот день, когда я собирался покинуть этот дом. По тому, как тихо, словно приготавливая меня, она вошла, я все понял. Я все понял, мужик, и, ей-богу, не стоило даже начинать этот бесполезный разговор. Но твоя мать начала его.

Наконец-то, сказала она, обстоятельства расставили все по местам. Обстоятельства распорядились так, что наше невыносимое мучительное сосуществование должно прекратиться.

Она говорила тусклым голосом, тихо и устало. Звук этого голоса мягко толкался в мою спину и соскальзывал на пол.

Я жду второго ребенка, сказала она, Виктора приглашают в новосибирское издательство, дают квартиру, пока двухкомнатную, и послезавтра мы едем. Билеты уже взяты.

Послезавтра, подумал я, послезавтра...

Развод, сказала она, оформлю там, ты только пришлешь бумагу с подписью. Разведут нас быстро, ведь я жду ребенка. Ты не беспокойся ни о чем, тебя это не затронет.

Меня это не затронет, подумал я.

И вот еще что, сказала она таким же серым, уставшим голосом, не бойся, Филипп для всех останется твоим сыном. Твоя фамилия, твое отчество. Я могу даже отправлять его к тебе на лето. Не нужно травмировать ребенка, он любит тебя, считает отцом, пусть будет так, я решила... Виктор согласен, он на все согласен, только чтобы мы скорее уехали и весь этот кошмар остался позади...

Ах, он согласен, сказал я, не оборачиваясь и яростно сгибая пальцами транспортир, подвернувшийся мне на столе, ну что ж, он очень добр ко мне. А где был этот добряк пять лет назад, когда его двухнедельный сын умирал на моих руках, поинтересовался я. И чтобы говорить спокойно, я, мужик, прилагал дьявольские усилия, потому что это «послезавтра» долбило меня в висок и заколачивало гвозди в мое горло.

Ты несправедлив, потому что ничего не знаешь,

возразила она. Виктор очень страдал, он хотел забрать ребенка в тот же день, когда меня увезли в больницу, но я не позволила: он жил в плохих условиях, снимал где-то комнату... Я запретила ему появляться в нашей жизни...

Ах, вот как, понимаю, я был более подходящей кандидатурой на роль отца в связи с лучшими квартирными условиями, вежливо заметил я, ну а дальше, а потом, когда ты вышла из больницы?

А когда я вышла из больницы, сказала она тихо, я увидела, как ты привязался к мальчику, и боялась тебя ранить.

Я засмеялся, мужик, я зло рассмеялся, потому что залюбовался этим чисто женским завитком: убивая человека, она боялась *его ранить*.

Я по-прежнему не оборачивался к ней, я боялся обернуться, чтобы не убить ее. Чтобы не схватить, не сжать обеими руками эту жалкую худую шею; как я был близок, мужик, к тому, чтобы убить твою мать!

Мразь, думал я, дрянная шлюха, выбирающая, где лучше, все эти годы она спала с ним, а я воспитывал их сына, я любил его, я люблю его больше жизни, о господи, она выкрутила мне руки этой любовью, я бессилен, я тряпка... И все это время в висок меня долбило пронзительное «послезавтра».

А ты спал за стеною, ты спал в полной уверенности, что наша с тобою прекрасная жизнь не кончится никогда, как никогда не кончаются небо, воздух, деревья... Наша с тобой жизнь должна была кончиться послезавтра.

Я вспомнил красную от напряжения лысину твоего отца, его мешковатую фигуру... «Я запретила ему появляться», «Виктор согласен, он на все согласен...» И впервые подумал о нем: бедняга...

Наконец, я обернулся к ней.

Глупая, жестокая баба, сказал я негромко, что же ты натворила со мной и с ним, что ты наделала с двумя мужиками!

И тогда она вскочила и затряслась. Она закричала. Она кричала шепотом, глядя на меня сквозными от ненависти глазами, давясь слезами и исступленной яростью.

Нет, крикнула она, это ты, ты во всем виноват, ты все это сделал своими руками! Ты оттолкнул меня, отпихнул брезгливо ногой, как провинившуюся собаку! О, ты-то чистый, возвышенный, принципиальный, ты стерильный, как хирургическая салфетка! Будь ты проклят со своими благородными принципами, ты растоптал меня! Все эти пять лет каждую минуту ты давал мне понять, что я — низкая, подлая тварь и недостойна быть ни твоей женой, ни матерью Филиппа.

Я не забуду, я никогда не забуду, как все эти пять лет ты оттирал меня от моего мальчика — взглядом вежливо-соседским, голосом вежливо-презрительным. Подразумевалось, что ты для него важнее в сто раз, чем я, что без тебя он жить не может. Ты настойчиво, упорно отнимал у меня сына! Он обожает тебя, копирует твои жесты, твою походку. Ты делал все, чтобы мне страшно было уйти, чтобы я боялась оторвать его от тебя!..

...Да, я оступилась, сказала она надрывно, это было, да, единственный раз я изменила тебе — глупо, нелепо, как это бывает в поездке. И сразу возненавидела его, этого случайного знакомого, а главное — возненавидела себя, потому что любила тебя, только тебя всю жизнь.

А он прилип ко мне, как тянучка, ни на шаг не отходил и, когда вернулись в Москву, каждый день являлся ко мне на работу. Отцепиться от него было невозможно!

Она говорила быстро, сбивчиво, плача и мерцая в полутьме глянцево-потным лбом, а я думал только: послезавтра, послезавтра...

Что ты знаешь, сказала она, какой смертельный ужас я испытала, когда поняла, что беременна. Я заметалась по врачам, у меня и в мыслях не было рожать от этой дорожной связи, потому что все эти годы я любила тебя и мечтала о ребенке, твоем ребенке...

Но все врачи в один голос говорили, что мне неслыханно повезло, что случай один из тысячи, и если я упущу этот шанс, то на другой уже могу не надеяться...

Она плакала, но продолжала говорить — торопливо, жалко, словно боялась, что я прерву, не дам досказать, доплакать, довыть ее боли...

Я ненавидела свой живот, сказала она, и того, кто там завелся. Я даже не представляла его своим ребенком, мне казалось, я ношу в себе коварного хитрого зверька, пожирающего мою душу и нервы.

Я никогда не лгала тебе и тут собиралась все рассказать, рассказать беспощадно все, по порядку, зная, что потеряю тебя навсегда.

Но едва я начала этот разговор, едва проговорила, что жду ребенка... Нет, сколько живу, я буду помнить твои глаза в этот миг и приоткрытые по-детски губы. Ты был оглушен счастьем, и у меня не повернулся язык, понимаешь, просто не повернулся язык... И тогда меня словно озарило. Я поняла, что должна забыть все, вырвать из памяти ту поездку, должна внушить себе, что это твой, твой ребенок! И мне это удалось. Почти...

Я прогнала Виктора, запретила ему появляться. Но каждый день он приходил к проходной института и на расстоянии шел за мною до дома. Больше всего на свете я боялась, что ты узнаешь обо всем.

Разве ты сможешь понять, сказала она, как рвалась моя душа надвое в те месяцы, какие кошмары снились мне по ночам, как часто я желала смерти этому ребенку. Но он не умер, он рос, он рос во мне, он хотел родиться и жить.

Что ты знаешь, сказала она, когда мне принесли его в первый раз и я увидела, что мальчик — вылитый Виктор и всю жизнь будет маячить передо мною этим чужим, случайным, не твоим лицом, я захотела умереть сама, господи, как я захотела подохнуть! Разве ты поймешь когда-нибудь, какую тоску, какой ужас испытывала я, молча воя по ночам в казенную подушку, там, в палате, среди чужих женщин! А потом, когда я увидела твое лицо и поняла, что ты все знаешь, — вот тогда начался настоящий ужас в моей жизни.

Да, ты не ушел, сказала она, но ты и не остался, и

это было страшнее всего — ты казнил меня все эти пять лет каждый день. **Каждый божий день я ждала, что ты уйдешь. Сначала я на что-то надеялась. Мне казалось, что если ты так любишь мальчика, то когда-нибудь поймешь и простишь меня, его мать, поймешь и простишь.**

Каждую ночь я лежала вытянувшись, с обмирающим сердцем прислушивалась к твоим шагам в коридоре и ждала, что вот сегодня ты наконец войдешь и я брошусь к тебе, вцеплюсь в твои колени и буду выть, выть и ползать, пока ты не простишь меня, и тогда все у нас опять будет хорошо.

Нет! Твои шаги неизменно проходили мимо двери, а днем ты стучал, прежде чем войти. Ты вежливо стучал. О, ты воспитанный человек, дорогой мой, продолжала она. Пять лет наша квартира была коммуналкой. А я все равно ждала. И гнала Виктора прочь. Я гнала его, постылого, четыре года, пока еще на что-то надеялась. Потом я сдалась.

Да, крикнула она, да, я слабая, я не могу быть одна! Ты сильный, ты гордый, ты благородный, не человек, а лезвие ножа. Пять лет ты убивал меня ежедневно, а я хотела жить! Понимаешь, я хотела жить потому, что люблю жизнь!

Мне тяжко уезжать, сказала она, я не люблю его, но рядом с ним я чувствую себя женщиной, а не паршивой собакой. Поэтому я уеду и увезу Филиппа. Камень, пусть тебе будет больно! Может, когда-нибудь ты поймешь, чего мне стоили эти пять лет...

Я не сказал ей ни слова на это, и она умолкла. Мы

сидели в полумраке комнаты, в разных углах, каждый со своей бедой, и каждый, должно быть, чувствовал, что, проговори он еще неделю, другой его не поймет все равно, не захочет понять. Я говорил себе: ну что ж, ведь бывает так, что, вырастая, дети уезжают и живут в других городах. Будем считать, что ты слишком быстро вырос, слишком быстро уехал от меня. Будем так считать...

Когда она поднялась, чтобы выйти, я спросил, не поворачивая головы:

— Значит, я могу надеяться...

— Даю тебе слово, — сказала она твердо, — мальчик ничего не узнает. Я расскажу ему потом, когда из вас двоих кто-то умрет.

В ту минуту, мужик, эти слова покоробили меня холодной уверенностью в том, что кого-то из нас она похоронит. Ну что ж, подумал я, в таком случае неплохо было бы первым попасть туда мне...

...Через день ты уехал. Даже проводить тебя мне не разрешили: нашу с Виктором встречу в аэропорту твоя мать считала излишней.

Я в последний раз одевал тебя в прихожей — пальтишко, меховую шапку, ботинки, а ты пузырил щеки и громко изображал губами, как они лопаются. Ты не знал, что уезжаешь навсегда, для тебя наспех слепили какую-то версию с поездкой на неделю к маминой тете.

Я никак не мог завязать тесемки твоей шапки не

потому, что отвратительно подрагивали руки, а потому, что ты, как всегда, ни секунды не стоял на месте.

— Постой спокойно, сынок, — срывающимся шепотом велел я.

Тогда мне казалось странным и даже обидным, что ты ничего не чувствуешь. Смешно — ведь тебе исполнилось всего пять лет...

Наконец, шапка была завязана, ты поднял голову и снизу вверх посмотрел на меня, внимательно и лукаво.

— Папа, а ты умеешь из кишков загонять в щеки воздух? — спросил ты серьезно.

Я схватил тебя в охапку, зарылся лицом в бурую ласковую овчину шапки и воротника, и прошло несколько мгновений, прежде чем я взял себя в руки.

Твоя мать стояла с чемоданом в дверях, бледная, с истерзанным лицом. И когда во дворе я усаживал вас в такси, она вдруг расплакалась и подалась ко мне — наверное, обнять, попрощаться по-человечески...

Я не шагнул навстречу и потом, глядя вслед выезжающей со двора машине, подумал, что, вероятно, она права: я — камень и нет мне оправдания, если все мы несчастны...

...Ну вот, мужик, сказал бы я ему, такие финики... Так что извини, дружище, ни седой гривы, ни американской моей подтянутости ты не унаследуешь. Готовься к брюшку и лысине своего отца, сказал бы я ему, и слова «своего отца», наверное, обожгли бы мое небо...

Нет. Нет! Нет! Никто и никогда не вырвет из меня этих слов! Никто и никогда не заставит меня рассказать ему правду! Я зубами буду держаться за мою многолетнюю ложь.

Что?! Какой Виктор?! — скажу я ему. Что за чушь пришла тебе в голову! Посмотри в зеркало, сынок, скажу я ему, ты же похож на меня до смешного — нос, глаза, брови, дурацкая привычка сдувать со лба волосы... Да о чем говорить?! Что за глупые шутки, скажу я ему, ты же толковый мужик и понимаешь, зачем они состряпали эту версию!

Да-да, именно так! И кто осудит меня за это? Им не удастся отнять его во второй раз. Я буду стоять на своем до конца, и моя праведная ложь перешибет их гнилую правду!

...Я держу руль напряженными ладонями и поминутно взглядываю на его профиль. Перед отъездом мальчик подстригся, и мне забавно видеть, как, по привычке вытягивая губы, он продолжает сдувать со лба несуществующий чуб.

Я счастлив... Он со мной, со мной, я вытащил его, мы будем вместе целое лето. Сначала махнем в Карелию, на озера. Потом, как всегда, — в Коктебель. Потом... видно будет, сообразим что-нибудь...

А через год я вытяну его в Москву, поступать в столичный вуз. Что бы он там ни вякал, мой щенок, поступать он будет и поступит, куда наметим. Я пущу в ход все свои связи. Слава богу, друзей у меня достаточно. Он останется со мной, он должен остаться со мной, ведь, кроме него, у меня нет никого на свете...

Я счастлив... Ладно, говорю я себе, бог с нею, двойной фамилией. В конце концов, мать дала ему жизнь и обожает его, отчего бы ее фамилии не стоять в его паспорте...

Ты совсем спятил, старый осел, говорю я себе, решил узурпировать мальчика, а он взрослый уже, имеет право выбирать собственный образ мыслей и, ей-богу, вполне имеет право быть сейчас глупым щенком... Ладно, говорю я себе, пусть так... И Мусин-Пушкин, и Голенищев-Кутузов, и кто там еще из прошлых столетий... Ладно. Не в этом дело.

Я смотрю на дорогу и слышу свой голос — размеренный, нудный. Тебе следует помягче быть с мамой, говорю я, мама замечательный человек, просто она нездорова и много чего в жизни перенесла... И Виктор прекрасный человек, говорю я, умница, трудяга, его последняя книга о русской иконе четырнадцатого века удивительна...

И всю дорогу на радостях я несу воспитательную чушь, а он огрызается, и по его щенячьему тявканью я чувствую, что он тоже счастлив. Мы же три года не виделись!

...Я заворачиваю в наш двор, подкатываю к подъезду и глушу мотор.

— Наконец-то! — говорит мальчик, возбужденно оглядывая знакомый двор, грибок с песочницей, турник, скамейки у подъездов. — Доволокла таратайка...

Мы вытаскиваем из багажника чемодан, запираем дверцы машины и поднимаемся по лестнице. Он идет чуть впереди, что-то мне рассказывая, при этом взмахивая пятерней, совсем как я.

На наши голоса выглядывает соседка по лестничной клетке, милейшая бабуся Нина Семеновна.

— Филиппок приехал! — восклицает она, лучась сухим старческим личиком. — Дождались... Вымахал, Филипп Георгиевич, вымахал... А тебе тут телеграмма. Только что почтальон был, я расписалась.

Мальчик с недоумением берет протянутый бланк, распечатывает, и я вижу, как цепенеет его затылок и бледнеет щека. Он пытается что-то сказать, но только мычит, как глухонемой, тыча мне телеграмму. Я выхватываю из сведенных пальцев серый бланк и, прежде чем понимаю смысл напечатанного, несколько секунд тупо смотрю на гладкую и короткую, как вой падающего снаряда, фразу:

«Возвращайся немедленно папа умер».

1986

ТЕРНОВНИК

Мальчик любил мать. И она любила его страстно. Но ничего толкового из этой любви не получалось.

Впрочем, с матерью вообще было трудно, и мальчик уже притерпелся к выбоинам и ухабам ее характера. Ею правило настроение, поэтому раз пять на день менялась генеральная линия их жизни.

Менялось все, даже название вещей. Например, мать иногда называла квартиру «квартирой», а иногда звучно и возвышенно — «кооператив»!

«Кооператив» — это ему нравилось, это звучало красиво и спортивно, как «авангард» и «рекорд», жаль только, что обычно такое случалось, когда мать заводилась.

— Зачем ты на обоях рисуешь?! Ты с ума сошел? — кричала она неестественно страдальческим голосом. — Ну скажи: ты человек?! Ты не человек! Я хрячу на этот проклятый кооператив, как последний ишак, сижу ночами над этой долбаной левой работой!!!

Когда мать накалялась, она становилась неуправляемой, и лучше было молчать и слушать нечленораздельные выкрики. А еще лучше было смотреть прямо в ее гневные глаза и вовремя состроить на физиономии такое же страдальческое выражение.

Мальчик был очень похож на мать. Она натыкалась на это страдальческое выражение, как натыкаются впотьмах на зеркало, и сразу сникала. Скажет только обессиленно: «Станешь ты когда-нибудь человеком, а?» И все в порядке, можно жить дальше.

С матерью было сложно, но интересно. Когда у нее случалось хорошее настроение, они много чего придумывали и о многом болтали. Вообще в голове у матери водилось столько всего потрясающе интересного, что мальчик готов был слушать ее бесконечно.

— Марина, что тебе сегодня снилось? — спрашивал он, едва открыв глаза.

— А ты молока выпьешь?

— Ну выпью, только без пенки.

— Без пенки короткий сон будет, — торговалась она.

— Ладно, давай с этой дрянской пенкой. Ну, рассказывай.

— А про что мне снилось: про пиратские сокровища или как эскимосы на льдине мамонтенка нашли?

— Про сокровища... — выбирал он.

...В те редкие минуты, когда мать бывала веселой, он любил ее до слез. Тогда она не выкрикивала непонятных слов, а вела себя, как нормальная девчонка из их группы.

— Давай беситься! — в упоительном восторге предлагал он.

Мать в ответ делала свирепую морду, надвигалась на него с растопыренными пальцами, утробно рыча:

— Га-га! Сейчас я буду жмать этого человека!! — Он замирал на миг в сладком ужасе, взвизгивал... И тогда летели по комнате подушки, переворачивались стулья, мать гонялась за ним с ужасными воплями, и в конце концов они валились на тахту, обессиленные от хохота, и он корчился от ее щипков, тычков, щекотания.

Потом она говорила своим голосом:

— Ну, все... Давай наведем порядок. Смотри, не квартира, а черт знает что...

— Давай еще немножко меня пожмаем! — просил он на всякий случай, хотя понимал, что веселью конец, пропало у матери настроение беситься. Вздыхал и начинал подбирать подушки, поднимать стулья.

Но чаще всего они ругались. Предлогов было — вагон и тележка, выбирай, какой нравится. А уж когда у обоих плохое настроение, тогда особый скандал. Хватала ремень, хлестала по чему попадала — не больно, рука у нее была легкая, — но он орал как резаный. От злости. Ссорились нешуточно: он закрывался в туалете и время от времени выкрикивал оттуда:

— Уйду!! К черту от тебя!

— Давай, давай! — кричала она ему из кухни. — Иди!

— Тебе на меня наплювать! Я найду себе другую женщину!

— Давай ищи... Чего ж ты в туалете заперся?..

...Вот что стояло между ними, как стена, что портило, корежило, отравляло ему жизнь, что отнимало у него мать, — Левая Работа.

Непонятно, откуда она бралась, эта Левая Работа, она подстерегала их как бандит, из-за угла. Она наскакивала на их жизнь, как одноглазый пират с кривым ножом, и сразу все подчиняла себе. Кромсала этим ножом все планы: зоопарк в воскресенье, чтение «Тома Сойера» по вечерам — все, все гибло, летело к чертям, разбивалось о проклятую Левую Работу. Можно сказать, она была третьим членом их семьи, самым главным, потому что от нее зависело все: поедут ли они в июле на море, купят ли матери пальто на зиму, внесут ли вовремя взнос за квартиру. Мальчик ненавидел Левую Работу и мучительно ревновал к ней мать.

— Ну почему, почему она — Левая? — спрашивал он с ненавистью.

— Вот балда. Потому что правую я делаю весь день на работе, в редакции. Правлю чужие рукописи. Мне за это зарплату платят. А вот сегодня я накатаю рецензию в один журнал, мне за нее отвалят тридцать рублей, и мы купим тебе сапоги и меховую шапку. Зима же скоро...

В такие дни мать до ночи сидела на кухне, стучала на машинке, и бесполезно было пытаться обратить на себя ее внимание — взгляд отсутствующий, глаза воспаленные, и вся она взвинченная и чужая. Молча подогревала ему ужин, говорила отрывистыми командами, раздражалась из-за пустяков.

— Живо! Раздеться, в постель, чтоб тебя не видно и не слышно! У меня срочная левая работа!

— Чтоб она сдохла... — бормотал мальчик. Он медленно раздевался, забирался под одеяло и смотрел в окно.

За окном стояло старое дерево. Дерево называлось терновник. На нем колючки росли, здоровенные, острые. Пацаны такими колючками по голубям из рогатки стреляют. Мать однажды встала у окна, прижалась лбом к стеклу и сказала мальчику:

— Вот дерево терновник. Очень древнее дерево. Колючки видишь? Это тернии. Из таких колючек люди однажды сплели терновый венок и надели на голову одному человеку...

— За что? — испугался он.

— А непонятно... До сих пор непонятно...

— Больно было? — сочувствуя неизвестной жертве, спросил он.

— Больно, — согласилась она просто.

— Он плакал?

— Нет.

— А-а, — догадался мальчик. — Он был советский партизан...

Мать молча смотрела в окно на старый терновник.

— А как его звали? — спросил он.

Она вздохнула и сказала отчетливо:

— Иисус Христос...

Терновник тянул к самой решетке окна свою скрюченную руку с корявыми пальцами, как тот нищий у магазина, которому они с матерью всегда дают гривен-

3 Зак. 1853

ник. Если присмотреться, можно различить в сплетении веток большую корявую букву «Я», она как будто шагает по перекладине решетки.

Мальчик лежал, глядел на букву «Я» и придумывал для нее разные пути-дороги. Правда, у него не получалось так интересно, как у матери. Машинка на кухне то тараторила бойко, то замирала на несколько минут. Тогда он вставал и выходил на кухню. Мать сидела над машинкой ссутулясь, пристально глядя в заправленный лист. Прядь волос свисала на лоб.

— Ну? — коротко спрашивала она, не глядя на мальчика.

— Я пить хочу.

— Пей и марш в постель!

— А ты скоро ляжешь?

— Нет. Я занята...

— А почему он деньги просит?

— Кто?! — вскрикивала она раздраженно.

— Нищий возле магазина.

— Иди спать! Мне некогда. Потом.

— Разве он не может заработать?

— Ты отстанешь от меня сегодня?! — кричала мать измученным голосом. — Мне завтра передачу на радио сдавать! Марш в постель!

Мальчик молча уходил, ложился. Но проходили минута-две, и стул на кухне с грохотом отодвигался, в комнату вбегала мать и отрывисто, нервно бросала:

— Не может заработать! Понимаешь?! Бывает так. Сил нет у человека. Нет сил ни заработать, ни жить на свете. Может, горе было большое, война, может, еще что... Спился! Сломался... Нет сил...

— А у тебя есть силы? — обеспокоенно спрашивал он.

— Здрасьте, сравнил! — возмущалась она и убегала на кухню — стучать-выстукивать проклятую Левую Работу.

У матери силы были, очень много было сил. И вообще мальчик считал, что они живут богато. Сначала, когда ушли от отца, они жили у материной подруги тети Тамары. Там было хорошо, но мать однажды поругалась с дядей Сережей из-за какого-то Сталина. Мальчик думал сначала, что Сталин — это Маринин знакомый, который ей здорово насолил. Но оказалось — нет, она его в глаза не видела. Тогда зачем из-за незнакомого человека ссориться с друзьями! Мать как-то и ему принялась рассказывать про Сталина, но он пропустил мимо ушей — скучная оказалась история.

...Так вот, мать подумала, решилась, и они «влезли в кооператив».

Мальчик придумывал грандиозное зрелище: вот он ждет их на взлетной полосе, сверкающий, узкий и легкий как птица — кооператив! Вот они с матерью — в комбинезонах, со шлемами в руках — шагают к нему через поле. И вот уже люк откинут, они машут толпе внизу, застегивают шлемы и наконец *влезают* в новейшей модели сверхзвуковой кооператив!

На самом деле все происходило не так. Мать продала много чего ненужного — желтенькую цепочку, которую прежде даже на ночь не снимала с шеи, серьги

из ушей с блестящими стеклышками, кольцо. Потом
стояла у окна на кухне и плакала весь вечер, потому
что и цепочка, и серьги, и кольцо были бабушкиными
и остались от нее на память. Мальчик крутился возле
матери, ему передалось ее тоскливое ощущение потери,
и было жалко мать, которая так горько плачет из-за
пустяковых вещиц, и он решительно не понимал, что
происходит.

Но скоро они переехали в новую квартиру, и мать
повеселела. Квартира оказалась роскошной: комната,
кухня и туалет с душем. Был еще маленький коридор-
чик, в котором они в первый же день повесили пода-
ренное тетей Тамарой зеркало. Комната пустая, веселая — вози грузовик в какую хочешь сторону, от стенки
до стенки, и не скучай. Первое время они спали вдвоем
на раскладушке. Обнимались тесно, становилось тепло,
и мать перед сном рассказывала длинную историю, каждый вечер новую. И как только они умещались в ее
голове!

А однажды он пришел из детского сада и увидел в
комнате новую красную тахту. Мать засмеялась, потащила его, повалила на тахту и стала тискать и щипать.

— Ну как? — спросила она гордо. — Шикарно? — И подпрыгнула на упругой тахте.

— Шикарно, — согласился он и тоже попрыгал
немного.

— Человеку в твоем возрасте вредно спать на раскладушке, — пояснила мать, — будешь сутулым, как
старый старикашка... У меня это прямо из головы всю
неделю не выходило. А сегодня утром, как отвела тебя

в сад, думаю — да черт возьми! Руки есть, башка
варит, что я — не отработаю? Пошла и заняла деньги
у тети Тамары...

— Левую Работу возьмешь? — расстроился он.

— Ага, — беспечно сказала мать и опять стала
прыгать на тахте и тискать мальчика...

Часто в гости забегала тетя Тамара. К ней на работу
постоянная спекулянтка приносила всякие вещи — то
джемпер японский, то финское платье. И тетя Тамара
забегала на минутку — приносила «померить». Она
очень переживала, что мать «все с себя сняла» и «совершенно не одета». Ну это, конечно, была ерунда.
Интересно, как бы мать ходила на работу, если б была
совершенно не одета. Она носила черный свитер, который очень нравился мальчику, и серые от стирки джинсы. Просто она привязалась душой к этим любимым
вещам, ей не нравились другие. А недавно тетя Тамара
принесла серьги, ведь мать продала свои, и та волновалась, что дырочки в ушах зарастут и будет «все
кончено». Серьги оказались красивыми, с нежно-зеле-
ными камушками. Мать усмехнулась, надела их, и сразу
стало видно, какая она хорошенькая, — глаза такие же,
как серьги, зеленые и длинные.

— Вот и покупай! — решительно сказала тетя Тамара. — Очень тебе идут. Просто чудо как красиво.

— Ой, Марина! — ахнул мальчик. — Какие красивые!

— Красивые! — согласилась мать, снимая серьги. — На той неделе взнос за кооператив...

Тетя Тамара бодрая и решительная. Она очень по-

могает жить матери и мальчику — вселяет уверенность
в то, что все будет прекрасно.

— Личная жизнь не удалась — подумаешь! — говорит она. — Те, у кого она удалась, ходят в стоптан-
ных туфлях и с высунутыми языками...

Отца он тоже любил, но боялся, что мать замстит
это. И вообще, когда заходил разговор об отце, он
помалкивал, зная взрывной материн характер. С отцом-
то было легко, спокойно. Отец никогда не орал, и всегда
можно было предположить, как он отнесется к тому или
другому происшествию. Отец был во всем *другой*...

Наверное, он сильно удивился бы, узнав, что мальчик наблюдает за ним и сопоставляет его мир с тем
миром, где существовали они с матерью.

Отец забирал его в субботу днем и приводил к себе
домой, в ту квартиру, где прежде жили они втроем и
где осталось все, что раньше было общим. Остался и
трехколесный велосипед мальчика, и санки, и самокат.
Довольно долго он размышлял, отчего отец не отдал
даже его велосипеда. Но спросить не решался. Вернее,
просто знал, что ответит отец. Тот бы улыбнулся, и
поцеловал его, и сказал:

— Просто я хотел, чтобы твои игрушки были здесь,
чтоб ты знал — здесь твой дом...

Как-то он уже говорил что-то подобное.

Нет, дом был там, где была мать. Это мальчик
чувствовал очень остро. Даже когда не существовало
вообще никакого дома и они ютились у тети Тамары с

дядей Сережей, его дом был там, где находилась она — ее голос, ее запах, ее черный свитер, ее жестикуляция и выкрики.

Даже себе он не признавался в том, что любит бывать у отца отчасти из-за подарков. Отец дарил подарки веселые, интересные и этим выгодно отличался от матери. То пистолет подарит с целой обоймой оглушительных патронов, то железный танк с вращающимся стволом орудия. И делал это отец без шума, со снисходительной улыбкой и никогда не устраивал тарарама, если вдруг через час орудие танка отваливалось или пистолет переставал почему-то действовать.

Да, отец дарил веселые подарки... Мать — скучные. Сапоги какие-нибудь на зиму, или куртку с капюшоном, или костюм. И сама ужасно радовалась этим подаркам, заставляла его надевать их, ходить перед ней по комнате и сто раз поворачиваться. Мальчику это надоедало. Он скучал, недоумевал, спрашивал:

— Ну все, что ли?

— Ну походи еще! — сияя счастливыми глазами, командовала мать. — Пройди медленно вон туда, к шкафу, и повернись ко мне. Так. Теперь спиной...

Он томился в теплой зимней куртке, но послушно топтался, как она требовала, — от шкафа к тахте и обратно.

В такие минуты он почему-то очень жалел ее...

И не дай бог было замазать куртку грязью или оторвать случайно какую-то несчастную пуговицу! Что тут начиналось!

— Ты человек?! — кричала она страдальческим голосом. — Нет, скажи — ты человек? Нет, ты не человек! Потому что тебе все равно — сплю я ночами или сижу над левой работой, куртку тебе зарабатываю!

Охота воспитывать его настигала мать в самые неподходящие моменты. Например, на днях, когда взрослые ребята — среди них был даже Борька из второго класса — впервые приняли его в игру и он решил на радостях угостить всех конфетами. Он прибежал со двора и постучал в дверь ногами, торжествующий и переполненный царственной щедростью. Мать открыла дверь с мыльными руками, наверное, стирала.

— Марина, дай нам всем конфет! — потребовал он, шумно дыша.

— Посмотри, на кого ты похож! — крикнула она с выражением муки на лице. Бровь ее изогнулась. — Только что вышел! Посмотри на свою рубашку! Сколько я могу стирать?! Ты человек? Ты не человек! Нет больше моих сил, понимаешь? Нет больше моих сил, ты понимаешь или нет?!

— Понимаю, понимаю, — торопливо проговорил он, точно так же изогнув страдальчески бровь, — дай нам конфеты!..

...Да, отец обладал существенным достоинством — он никогда не орал...

Мальчику была непонятна эта материнская страсть к добыванию вещей, тем более непонятна, что мать он считал натурой щедрой и в этом отношении даже безумной.

Однажды она привела в дом двоих детей. Было воскресное дождливое утро, мать рано ушла в магазин, а мальчик еще лежал в постели и сквозь дымку утреннего сна слушал, как дождь остервенело лупит по подоконнику. Левое ухо, прижатое к подушке, ничего не слышало, поэтому всю бестолковую грызню дождя с подоконником выслушивало правое ухо. Оно утомилось. Мальчик сполз вниз, под одеяло, и прикрыл правое ухо ладонью. Тарахтение дождя по подоконнику превратилось в сонное бормотание, наступила блаженная тишина. И в этой тишине мальчик услышал, как открыли входную дверь и мать отрывисто проговорила:

— Входите, входите!

Мальчик откинул одеяло и быстро сел в постели. Дождь грянул оглушительную свою песню.

— Какой сильный дождь! — сказала мать в прихожей. — Зайдите в комнату, дети.

И тут мальчик увидел их обоих. Они были неправдоподобно мокрыми, как будто кто нарочно долго вымачивал их в бочке с водой. Старший, мальчик одного с ним возраста — лет шести-семи, а девочка совсем малышка — ей едва ли исполнилось три года. Она таращила по сторонам черные, как у галчонка, глаза и слизывала с губ капли дождя, бегущие по лицу с налипших на лоб спутанных кудрей. У обоих прямо на босые ноги были надеты калоши.

Мальчик сидел на постели в теплой пижаме и молча смотрел на незнакомцев.

— Драстытэ, — робко выдавил старший из них.

Мать наткнулась на недоумевающий взгляд мальчика и скороговоркой объяснила:

— Это дети молочницы... Она молоко по квартирам

разносит... а они... вот... под дождем... Бидоны стерегут, дурачки... Как мокрые галки... Раздетые, разутые... Кому нужны эти бидоны, черт бы ее побрал! Раздевайтесь! — скомандовала она и распахнула дверцы шкафа.

Она хватала с полок одежду мальчика и бросала на тахту — колготки, рубашки, свитер. Потом помедлила и сняла с вешалки его прошлогоднюю дождевую куртку.

— Вот, — сказала она. Принесла из ванной полотенце и стала растирать им девочку. Та стояла безучастно, как болванчик, продолжая слизывать с губ капли, катящиеся по лицу. Ноги и руки у нее были красные, жесткие, в цыпках.

— Драстытэ... — еще раз еле слышно проговорил ее брат, очевидно, это было единственное русское слово, которое он знал.

В разгар сцены переодевания явилась баба Шура, соседка. В отличие от мальчика, она сразу сообразила, что происходит, и с минуту стояла, молча наблюдая, как мать натягивает колготки на влажные еще ноги девочки. Баба Шура не была здесь посторонней, она любила и мальчика и его мать, болела за них душой, во многом помогала и во все вмешивалась. Насчет свитера она промолчала, но, когда мать стала завязывать в узел совсем еще приличные вещи мальчика, в том числе куртку, баба Шура не выдержала.

— Ты что это вытворяешь, а?! — сурово спросила она. — Ты своего голым-босым хочешь оставить?

— На своего заработаю! — огрызнулась мать.

— Дура! Эта молочница тыщами ворочает! Что

смотришь на ихние галоши, они в своей махалле всю зиму босиком бегают, они так привыкли.

— Ладно, баба Шура! — отрывисто сказала мать. — Какие там тыщи, господи!

— Ты сколько ишачишь на эти шмотки, а? Мало? Всю ночь машинка долдонит за стеной. Мало?! Ну давай, давай, сними с ребенка последнее.

— Все, баба Шура! — спокойно отрезала мать.

— Давай, давай, бешеная... Невменяемая! — Баба Шура повернулась и ушла к себе — беречь нервы.

А мать негромко сказала сыну:

— Если тебе не жалко, подари им какую-нибудь свою игрушку.

Мальчику было жалко, но он понимал, что это один из тех случаев, когда он не сможет ослушаться. Иначе между ними произойдет что-то ужасное, непоправимое. В такие минуты он особенно остро чувствовал ее волю, чувствовал: она — магнит, он — крупинка.

Он прошлепал на кухню, волоком притащил оттуда картонный ящик с игрушками и сказал, ни на кого не глядя:

— Вот... берите что хотите...

Но мать и тут не пощадила его:

— Выбери сам. Что-нибудь поинтересней. Вон тот автомобиль!

Это было сознательным насилием, он чувствовал это, чувствовал сердцем, напрягшимся затылком, руками, упрямо не желающими расставаться с любимой игрушкой. Автомобиль был подарен отцом совсем недавно, мальчик не успел еще до конца насладиться его зеленой лакировкой, упругими шинами, мигающими фарами. Автомобиль ездил вперед и назад, он поворачивал в любую сторону, стоило только кнопку нажать на пульте управления. Что это был за автомобиль!

— Ну, — сказала мать.

Он молча сунул автомобиль чужому мальчишке!

Тот покорно прижал его к груди обеими руками и опять прошептал:

— Драстытэ...

— Не «здравствуйте», а «спасибо»! — тихо и враждебно поправил мальчик. Его душили обида, ревность, злость, не хватало еще разреветься при этих истуканах!

Когда мать вышла проводить детей, он юркнул под одеяло и тихо заплакал. Не было во всем мире ни одной родной души, а были кругом только насилие и равнодушие. Она там внизу, должно быть, обнимает этих чужих детей, которые толком и спасибо-то сказать не могут, она заботилась о них, а родной сын ей — тьфу! — пусть лежит одинокий где-то там, неизвестно где...

Мать вошла в комнату, прилегла рядом и сказала, поглаживая его вздрагивающий затылок:

— Сегодня же купим точно такой автомобиль...

Тогда он затрясся в рыданиях, сладкая, исступленная жалость к себе — обездоленному, одинокому — сжала горло, и он едва смог выговорить, икая:

— Такого... уже... не будет...

— Будет, — спокойно сказала мать. — Мы купим все автомобили в магазине, но ты у меня вырастешь человеком. А если не человеком, то я убью тебя собственными руками!

И они обнялись и лежали так долго-долго, пока оба случайно не уснули, и проспали до двенадцати часов...

Недели уже три он ходил в школу, в первый класс. Этой перемены в жизни они с матерью побаивались, а оказалось — ничего, жить можно. Еще в начале июня сделали глубокий рейд по магазинам, накупили всякой всячины — ранец, форму, рубашки к ней голубые, три штуки, да еще шуры-муры: тетради, пенал, линейки, счетные палочки — словом, целое хозяйство. Мать прямо в магазине помогла ему надеть ранец, и он ехал так домой через весь город. Три раза место в автобусе уступал, кому — не помнил. Школьники всегда уступают.

А когда по лестнице домой поднимались, баба Шура дверь открыла и встала как вкопанная; сделала такое дурацкое остолбенелое лицо, как будто генерал в подъезд вошел.

— Ой, что это за ученик?! — закричала она.

— Это я — ученик! — сияя от счастья, сказал он.

Тогда баба Шура притянула его к себе за щеки и звучно поцеловала — сначала в одну, потом в другую, потом опять в одну. Как будто он издалека приехал.

Первые дни в школе он чувствовал себя очень одиноким. Все дети сразу освоились и знали все — где буфет, где актовый зал, где туалет. А он как-то ничего не знал, а спрашивать у других не умел и в первый день даже чуть не описался, хорошо, что мать рано пришла, он ей шепнул жалобно про свою беду, и они выскочили из школы как угорелые и приткнулись за углом, где были частные гаражи.

В буфете надо было толкаться. Он попробовал один раз, но неудачно: его толкнули, монета вылетела из рук, какой-то громила из третьего класса быстро наклонился за ней и громко сказал: «Ура! Нашел двадцать коп!» Мальчик промолчал, отошел и всю перемену проплакал.

После уроков начиналась продленка — он ходил в группу продленного дня. Учительница вела их строем в столовую, потом строем в спальню, потом строем в актовый зал, где они ходили по кругу в затылочек под музыку Шаинского. Это называлось «ритмика». Муз-руководительница стояла в центре круга и выкрикивала:

— Левой три притопа! Правой три притопа! Левой: раз-два-три! Правой: раз-два-три! Из круга не выходить!

Голубой вагон бежит — ка-ча-ет-ся!
Скорый поезд набирает ход... —

пел Крокодил Гена мягким интеллигентным голосом.

Ах, зачем же этот день кон-ча-ет-ся!
Пусть бы он тянулся целый год!

Нет, мальчику не хотелось, чтобы этот день тянулся целый год. Ему хотелось, чтобы скорее пришла мать. Он послушно притоптывал правой и притоптывал левой и все время, вытягивая шею, смотрел на дверь актового зала.

Когда наконец в дверях появлялась мать, в животе у него делалось горячо, а в глазах — цветно, жизнь всплескивалась, как золотая рыбка из пучины морской.

Он продолжал топтаться под музыку, но уже совсем по-другому, потому что видел конец всему этому и хорохорился перед матерью — вот, мол, как он танцует вместе со всеми и не хуже всех. Мать только сдержанно кивала ему. Она на людях не любила изображать телячьи нежности.

И учительница попалась хорошая — Татьяна Владимировна, — молодая и ласковая, ее все сразу полюбили, девчонки лезли к ней под руки и ссорились, кто пойдет сегодня с правой стороны, кто с левой.

Мальчику учительница нравилась тоже, хотя и представлялась однозначной, как цифра «5», такой ровной и плоской, как монета. Вот мать была объемной: и круглой и с углами, и шершавой и гладкой, и тихой и громкой — в матери столько всего было понаверчено!

...Учился он, как ему казалось, хуже всех. Не клеилось у него с этими палочками в тетради, с этими кружочками и крючочками. Все шло вкривь и вкось. Мать в вопросе учебы держалась со свойственной ей непоследовательностью. Когда шли из школы и он жаловался ей на непослушные палочки и крючки, она говорила: «А, плюнь! Чепуха! Получится», — но вечером, когда садились делать уроки, он открывал злополучные «Прописи», она присаживалась помогать, постепенно входила в азарт и начинала орать, так что у него в ушах звенело:

— Стой!! Куда ты эту черточку повел!! Я сказала — левее! Не заводи ее за поля!! Куда ты, к чертовой матери, дел завиток у «в»? Ремень возьму!..

Вечера были бурными. Терпения у матери набира-

лось ровно на копейку. Он пережидал это проклятое
время с мужеством стоика, потому что после приготов-
ления уроков до сна оставалось еще два часа, и тогда
стоило жить на свете.

Едва захлопывался осточертелый Букварь, у мальчика и у матери лица становились одинаково устало-
умиротворенными. Тяжкий ежедневный груз был до-
волочен до цели и с облегчением сброшен.

— Ты чего сейчас будешь делать? — спрашивал
мальчик.

— Посуду мыть, борщ варить, — устало говорила
мать.

— Ну ладно, я буду посуду вытирать, а ты мне
что-нибудь расскажешь.

Мать надевала фартук неохотно и одновременно
покорно, как подставляет шею под хомут лошадь.

— Ну, что тебе рассказать?

— Про бабу Шуру, — просил он.

— В третий раз, — не удивляясь, уточняла мать.
Она уважала его страсть — слушать по многу раз
полюбившиеся истории, сама перечитывала любимые
книги.

— Ну вот, значит, когда началась война... Подай-
ка, пожалуйста, нож... — Он бросался к столу, молча
подавал ей нож, только бы она не отвлекалась больше... — Когда война началась, баба Шура с мужем
жили на границе, в местечке Черная Весь, под Бело-
стоком. Муж был офицером, пограничником, в первый
же день войны его и убили. И осталась баба Шура

вдовой в двадцать один год, с двухлетней Валькой на руках...

— С тетей Валей, — шепотом объяснял себе мальчик.

— И прошла она беженкой через весь Западный фронт с нашей армией. Сколько раз их в пути бомбежка настигала! Однажды вот так налетели «мессеры», загнали их в придорожный лесок. А Валька, маленькая, оглохла от взрывов, перепугалась, вырвала ручонку и бежать... Баба Шура за ней. А солдат какой-то закричал на них матом, швырнул на землю, сам рядом повалился. А кругом так и громыхают снаряды, комья земли летят. Потом стихло маленько, видит баба Шура — солдат поднимается и руками за живот держится. А из живота у него внутренности вываливаются. Стоит он, смотрит на бабу Шуру безумными глазами и кишки руками поддерживает... А то еще однажды, после бомбежки, подозвал ее один солдат, просит перевязку сделать. Смотрит баба Шура — а у него вся спина рваная. А он совсем юный мальчик, красивый такой, интеллигентный, говорит: «Прошу вас, возьмите себя в руки и сделайте перевязку...» Баба Шура сняла комбинацию, порвала ее на полоски, сделала ему перевязку.

— Жив остался? — с надеждой спрашивал мальчик в который раз, и мать в который раз отвечала:

— Кто ж его знает... Отвезли в госпиталь, а там — неизвестно...

Про того, с вываливающимися кишками, мальчик спрашивать боялся, знал: плохой будет ответ...

— Столько беды навидалась, что сердце тяжелым

стало, как камень. Думала — ничто теперь не удивит... Однажды ехали на грузовиках по дороге. Немцы только что отбомбились, улетели, на обочинах убитых беженцев видимо-невидимо, и хоронить некому.

И видит баба Шура: лежит в траве у дороги молодая мать, мертвая, а рядом с ней ребенок месяцев девяти-десяти. Нашел мамкину грудь, сосет, а молока нет, вот он и орет, будит мать. А она лежит себе и в небо смотрит.

Не выдержала баба Шура, спрыгнула с грузовика, схватила ребенка и назад, в машину...

— Это был дядя Виталий?

— Ну да, дядя Виталий... Ты же обещал посуду вытирать, а сам не вытираешь! Разве это справедливо?

Мальчик молча хватал полотенце, начинал судорожно вытирать чашку, только бы мать рассказывала дальше...

— А пробиралась баба Шура к родным мужа, свекру и свекрови. И когда наконец добралась — ободранная, голодная, с двумя детьми, — те ее в штыки встретили. Мол, неизвестно, с кем ты второго прижила, знать тебя не хотим, самим жрать нечего, а тут ты еще на нашу голову свалилась.

И осталась баба Шура одна в чужом городе — податься некуда, сама разута-раздета, дети есть просят, кричат... Встала баба Шура на крутом берегу реки, вниз глянула, и сердце ее оборвалось: прижала детей к себе и думает: «Все равно с голоду помрем! Вот так глаза зажмурить и прыгнуть туда вместе с ними!» А маленький Виталька словно почуял что-то, уперся ей в грудь ручонками, захныкал: «Мама... не няня... не няня...»

— Не прыгнула? — широко открыв глаза, с надеждой спросил мальчик.

— Вот дурацкая башка, конечно, не прыгнула! Ты думай: разве сейчас были бы на свете Валя и Виталий? Разве привозил бы тебе Виталий всякие камни из экспедиций?

— Да, — соглашался он и для себя, чтобы окончательно успокоиться, повторял шепотом: — Не прыгнула, не прыгнула...

— Ну ничего, потом на завод устроилась, паек стала получать, чужие люди ее приютили... Тифом вот только заболела очень сильно. В больнице лежала... Все думали, что умрет. Когда кризис наступил, в бреду села на постели, косы распустила — густейшие были косы, черные — и запела сильным голосом песню, которую сроду не знала:

> Отворите окно, отворите,
> Мне недолго осталося жить!
> Еще раз на свободу пустите,
> Не мешайте страдать и любить...

Все металась в бреду, просила, чтобы косы не стригли, боялась, что в гробу будет некрасивая лежать... Куда там, все равно остригли... Потом они отросли, косы, но уж не такие густые, как прежде...

Мать снимала фартук, насухо вытирала тряпкой кухонный стол и ставила на него пишущую машинку. Это значило, что мальчику теперь — спать, а ей — работать.

Он лежал под теплым стеганым одеялом. За окном зловеще дыбился горбатыми ветвями терновник, окаянное дерево. Буква «Я» в сплетении веток шагала, шагала, конца не было ее пути... «Отворите окно, отворите, мне недолго осталося жить...» Сильным голосом неизвестную песню... И косы остригли, не пожалели. Какие там косы, когда у всей страны кишки вываливались... Мать там за стеной стучит, стучит... Сгинет когда-нибудь эта многоголовая, хвостатая, когтистая Левая Работа? «Отворите окно, отворите...» Отворите окно...

...В субботу днем, часа в три, за ним приходил отец. Мальчик ждал его с тайным нетерпением. Отец был праздником, отец — это парк, качели, аттракцион «Автокросс», мороженое в стаканчиках, жвачки сколько душа пожелает, карусель и никаких скандалов. Но от матери надо было скрывать это радостное нетерпение, как и все остальное, касающееся его отношений с отцом. О, здесь мальчик был тонким дипломатом.

— Давай я оденусь и буду встречать *его* во дворе, — предлагал он матери небрежно-скучающим тоном. При ней он никогда не произносил ни имени отца, ни слова «папа».

— Успеешь, — хмуро бросала она, выглаживая его рубашку. Он помалкивал, боялся ее раздражать. Встречаться с отцом во дворе было несравненно удобнее, чем здесь, при матери. Во-первых, не нужно им лишний раз сталкиваться, от этого одни неприятности. Мать вообще опасна при таких встречах, да и отец, несмотря на свою выдержку, нет-нет да срывается на выяснение каких-то дурацких вопросов. Например, в прошлый раз, когда мальчик не успел выйти во двор к положенному часу и отец позвонил в дверь, завязался между ними отрывистый нервный разговор о его, мальчика, воспитании. Слово за слово — и напряглась, налилась свинцовой ненавистью мать, негромко и враждебно цедил сквозь зубы отец:

— Ну что ты смыслишь в воспитании, ты хоть Спока читала?

— Нет! Зато я читала, чего ты не читал — Чехова и Толстого!..

Непонятные слова, непонятный разговор. Две холодные враждебные стороны, и он между ними — изнывающий и бессильный...

Да, лучше было встречать отца во дворе. Тогда и встреча бывала совсем другой. Можно было побежать к отцу со всех ног, в его распахнутые большие руки, вознестись вверх, к отцовским плечам, и прижаться щекой к его губам. При матери он никогда не позволял себе этого, знал, что ей будет больно. Вообще сложный это был день — суббота. Нужно было улаживать, устраивать все так, чтобы и той не причинить боль, и того не обидеть. И во всех этих запутанных отношениях умудриться и для себя урвать хоть капельку приятного.

А приятное начиналось сразу же, за углом дома, едва они с отцом поворачивали к метро. Приятное начиналось с отцовских карманов. Мальчик уже ждал этой минуты и поглядывал на отца заговорщицки. И отец поглядывал на него.

— А ну-ка, глянь, что у меня в кармане водится! — наконец говорил он, хитро прищуриваясь.

Мальчик запускал руку в огромный отцовский карман и с восторгом вылавливал оттуда: свистульку, жвачку, надувной шарик, три конфеты.

— Урра-а!

Все это можно было найти и дома, если покопаться в картонном ящике для игрушек, но — нет, все было не таким, все не то... И закручивалась карусель субботних удовольствий. Отодвигалось все — дом, мать, уроки на понедельник, баба Шура, дворовые приятели... Крутилась зеленая в красных яблоках пролетка на деревянном круге, отец крепко держал его за плечи, и веселье захлестывало их пестрой лентой...

Вечером они добредали до отцовской квартиры, отец стелил мальчику на диване, раздевал его, сонного и тяжелого, и тут, в мягкой подушке, тонула праздничная, буйная, зеленая в красных яблоках суббота.

С утра в воскресенье он уже начинал скучать по матери. Сидел за столом, рисовал, раскрашивал цветными карандашами книжку-раскраску и представлял, что сейчас делает мать. Может, стучит на машинке, может, стирает, а может, она пошла в магазин, встретила по пути Борьку — тот всегда в воскресенье болтается во дворе — и разговорилась с ним? Мальчик застывал на секунду при этой мысли, чувствуя, как ревность вдруг прильнула к сердцу и отпрянула, а ожог остался и ноет... А вдруг она рассказывает Борьке какую-нибудь историю, точно так, как ему? Про пиратов или про мамонтенка? Может, даже она погладила

Борьку по голове? А он сидит здесь и раскрашивает дурацкую книжку?! А вдруг к ней пришел сейчас какой-то знакомый и они пьют чай и разговаривают, а он сидит здесь и ничего не знает?!

— Ну что, будем собираться? — говорил он отцу небрежно-скучающим тоном. — А то стемнеет...

— Ты что, сынок! — удивлялся отец. — Только двенадцатый час, куда ты рвешься? Мы так редко видимся... Ну чем тебя занять? Сказку рассказать? Про медведя и зайчика.

Мальчик терпеливо, чтобы не обидеть отца, выслушивал многолетнюю сказку про медведя и зайчика. Потом они играли в железную дорогу, смотрели телевизор, обедали — отец жарил яичницу — и наконец начинали собираться.

Мальчик лежал на диване, подперев кулаками подбородок, и наблюдал, как отец бреется перед большим зеркалом. Тот брился тщательно, дотошно, как делал все. Изнутри подпирал языком щеку, тянул шею, оттягивал пальцами кожу на висках.

Вообще отец очень нравился мальчику. Он был большой и красивый. И не сутулился, и ходил легкой размашистой походкой.

— Когда я вырасту, я тоже стану бриться, — сказал мальчик задумчиво.

— М... угу... — промычал отец, выбривая кожу под носом.

— Вообще, когда я вырасту, я... очень вырасту, — добавил мальчик уверенно. Себя уверял.

— Обязательно, — подтвердил отец. — Ты будешь очень высоким. У нас в роду коротышек нет.

«У нас в роду!» Много бы мальчик отдал, чтобы выяснить наконец, где находится это самое «у нас в роду»... Когда он жаловался матери на неполадки в школьных тетрадях, мать отмахивалась: «Получится! У нас в роду тупых нет». Интересно, где же, в какой стороне света это благополучное и счастливое «у нас в роду»? Получалось, мать и отец вроде как земляки, а вот не сроднились, не вышло у них...

Отец завязал красивый галстук, надел пиджак и стал искать что-то на письменном столе.

— Ого! — сказал он, наклонившись над рисунком мальчика. — Да ты уже замечательно рисуешь! Это что здесь?

— Это война, — пояснил мальчик.

— Смотри-ка, и танки, и самолеты. А это что за кляксы?

— Бомбы летят.

— Молодец... А солнышко почему не нарисовал, вот здесь, в углу?

— На войне солнца не бывает, — сказал мальчик. Отец усмехнулся и взъерошил ему волосы:

— А ты у меня философом стал... Раньше времени... Раньше времени! На них не угодишь. Одна твердит: «Думай, думай обо всем!» Он удивляется: «О чем думать?» «Обо всем! — упрямо твердит она. — Обо всем, что видишь!» Другой третий год сказку про медведя и зайчика рассказывает...

...Когда уже спускались по лестнице, отец вдруг хлопнул себя по карманам пальто и сказал:

— Ах ты, черт, сигареты забыл! Сынок, они в верхнем ящике письменного стола. Сбегай, милый! На ключ.

Мальчик помчался наверх, перепрыгивая через ступеньку, запыхавшись, отворил дверь и подбежал к столу. Пачка сигарет лежала в верхнем ящике, на чьей-то фотографии. Мальчик взял сигареты и вдруг увидел, что это фотография матери. Мать на ней получилась веселая, с длинными волосами. На обороте отцовской рукой написано: «Мариша...» В первый миг мальчик захотел взять фотографию, объяснить отцу — я забрал карточку, где веселая Марина, она ведь тебе больше не нужна, — но потом подумал, тихонько положил карточку на место и задвинул ящик...

— Дверь захлопнул? — спросил его отец.

— Захлопнул... — глухо ответил мальчик.

От метро они пошли не обычной своей дорогой, а в обход, мимо киоска «Союзпечать». Отец давно обещал ему купить значки с собаками. Он купил три значка, с собаками разных пород, и мальчик сразу же нацепил их рядком на куртку. Потом поднял глаза и увидел возле магазина старого знакомого — нищего. Тот стоял, как обычно, одной рукой опираясь на палку, другой протягивая кепку, и смотрел в землю, как всегда, безучастно. Бросишь ему монетку, он вскинет голову, как лошадь: «Доброго здоровьица!» — и опять в землю уставится... Мальчик встрепенулся:

— Папа! Дай деньгу!

— Зачем? — спросил отец.

— Я нищему подам!

— Этого еще не хватало — алкоголиков поить!

— А мы с Мариной всегда подаем, — сказал мальчик и пожалел, что сказал. Сразу насупился, и уши покраснели. Мать — это была мать, другая сторона, и незачем задевать ее в разговоре.

— Узнаю село родное... — пробормотал отец сквозь зубы.

Мальчик подумал, что мать, наверное, уже сидит во дворе на лавочке, ждет его. Она всегда выходила его встречать, наверное, волновалась — как он и что... Не сиделось ей в квартире.

— Давай здесь попрощаемся, — сказал он отцу.

— Почему? Я тебя до подъезда провожу...

Так и есть, мать сидела на лавочке, смотрела в ту сторону, откуда они появились. Поднялась и осталась так стоять.

— Ну, дай я тебя поцелую, — сказал отец. — Будь здоров.

Мальчик не потянулся к нему, чтобы не обидеть мать, только подставил щеку. Отец сказал:

— На той неделе возьму билеты в цирк. Ну, иди.

Мальчик пошел, стараясь не ускорять шаги, чтобы не обидеть отца. Даже обернулся и помахал ему — отец стоял и смотрел вслед. Мать тоже смотрела на мальчика, не в лицо, а повыше, в вихор, выбившийся из-под шапочки. Когда он наконец подошел, она молча взяла его за плечи, и они зашли в свой подъезд.

В прихожей она так же молча, с окаменевшим лицом помогла ему размотать шарф и направилась в кухню.

— Что случилось? — крикнул он вслед.

— Я была в парикмахерской... — тихо сказала мать из кухни. — Парикмахер сказал, что у меня полголовы седая. Я поняла, что жизнь кончена, и купила себе финское платье.

— Где купила? — уточнил мальчик. Его раздражала манера матери сумбурно выражаться. — В парикмахерской, что ли?

— Нет, в ГУМе...

— А-а!.. — сказал он. — Покажи, где оно?

— Да вот же, на мне!

— А-а... Хорошо... Красиво...

Он обнял ее сзади, за пояс, прижался лицом к спине. Он быстро рос, и в этом году уже доставал ей до лопаток.

— Не бойся, Марина, — сказал он в зеленую шелковистую ткань. — Когда я стану бриться, я на тебе женюсь...

— Вот спасибо! — сказала она. — А теперь, пожалуйста, ешь быстрее и иди спать.

— Опять Левая Работа?!.

...Он медленно раздевался в комнате. Стянул через голову рубашку, помахал длинными пустыми рукавами, искоса поглядывая на стену — там бесновалась немая рубашкина тень, — и, вздохнув, сел на постели. Так хотелось рассказать матери про карусельную субботу! Про то, как в «Автокроссе» они все время догоняли синюю машину, в которой сидели усатый дядька с рыжим пацаном, а потом с грохотом наехали на них и все вместе долго хохотали. Но нет, нельзя, нельзя...

Он приплелся на кухню и сел на табурет, возле матери.

— Ну?.. — спросила она, исправляя что-то ручкой на отпечатанном уже листе.

— Ты знаешь, какой бандит Сашка Аникеев?! — возмущенно спросил мальчик.

— Ну-у...

— Он говорит ужасные слова. Например — сука, вот какое ужасное слово!

— Нормальное слово, — пробормотала мать, — если по делу.

— Он не по делу! Да нет, ну ты не веришь, а он говорит настоящие материнские слова!

— О господи! — вздохнула мать и стала заправлять в машинку очередной белый лист. — Ну, еще какие новости?

— Он дразнится на каждой перемене, что я втрескался в Оксанку Тищенко.

— А ты втрескался?

— Да, — признался мальчик.

— Тогда по морде! — посоветовала мать.

— Я не могу — по морде, — сказал он.

— Почему?

— Морда глазами смотрит...

— А-а... Тогда выкручивайся как знаешь... Ну, все?

— Нет... — Он помялся... — Знаешь, Сашка говорит, что я — еврей, — выговорил он наконец, пристально глядя на мать.

— Да. Ну и что?

— Марина, я не хочу быть евреем... — признался он.

— А кем ты хочешь быть? — хмуро осведомилась она.

— Я хочу быть Ринатом Хизматуллиным. Мы сидим с ним за одной партой, он хороший мальчик.

— Вот что, — сказала мать. — Я тебе про все объясню, только завтра, понял?

— Почему завтра?

— Долгий разговор. Много сил отбирает. Понял? А теперь марш спать!

Он посидел еще тихонько, слушал, как тарахтит машинка, поковырял пальцем дырку в колготках, попросил:

— Марина, займись со мной...

— «Займись мной», — поправила мать машинально, не отрывая взгляда от машинки.

— Займись мной, — послушно повторил он.

— Отстань, — сказала она на той же ноте. И вдруг подняла на него глаза, отложила в сторону лист и тихо сказала: — Ты хочешь, чтобы мы летом поехали к морю?

— Ага! — оживился он.

— Для этого я должна стучать на машинке. Я заработаю деньги, мы летом сядем с тобой на поезд и поедем к морю.

— И наши соломенные шляпы возьмем? — радостно спросил он.

— Возьмем шляпы.

— И ты будешь лежать на пляже, а я буду сыпать тебе на спину песок тонкой струйкой?

— Тонкой струйкой...

— А потом я сяду на твою горячую спину и мы поплывем далеко-далеко?

— Далеко-далеко... — сказала мать и отвернулась к окну. Мальчик понял, что она плачет, и ушел в комнату, чтобы не мешать.

...Уже засыпая, он опять пришел во двор с отцом, и мать встречала его. Он шел от отца к матери, словно плыл от одного берега к другому. Трудно плыл, как против течения. Мальчик чувствовал, что отец смотрит в спину, а мать смотрит в вихор, выбившийся из-под шапочки. О чем думали эти двое?..

За окном сгустилась темень, и не видать было терновника, и не видать было, как шагает в неизвестные дали самостоятельная и отважная буква «Я»...

1983

УРОКИ МУЗЫКИ

Рано или поздно я все-таки напишу повесть о своих взаимоотношениях с Музыкой. Это будет грустная и смешная повесть.

Может, вернее было бы сказать: повесть о взаимоотношениях с моим музыкальным образованием, этой крутой, с шаткими ступенями лестницей, преодолеваемой мною шестнадцать лет? Да, шестнадцать мучительных лет, полных тяжелого дыхания, мерцания в глазах и карабкания по ступеням — вверх, вверх, почему-то во что бы то ни стало вверх, к диплому консерватории?.. Нет, именно с ней, Музыкой: с мачехой, а лучше и не с мачехой даже, а с отчимом — жестким, умным и справедливым отчимом, который в самое нужное время выбил дурь из головы и поставил на ноги...

Вбитое в меня высшее музыкальное образование сидит во мне как хронически воспаленный аппендикс и дает знать о себе в самые непредвиденные моменты жизни. И тогда виолончельная тоска, всегда настигающая меня в минуты соприкосновения с музыкальным прошлым, а вернее, и не тоска, а призрак тоски — ибо самой тоски уже не существует, она умерла и осталась в пределах этого прошлого, — призрак тоски сгущается и ласково притрагивается к живому моему сердцу, и тогда я вздрагиваю и говорю себе, что непременно рано или поздно напишу грустную и смешную повесть о своих взаимоотношениях с Музыкой.

Но еще не пора, еще не сейчас. И не потому, что я боюсь этих ножевых соприкосновений с прошлым, а просто сейчас о другом.

Другая история.

...Той весной выходила моя первая книжка и я жила ею. Вернее, я не жила, а проживала недели и дни мучительного, выматывающего душу ожидания. В доме жили магические обозначения типографских таинств: «первая корректура», «вторая корректура», «сигнал»...

Я не могла работать. На письменном столе мертвой стопкой лежал недописанный рассказ, горел просроченный договор на пьесу. Я целыми днями валялась на диване и, закинув руку за голову, представляла свою, не рожденную еще, книжку. Ее синюю обложку и собственное свое имя белыми буквами на синем...

За окнами природа творила весну или весна творила природу — во всяком случае, каждый день приносил какую-нибудь новость: то зацветал урюк нежной дымкой, то появлялись стаи индийских птичек майна, юрко бегающих по траве.

Надо было отвлечься, закончить рассказ, дописать

пьесу, выйти погулять и в конце концов сменить домашний черный свитер на что-нибудь полегче. Но я с
утра до вечера валялась на диване в черном свитере и
молча, напряженно пересиливала время. Я была пара-
лизована ожиданием. Целыми днями я ждала звонка из
издательства. К вечеру, не дождавшись, звонила сама.
Есть ли новости? Нет. Вероятно, на днях. На днях...
На днях?!! А как прожить эти дни?! Да кончится ли
это когда-нибудь?! Существование в ожидании становилось ужасным, непереносимым...

Сейчас я подозреваю, что это были самые счастли-
вые дни моей жизни...

Наконец однажды к вечеру позвонили. Да, поздравляем, прибыл сигнал. Моя редактриса говорила спокой-
но-приветливым голосом, как будто ничего невероятно-
го не произошло. Не было в ее голосе упоительного
счастья, и это внушало к ней ненависть.

— Но сегодня вы, вероятно, не успеете приехать.
До конца рабочего дня осталось полчаса. Придется до
завтра...

— Нет-нет, я успею! Такси поймаю, или частника,
или грузовик! Мусорку! Поливалку! Я буду в издательстве через двадцать минут!!

Выскочив из дома в том же черном свитере, я помчалась через двор — навстречу сбывшемуся счастью
в синей обложке.

— Можно вас на минутку?

В нашем дворе жила семья каких-то восточных
людей — не то персов, не то осетин, не то бухарских
евреев. Отец семейства, щуплый человечек с щеголева-

тыми усиками, работал экспедитором, развозил на машине мясо. Часто в обеденное время во дворе стояла его машина с синим фургоном. А матери в семействе не было, вот какая беда у них стряслась, мать умерла за три года до всей этой музыкальной истории.

— Можно вас на минуточку? — Ко мне, робко улыбаясь, подходил папа семейства. — Если вы не очень торопитесь...

— Да, пожалуйста... — Я почувствовала, что сатанею, но сложила на лице сложную гримасу приветственного внимания.

Мою жизнь всегда отягощали издержки домашнего воспитания, воспитания, я бы сказала, перегруженного традициями восточной вежливости и приветливого уважения ко всем — к старцам, к соседям, к знакомым, к незнакомым, к еле знакомым тем более, ведь они вроде бы знают тебя, но знают недостаточно, не дай бог, составят о тебе превратное мнение... Папа восточного семейства как раз относился к отряду еле знакомых. Встречаясь во дворе, мы кивали друг другу.

— Да, пожалуйста...

— Мы незнакомы, но мы об вас знаем... — торопливо заговорил он, все так же робко улыбаясь. — Об вас во дворе хорошо говорят...

— Да?.. — вежливо удивилась я, не зная, что еще сказать по этому поводу. Секунды уносились прочь, книжка лежала в издательстве, на столе редактрисы. — Так... что же?

— Вы ведь закончили консерваторию? — радостно продолжал он.

Я затосковала.

— Ну... вообще-то... да... — промямлила я.

К тому времени прошел год, как я рассталась с должностью концертмейстера и была совершенно свободна для занятий литературой. И эта выстраданная, долгожданная свобода все еще казалась мне непозволительным счастьем, чем-то неприличным, неловким, из ряда вон выходящим. Многолетние обязанности по отношению к Музыке реяли за моей спиной грозной недавностью, и я еще не смела до конца поверить, что свободна, свободна, свободна... Так человек, долго таскающий тяжкую ношу и наконец сбросивший ее, рад бы поверить, что легок отныне и порывист, да ноют плечи, ломит поясницу, дыхание неровно.

Маленький вежливый человечек напомнил о моей многолетней каторге, о кнуте, который совсем недавно еще гулял по моим плечам. И плечи содрогнулись...

Папа семейства опустил тяжелую авоську с картошкой, и она грузно развалилась на асфальте.

— Я насчет дочки... — продолжал он, разминая руки с багровыми рубчатыми следами от веревочной авоськи. — Она такая способная, такая умница, вы просто получите удовольствие!..

— А-а, — поняла я, — вы хотите ее музыке учить?

— Вы будете получать большое удовольствие, — просительно повторил он и, спохватившись, торопливо добавил: — Цену сами назовите!

— К сожалению, я уже не связана с музыкой. Понимаете, совсем... — Я сделала огорченно-вежливое лицо и даже руками слегка развела. Потом искоса взглянула на часы и беззвучно застонала: домчать меня до издательства мог только лихой частник.

— Как это — совсем? — Он недоверчиво улыбнулся. — Ну, до-ми-соль какое-нибудь еще помните, туда-сюда?

— До-ми-соль помню, — уныло согласилась я, чувствуя, что втягиваюсь в какие-то нелепые объяснения, отнекивания, настаивания, вместо того чтобы вежливо, но твердо отказать сразу.

— Мы очень хотим вас, — сказал он и вздохнул. — Об вас во дворе хорошо говорят. Вы будете получать от нее удовольствие, она такая способная, моя Карина!

— Знаете что, — предложила я, — давайте я созвонюсь с друзьями-музыкантами и подыщу для вашей Карины хорошего педагога.

— Мы только вас хотим, — грустно, но настойчиво возразил он. — Ее покойная мать так мечтала об этом...

Я поняла, что погибла. Робкий человек, сам того не подозревая, огрел меня второй раз.

У меня есть жесткие правила, я умею отказывать. Я умею дорожить своим временем и оберегать его от посягательств ненужных мне людей. Необходимо только, чтобы люди эти были вполне благополучны.

Вот звонит приятель и просит написать рецензию на спектакль, поставленный его другом-режиссером.

— Исключено, старина, — мягко, но твердо отвечаю я. — Ты же знаешь, у меня жесткое правило — не делать того, чего не умею. Я не театровед — раз, времени нет — два, и в конце концов, я просто не хочу, что само по себе вполне уважительная причина.

Приятель понимающе поддакивает в трубку:

— Да, да, конечно... Ты права... Но жалко человека, понимаешь. Жена в больнице, дочка руку сломала, а тут еще главный — скотина, жрет его поедом, выпирает из театра.

Я еще мямлю что-то о срочном переводе, но жесткое правило — мой боевой конь — уже споткнулось о несчастья неизвестного мне режиссера, подруга ослабла, и я вот-вот вывалюсь из седла. Где ты, мой боевой конь? Он подставляет шею под хомут, и это уже не конь, а рабочая кляча, которой можно понукать. И мой приятель это прекрасно чувствует и напирает:

— Да я тебе слово даю: вполне приличный спектакль, тебе даже врать не придется. Напиши пару добрых слов, поддержи человека в беде. Тебе это зачтется...

Где именно мне это зачтется, я уже не уточняю, потому что выбита из седла. Я только осведомляюсь убитым голосом, когда начало спектакля.

И вот я плетусь смотреть совершенно ненужный мне спектакль о пионерской совести и битых два часа пялюсь на сцену, где любимую всем классом пионервожатую играет старейшая актриса труппы. Я смотрю на ноги заслуженной актрисы — ноги пожилой женщины, страдающей тромбофлебитом, и тоскую... После этого дня три я маюсь со своей отнюдь не пионерской совестью и пытаюсь втолковать ей что-то про жену в больнице и скотину главного, а совесть посылает к черту мою тряпичность и отвечает, что на месте скотины главного давно бы уже выгнала из театра друга моего приятеля. В конце концов я все-таки выжимаю из себя две странички пошлой кислятины, где вру, вру бесстыдно, например, называю пожилую пионервожатую одной из удач спектакля. Подписываюсь, конечно, вымышленной серенькой фамилией и принципиально не покупаю номер газеты, где напечатана эта ахинея. Но совесть, или как там ее назвать, долго еще почесывает ушибленное место и похныкивает над ним.

— ...Да, ее покойная мать просто-таки мечтала, — сурово повторил папа семейства, — чтобы Карина научилась играть на инструменте... А цену назовите сами.

— При чем здесь деньги! — Я еще пыталась устоять, но это было уже бессмысленно. Есть понятия, которые своим святым значением действуют на мою жизнестойкость парализующе. Девочка была сиротой, и бесполезным становилось дальнейшее препирательство — я уже знала, что займусь этим не только ненужным, но и бесконечно мучительным для меня делом — стану давать девочке уроки музыки...

— Ну хорошо, — уныло сказала я. — Посмотрим... Я зайду сегодня, попозже. Познакомлюсь с вашей девочкой...

Он вспыхнул от радости и заговорил быстро, сбивчиво и говорил еще минут пять. А я вежливо кивала и от ненависти была близка к обмороку, если такая причина для обмороков существует. Я ненавидела его, свою будущую ученицу, свою тряпичность. Но больше всего я ненавидела свое музыкальное образование, и от этой бессильной ненависти першило в горле и чесались глаза.

...Вечером я стояла в тесной прихожей, освещенной пронзительно-красным светом, и хмурая девочка лет двенадцати искала для меня тапочки. Наконец она вытащила из-за двери старые клетчатые тапки и бросила их передо мной:

— Не стойте босиком.

Из комнаты прошаркал старик — с белыми космами, с белой бородой, очень благообразный, но, по-видимому, сумасшедший, потому что девочка нахмурилась и сердито прикрикнула:

— Ну что тебе? Иди, иди ложись!

Этого старика я видела много раз. Весной, когда начинало пригревать, старший внук бегом выносил во двор старый венский стул, ставил его под нежно зеленеющим виноградником, потом забегал в дом и осторожно выводил деда. Тот часами сидел на стуле — красивый, как библейский пророк, с ермолкой на белых космах, — дремал или смотрел на происходившее во дворе пустынным заоблачным взором...

Старик вгляделся в меня и коротко спросил что-то на непонятном языке. Это был восточный язык, но не узбекский; узбекский я не то чтобы знаю — нет, я не знаю его, но чувствую ухом и небом.

Девочка крикнула:

— Нет, не мама! Иди к себе, я говорю!

И тут я заметила другую девочку, помладше. Она жалась к косяку двери и смотрела на меня с тихой улыбкой. Взгляд ее блестящих прозрачных глаз был даже не ласковым, нет — любовным. Она ласкала этим

взглядом все вокруг — и меня, и сестру, и сумасшедшего деда, и дверной косяк. Она всех, всех любила...

— Ну, здравствуй, — сказала я ей. — Так это
тебя я буду учить музыке?

— Нет. Меня, — буркнула старшая. — Вы зайдите, я сейчас. У меня там котлеты жарятся...

Она исчезла. Старик все еще молча смотрел на меня,
тревожно и выжидающе, потом опять спросил что-то у
младшей девочки. Та замотала головой и, бегло улыбнувшись мне, сказала:

— Да нет, это не мама. Иди спать, деда... — прильнула к старику и повела в глубь квартиры, что-то
нежно приговаривая на том же восточном языке.

В большой комнате стояли старый диван, буфет,
несколько венских стульев и черное обшарпанное пианино «Октябрь», вероятно купленное по объявлению...
Такие объявления, с бахромой телефонных номеров,
бумажной чешуей покрывали торцовую стену нашего
продовольственного магазина.

На крышке пианино сидела очень пушистая пепель-
ная кошка с дикими сумрачными очами. Я согнала ее,
подняла крышку и проверила строй. Настраивали не
так давно — инструмент звучал глуховато, но чисто.

Я села на вертящийся табурет, и полировка инструмента тотчас явила мое отражение — унылого, отупе-
лого от гамм спутника детства и юности. Мы не виделись год, длинный счастливый год, в течение которого
я ни разу не подошла к инструменту, и вот встретились...

Ах, мой черный человек, alter ego с темными глаз-

ницами, тусклым бликом на скуле, мой тягучий тягостный сон, мое подсознание — ну, здравствуй...

Отвыкшими пальцами я взяла минорный аккорд и
нажала ногою педаль. Печальное созвучие влажно за-
дрожало в воздухе. Тогда я заиграла, что помнила и
любила всегда — «Фантазию-экспромт» Шопена, эти
жемчужные петли нежно-прихотливой мелодии, петли,
петли вокруг сердца, и выше — вокруг горла и, наконец, затянутый на рыдании аркан...

Проиграла несколько тактов и оборвала: пальцы,
год не прикасавшиеся к клавиатуре, ощущались проте-
зами. Вот оно, проклятое неблагодарное ремесло, —
ничего не остается, если ежедневно не бросать в его
алчущую пасть многочасовую, каторжную работу.

Рядом со мной тихо вздохнули. Младшая девочка,
прижавшись спиной к обоям, ласково мне улыбалась.
Позже я заметила, что она жалась не только к родным — деду, сестре, отцу, но и к предметам, словно
ее маленькое существо, переполненное любовью ко
всему на свете, жаждало приникнуть, припасть, облас-
кать все, что попадалось ей на глаза.

— Ну что? — спросила я ее. — Что улыбаешься?

— Музыка... — шепотом сказала она, кивнув на
клавиатуру. — Красиво... Рассыпается, как шарики...

Из кухни, на ходу развязывая фартук, вышла старшая. Я поднялась с круглого табурета и хлопнула по
нему ладонью:

— Садись, — а сама пересела на венский стул.

Карина покорно опустилась на табурет, ссутули-
лась, протянула руки вдоль колен и внимательно уставилась на свое отражение в пианино. Кого-то мучитель-

но напоминала мне эта девочка. Напоминала настолько болезненно, что даже не хотелось ворошить память.

— Поднимись-ка, — сказала я. — Тебе высоко. Давай подкрутим табурет.

Подкрутили... Она опять покорно протянула вдоль колен руки и безразлично уставилась на свое отражение — так старый пастух смотрит в сухую степную даль выжженным взглядом.

Я почувствовала, что сейчас должна сказать ей что-нибудь живое, человеческое, потому что именно человеческого она от меня не ждет. Наверное, думает, начну ей рассказывать, что инструмент, за который она села, называется фортепиано... Нет, милая, слишком хорошо я помню свои первые уроки музыки...

Мы помолчали несколько мгновений, затем я кашлянула и сказала:

— Ну, ты, конечно, знаешь, что инструмент, за которым ты сидишь, называется фортепиано?

— Знаю, — сказала она. — Я уже занималась. С одной теткой.

Прекрасно. Значит, я — вторая тетка, с которой она должна заниматься. Я разозлилась.

— А тебе вообще нравится заниматься музыкой? — спросила я, уже решив, что это первое посещение будет последним.

— Папа хочет... — спокойно сказала она, слегка пожав плечами.

И тут я поняла, кого мне так болезненно напоминает девочка. Это я сидела, я, и лицо было мое — хмуро-вежливое, и пальцы были мои, с обгрызенными ногтями, и в душе у нее сейчас, как у меня когда-то, почти спокойная обреченность. Надо... Папа хочет... Все я знала: покорность эту — не от страха покорность, а от детской деликатности — и полнейшее равнодушие к тому, что с нею станут делать дальше...

Трепетно билась бирюзовая жилка на ее смуглом виске.

— Ладно, — сказала я, поднимаясь. — Живи спокойно. Я поговорю с отцом, чтоб не мучил тебя... Продадите этот черный ящик, места в доме будет больше.

— Нет! — вскрикнула она почти испуганно и схватила меня за локоть. — Нет, пожалуйста, не надо, извините! Я буду, буду, не надо, пожалуйста!

В эту минуту хлопнула дверь в прихожей, и в комнате появился отец семейства. Вероятно, весь вечер он возился в гараже (у них был старый горбатый «Запорожец») и сейчас стоял в промасленных брюках, в грязной рубашке, вытирая руки какой-то ветошью. Увидев меня, он просиял и так же, как недавно во дворе, забормотал сбивчиво:

— А, вот и вы, добрый вечер, здравствуйте, вот, значит, мое семейство... Познакомились? Правда, она очень способная?

— Да, очень, — сказала я, искоса взглянув на Карину, не отпускавшую мой локоть.

— Ну вот, а цену назовите сами, она же такая способная, это же сплошное удовольствие вам будет...

Одновременно он успел сказать что-то подбежавшей к нему младшей дочери и показал ей растопыренные пальцы — мол, погоди, вот отмоюсь, тогда и повиснешь на мне.

— Карина! Чай пить! — весело крикнул он, уходя в ванную.

За ним, припрыгивая, пришаркивая, побежала младшая, но сразу вернулась, будто спохватившись: наблюдать мытье рук отца она могла каждый вечер, но не каждый вечер в доме появлялась незнакомая тетенька.

В дверях смежной комнаты опять появился беспокойный старец. Я встретилась взглядом с его понурыми глазами.

— Дед принимает меня за кого-то, — сказала я Карине. — Я беспокою его.

— Он всех женщин принимает за маму, — ответила она, — не обращайте внимания, — и раздраженно крикнула что-то деду по-своему. Старик послушно повернулся, потоптался на месте и вышел. Помню, в тот момент у меня мелькнула странная мысль о начале его жизни и конце моей, об этом длинном расстоянии, о двух разных дорогах и о том, что все в этой жизни пересекается каким-то образом.

Так начались мои занятия с Кариной.

Сестры, очень по-родственному схожие, отличались друг от друга выражением лица. У старшей оно было самостоятельным и решительным, у младшей — влюбленно-доверчивым. Пока я занималась со старшей, которая, хмуро уставившись в ноты, выстукивала мелодию, младшая стояла рядом, прижавшись к полированному боку инструмента, и влюбленно, серьезно смотрела на клавиши, на меня, на сестру. А когда замечала мой беглый взгляд на себе, смущенно улыбалась. Она благоговела перед этими убогими звуками, перед черно-белой клавиатурой, перед самим фактом занятий.

И дед попривык ко мне. Часто во время урока он прибредал в столовую, кряхтя и переговариваясь с собой, укладывался на диване — аккуратно, на бочок, подложив коричневую ладонь под щеку. Так он мог долго лежать неподвижно, лишь иногда тяжко вздыхая длинным восточным словом, интонационно похожим на библейское изречение, словно вздымал это слово на гребень вздоха. Бывало, засыпал, и тогда его лакированный желтый лоб с окаменелыми буграми вен, закрытые створки век казались выточенными из кости.

Музыка не беспокоила его. Думаю, он и не слышал музыку. Он достиг такого предела жизни, когда и слух и мысли обращены в глубь себя. Старик давно уж был нездешним. Он тянулся вслед своей умершей дочери, всюду искал ее увядшим взглядом, шарил, разводил руками, сокрушенно беседовал с нею.

Когда старик направлялся в туалетную, Карина вскакивала и бежала за ним — «присмотреть, а то он и в штаны может». И слышно было, как она негромко и сердито командовала там дедом.

Я сидела на венском стуле и терпеливо дожидалась возвращения маленькой хозяйки, а младшая девочка в это время доверчиво и счастливо мне улыбалась.

...В первые дни я пыталась выяснить у Карины, зачем она отчаянно цеплялась за мой локоть в тот вечер, зачем согласилась на обреченное выстукивание этюдов Черни. Сначала она отмалчивалась, потом сказала понуро:

— Ну, это нужно, это полезно...

— Что полезно? — спросила я.

Она дернула плечом и пробормотала:

— Ну... вообще. Развивает...

— Что развивает? — дотошно переспросила я. Пробиться к ней я уже не надеялась... Я смотрела на нее и пыталась понять, почему так не люблю вспоминать свое счастливое детство. Карина, сведя длинные брови на переносице, ковыряла ногтем желтоватую клавишу.

Собственно, я все понимала и так: она любила отца и не решалась огорчить его. Отец жил в гордой уверенности, что отдает детям все возможное, вот, даже учит Карину музыке, хоть это и стоит двадцать пять рублей в месяц — немалая жертва. Дочь жила в гордой уверенности, что сделает все, как хочет отец, вот даже изо дня в день готова выколачивать проклятые этюды. Немалая жертва. Две немалые жертвы — во имя чего? Да во имя любви, господи!

Сосредоточенно хмурясь, она честно вглядывалась в ноты, и если ошибалась, то судорожно повторяла все с начала такта. За уроки было плачено, значит, нужно отрабатывать честным ученичеством. Благословенная честность детства... Честность чувств... «Развивает»... Ну что ж, пожалуй... Развивает...

Мы занимались дважды в неделю — в среду и в субботу. В субботу после обеда вся семья спала: отец с дочерьми на широких двуспальных кроватях, сын в соседней комнате, «детской», дед на старом колючем диване в столовой.

Я приходила, дверь мне не сразу открывала вялая, заспанная Карина, и мы садились за инструмент: я — угрюмо-скучающе, она — угрюмо-покорно. Ноты на пюпитре — полька Глинки — конопато белели: вершина нашего угрюмого треугольника.

Разбуженные стучащими звуками, просыпались отец, сын и младшая. Она выходила из спальни сонная, растрепанная, теплая со сна, все так же улыбаясь жаркими глазами. Пока мы занимались, отец на террасе кормил семью. Бледный малорослый мальчик никогда не хотел есть, и с террасы доносился до нас раздраженный диалог:

— Вот, возьми кусочек!

— Не хочу!

— Попробуй, потом говори!

— Не хочу!

— Слушай, ну ешь, а, я прошу тебя!

— Ну не хочу я!

— Я тебе кому сказал?!

Итак, мы занимались... Сейчас, когда пишу об этом, мне все труднее ответить себе, зачем я продолжала приходить на уроки, которые тяготили меня все больше. Что мешало мне, взрослому, самостоятельному человеку, вежливо и твердо проститься с этим семейством, ну, наконец, отговориться каким-нибудь новым делом, требующим времени? Сейчас трудно вспомнить; сейчас я, как собака-ищейка, иду по следу полузабытых соображений, полузаглохших чувств. И, как собака, останавливаюсь, наткнувшись на еле различимый, почти выветрившийся запах отошедшего...

Да, странно, мне казалось тогда, что наши уроки с Кариной — одно из звеньев жизни этого семейства, их любви друг к другу, и случись выпасть этому звену — не заладится что-то в их жизни...

Однажды во время урока, когда старик дремал на диване за нашими спинами, раздался длинный звонок в дверь. Мальчик, до этого чинивший велосипед на террасе, побежал открывать. Громкий сварливый голос прямо с порога стал выговаривать что-то мальчику, мешая русские и тюркские слова. Услышав этот голос, Карина нахмурилась, нагнула голову и стала громче выколачивать польку Глинки.

В комнату вошла цыганистая женщина в пестром платье, с большими кольцами в ушах, с литой подковой золотых зубов. Едва взглянув на нее, я подумала: вот изобразишь такой типаж, скажут — банально, слишком грубо.

Что-то у нее было с верхней губой, она не смыкалась с нижней, поэтому тусклая золотая подкова во рту желтела неугасимо. Галочьи глаза цепко оглядели комнату, обойдя, впрочем, меня, словно я не сидела рядом с Кариной. Несколько секунд женщина молча глядела Карине в затылок, потом что-то громко сказала.

— Драсть... — не оборачиваясь, буркнула Карина

и продолжала с необыкновенным упорством выколачивать польку.

Пестрая женщина спросила что-то у мальчика, так же сварливо, с подвизгивающими интонациями. Тот, растерянно пожимая плечами, отвечал...

— Слушай, подожди немного, а? — раздраженно предложила женщина Карине.

Та, сердито глядя в ноты, сняла руки с клавиатуры и сказала вызывающе:

— Мы занимаемся музыкой!

— Ладно, будь здорова! — раздраженно воскликнула та. — Папа когда приходит?

— Не знаю! — ответила Карина и начала играть.

Я молча наблюдала эту сцену, в которой меня больше всего забавляло мое отсутствие, или, лучше сказать, мое реквизитное присутствие, как буфета, стола или венских стульев.

Пестрая женщина подсела на диван, к деду, вскоре за нашими спинами послышались всхлипы, стоны и сморкание. Она плакала над дедом. А тот — умильно, картинно библейский — тихо лежал на бочку и созерцал плачущую своим обычным кротко-посторонним взглядом. Наконец женщина высморкалась основательней, словно ставила точку на этом, деловито ткнула подушку под головой деда и вышла из комнаты.

— Ладно, до свидания, засранцы! — крикнула она из прихожей, и дверь лязгнула замком.

Карина сняла руки с клавиш.

— До свидания, сволочь! — сказала она, напряженно глядя в ноты и грызя заусеницы.

Тут я не выдержала своего отсутствия.

— Кто эта баба? — спросила я. — Не грызи пальцы.

— Мамина сестра, — просто ответила Карина, продолжая кусать ногти и думая о своем.

Старший брат, с велосипедным насосом в руках, выглянул в окно с террасы и пояснил сестре:

— Говорит, если отец даст двести рублей, она возьмет деда к себе на месяц. Чтоб мы отдохнули.

— Чтоб она на том свете отдохнула, — зловеще спокойно сказала Карина взрослым тоном.

— А что, отец не отдаст деда? — спросила я.

— Во-первых, деда не отдаст, во-вторых, деньги не даст... — ответила она.

Дед сел на диване, проговорив что-то с тяжким вздохом, запахнул на груди ватный узбекский халат и застыл так сидя.

— Ну, давай сначала, — сказала я Карине. — И не колоти так. И следи за педалью...

...Минут через тридцать пришел с работы отец, и Карина сказала ему спокойно, не оборачиваясь:

— Приходила тетя Зина.

Отец перестал расшнуровывать туфлю.

— И что? — спросил он.

— Ничего, — ответила дочь. — Пришла, с дедом посидела, потом поплакала, потом ушла...

Отец, все еще стоя в одной туфле, внимательно оглядел комнату: все было на своих местах — дед на диване, мы с Кариной у инструмента, сын возле велосипеда. Младшая в это время обычно гуляла во дворе.

— И все? — успокаиваясь, но еще настороженно спросил отец.

— Все, — хладнокровно подтвердила дочь.

— Больше ничего не говорила?

— Не-а...

Мальчик на террасе поднял стриженую голову, молча, через оконный проем обменялся спокойным взглядом с сестрой и опять занялся своим велосипедом...

...В наших занятиях более всего меня тяготила полная их бессмысленность. И дело даже не в том, что у Карины отсутствовали музыкальные способности. (Я вообще убеждена, что знакомство человека с нотной грамотой, и даже владение музыкальным инструментом, и даже глубокое знание музыки, ее шедевров, ее истории, не делают этого человека ни глубже, ни интеллигентнее, ни добрее. Смотря что понимать под глубиной, добротой и интеллигентностью.) Дело в том, что, на мой взгляд, Карине не нужны были занятия музыкой... Они еще больше нагружали воз обязанностей, который изо дня в день тащила эта маленькая серьезная девочка с хмурыми глазами. Она готовила обеды, стирала, гладила, ухаживала за дедом и... брала уроки музыки. И ведь кроме того она училась в шестом классе и была «культмассовым сектором».

Однажды, придя на урок, я увидела разложенный на столе лист ватмана. Нависая над ним, упираясь коленками в сиденье венского стула, Карина синей акварелью осторожно закрашивала ломаную ступенчатую стрелу, над которой печатными буквами было выведено «Молния».

— Я ведь культмассовый сектор, — объяснила мне Карина серьезно.

— Что значит — культмассовый? — спросила я, прикидываясь наивной, хоть сама в свое время уныло продиралась сквозь частокол школьных мероприятий. Мне было интересно, как воспринимает их она.

— Ну... стенгазеты рисовать, деньги на цветы собирать, если писатель какой-нибудь выступает... Опаздывающих клеймить.

— Ну и как ты их клеймишь? — полюбопытствовала я.

— А вот, — она кивнула остреньким подбородком на лист ватмана. — В «Молнии»...

— Не обижаются?

— Не-а... Это ж общественная работа.

...Как-то осенью мне позвонили и пригласили на юбилей специальной музыкальной школы для одаренных детей. У меня были свои счеты с этой школой, в которой несколько лет отрочества и юности музыка сковывала мне руки наручниками...

До сих пор дивлюсь штучкам Судьбы, благодаря которым я совершенно случайно была принята когда-то в восьмой класс этой школы...

В тот август, перед учебным годом, мама привела на прослушивание мою младшую сестру Верочку, которая училась в третьем классе, играла на скрипке и делала в музыке большие успехи.

Дома очень волновались и готовились к «прослушиванию», так как ходили разговоры, что попасть в школу для музыкально одаренных детей не менее трудно, чем выбить учителю персональную пенсию. О прослушивании мама договорилась через жену двоюродного брата, которая дружила с женой одного из преподавателей школы.

Как бы там ни было, в желтый августовский день сестре предстояло играть перед комиссией. Чтобы я не болталась в жару по улицам, меня, четырнадцатилетнюю дылду, мама прихватила с собой. А там уж, в паркетных коридорах элитарной школы, Судьба начала выкидывать свои коленца: сестре потребовался аккомпаниатор, в пустой каникулярной школе аккомпаниатора не отыскали и за инструмент посадили меня.

Верочка с блеском прошла сквозь горнило «прослушивания», и тут какой-то педагог заметил, что старшая девочка тоже «музыкальна», и предложил маме «показать» меня фортепианному отделу.

В горячечном возбуждении, на ходу заплетая мои патлы в приличную косу, мама поволокла меня на четвертый этаж, где фортепианный отдел представляла царственно-холодная дама с шопеновским профилем. Мне велено было играть. Я заиграла Шестую сонату Бетховена, которую весной благополучно сдала на экзаменах в своей уютной районной школке, и, по-видимому, от страха сыграла ее неплохо. Дама с шопеновским профилем подтвердила, что «девочка музыкальна», и участь моя, несчастная моя участь, была решена.

Угодив в восьмой класс элитарной школы, я сильно заробела. Все здесь было особенным — расположение музыкальных классов с двойными дверьми (звукоизоляция!), желтый вощеный паркет, по которому серьезные ученики скользили в тапочках, ин-ди-ви-ду-альные занятия... Дети тоже были особенными, даже фамилии у них были необыкновенными. Вундеркинд Кранджево-Джевский ходил по желтым паркетам, загребая ногами, таская за собой болтающиеся кисти талантливых рук. Где-то в заоблачных высотах одиннадцатого класса блистал скрипач Врангель — восхитительно уродливый, с нечеловечески длинным носом. Ему пророчили блестящую музыкальную будущность. А девочки, девочки специальной школы, будущие консерваторки — эти надменные шейки, серьезные разговоры, прилежные нахмуренные бровки... И я, обычный ребенок, здоровое дитя, попала во все это великолепие как куренок в ощип...

Меня подавляла всеобщая талантливость вокруг, и тут надо вернуться к роковой «музыкальности», под знаком которой я просуществовала школьные и консерваторские годы. Это, в общем, приятное, несколько неопределенное определение моих способностей висело тяжким распятием над моим самолюбием. Многие из соучеников были просто талантливы, многие проходили под вывеской способных. Я же неизменно оставалась «музыкальной девочкой». Эта проклятая «музыкальность» шлейфом волочилась за мной от экзамена к

экзамену. Всегда было одно и то же: председатель
комиссии зачитывает лист с отметками, такая-то — да,
техника хромает, да, необходимо тренировать память,
но — да, налицо безусловная музыкальность. Четверка
с минусом. Я была подвешена на крючок «музыкальности» и болталась на нем, как потрепанный пиджак.
Я была простолюдином на светском балу...

Все-таки не удержусь и скажу еще вот о чем: когда
в моем присутствии с ухмылкой говорят о чьем-то больном самолюбии, я еле сдерживаюсь, чтобы не восклик-
нуть: да что вы знаете о больном самолюбии, как смеете
ухмыляться над этой тяжкой неизлечимой болезнью!

Больное самолюбие... Здоровье самоощущения, по-
дорванное, как правило, в детстве или юности... В детстве надо обязательно что-нибудь делать лучше всех —
выше всех прыгать или дальше всех плеваться, быстрее
всех решать задачку, иметь лучший почерк в классе или
самые аккуратные книги и тетради — да мало ли что!
Мир в детстве так огромен, и столько достоинств ис-
крится в каждом его проявлении... Это позже, гораздо
позже мы вычленяем из всей россыпи три-четыре человеческих достоинства и поклоняемся им.

Вот какое несчастье стряслось со мной в детстве: я
неожиданно попала в сферу, где мир был сужен до
клавиатуры или грифа смычкового инструмента, а достоинства считаны и строго проименованы, и мне в этой
сфере досталось едва ли не самое захудалое, сомнитель-
ное достоинство, каким, подразумевалось, может обла-
дать чуть ли не каждый обычный ребенок... Помнится,
в то время (восьмой, девятый класс?) я писала очеред-

ную повесть о сильной личности Сашке Котловой, жил
во мне такой персонаж. Но кому из одноклассников
было до этого дело, если на уроках гармонии мне ставили обморочную троечку, а на каждый экзамен я шла
как на пытку — с дрожащими руками и расширенными
от ужаса зрачками?..

Школьные годы, музыкальное отрочество — солнечные полосы на желтом паркете, — торжественная,
одухотворенная, надраенная до блеска моя детская
тоска...

Но довольно об этом. Ведь рано или поздно я все
равно напишу грустную и смешную повесть о своих
взаимоотношениях с Музыкой. А сейчас я рассказываю
совсем о другом.

Итак, меня пригласили на тридцатилетний юбилей
моей школы. Перед началом торжества я еще должна
была успеть позаниматься с Кариной. Времени оставалось в обрез, поэтому пришла я к Карине пораньше.

Она открыла дверь распаренная, в косынке, сдви-
нутой на затылок, с мокрыми до локтей рукавами.

— Ой, — растерянно пробормотала она, оглядывая
мой костюм, — а я еще не достирала... — И спохватилась: — Я сейчас! Мне только прополоскать!

Она бросилась в ванную, и через приоткрытую
дверь я увидела склоненную над бельем худенькую
спину и острые, энергично движущиеся локти. Она
полоскала что-то тяжелое.

Я сняла пиджак, закатала рукава блузки и молча
отстранила Карину от ванны.

— Ой, зачем вы! — расстроилась она. — Вы такая... такая... нарядная!

Я отжала воду из тяжелого пододеяльника и, не разгибаясь, поверх локтя посмотрела на Карину.

— Переоденься, — сказала я. — Что-нибудь красивое надень. На концерт пойдем.

Эта мысль пришла мне только сейчас, в тот момент, когда я глянула поверх локтя на ее бледное лицо. Увести ее, хоть на вечер выпрячь из тяжелого воза.

— На какой концерт? — испуганно спросила она. — А папа? Папа с работы придет, его кормить надо.

— Ничего, сам поест, — спокойно сказала я. — Мы ему записку оставим. Иди оденься, пока я тут полощу. Времени мало...

И она, больше ни о чем не спрашивая, поверив сразу, что я зашла специально за ней, бросилась в комнату.

Полоща белье, я прислушивалась: она командным тоном давала брату указания, прикрикнула на деда, что-то грозно велела сестре. И наконец появилась в двери ванной — в синем, длинноватом ей платье с большим белым воротником. Она переминалась от нетерпения.

— Прекрасно, — сказала я. — Тащи синий бант, завяжем тебе хвост.

— Лариса, бант! — пронзительно крикнула она сестре. — Синий!

Та крикнула откуда-то из глубины квартиры:

— Синий нет! Есть желтый!

— Синего нет! — несчастным голосом повторила
Карина. — Только желтый! — Она смотрела на меня
с мольбой, словно боясь, что теперь я откажусь взять
ее с собой.

— Давай желтый...

Я собрала на затылке ее тонкие и пышные кашта-
новые волосы, перевязала лентой, чуть отстранила ее,
оценивая:

— Замечательно, мадемуазель... Ты какой язык
учишь?

— Немецкий! — сказала она, сияя.

— В таком случае — замечательно, фрейлейн...

Я впервые видела эту девочку счастливой, и сейчас
она была поразительно схожа с младшей, которая кру-
жила возле нас и льнула то к сестре, то ко мне...

В записке я написала: «Уважаемый такой-то! Я
повела Карину на концерт классической музыки. Это
необходимо для ее развития». Потом перечитала записку, перед словом «развития» всадила глубокий клин и
приписала в нем сверху «эстетического».

...Трамвай подъехал к остановке, мы вышли, и я
увидела свою школу — она стояла торцом к дороге.
Как и прежде, сюда, на остановку, долетали сумбурные
наплывы звуков.

— Десять лет...

— Что? — спросила Карина.

— Говорю, десять лет не была в своей школе, —
сказала я. — Ну, пойдем...

Торжество начиналось очень торжественно, и в огромном вестибюле, медленно продираясь через объятия,

рукопожатия, приветствия, улыбки, обещания встретиться, натыкаясь на расставленные повсюду корзины цветов, я крепко сжимала ладошку Карины.

В зале мы сели на моем любимом месте — в амфитеатре, с краю. Высокие, отполированные сотнями детских рук перила закрывали нас от входящих в зал. Карина вертелась в кресле, вскакивала, всему удивлялась и громко задавала вопросы:

— А тот седой дядька с палкой — кто? А вон та лохматая женщина?

Меня увидела зав. фортепианным отделом, узнала, закивала издали постаревшим шопеновским профилем. Я поднялась и пошла ей навстречу.

— Рада, очень рада, что ты пришла, — с одышкой проговорила она. — Давно тебя не видела... Говорят, ты пишешь? Печатаешься?.. Музыку совсем забросила? Жаль, ты была музыкальной девочкой...

Я вернулась на место и сказала Карине:

— Потерпи. Сейчас начнется торжественная часть, вручат грамоты, а потом будет концерт учеников.

И тут в зал вошел мой одноклассник и приятель Сережка, с которым мы не однажды сбегали с уроков. Сережка несколько оплыл и приобрел солидную осанку. Я не видела его лет семь, но слышала, что он с успехом преподает в школе.

— Серега! — окликнула я его. — Сергей Федорович.

Он обернулся, сделал радостно-изумленные глаза и вскинул обе руки. Я показала на свободное место рядом со мной, и он стал пробираться к нам. Мы бегло расцеловались, Серега опустился в кресло и сказал восхищенно:

— Сволочь! Куда ты запропастилась?

Но тут в президиум стали подниматься люди из Министерства культуры, представители от консерватории, наши учителя, и в зале громко захлопали... Мы с Сережкой тоже захлопали, а Карина даже привстала с места, стараясь разглядеть всех.

— Хорошо выглядишь, — шепнул мне Сережка.

— Ты тоже, маэстро, — ответила я, понимая, что объективно Сережка и вправду выглядит хорошо — респектабельно. Я покосилась на него: вместо тощей кадыкастой шеи девятиклассника увидела литую, заплывшую жирком выю и, вздохнув, перевела глаза на сцену.

— Сегодня один мой мальчик играет, — сказал Сережка. — Очень продвинутый мальчик. Но вещь сыровата. Как бы не сорвался в пассаже на терциях...

В антракте перед концертом учащихся Сережка бросился за кулисы давать последние указания своему мальчику, а мы с Кариной пошли смотреть школу — ходили по этажам, рассматривали портреты композиторов. Карина с любопытством, я — с грустью. Мне вообще очень грустно было в тот день.

Здесь мало что изменилось — по-прежнему в каждом закутке, в тупиках коридоров, в спортивном зале, в столовой стояли под чехлами рояли. В надраенных желтых паркетах отражались их черные ножки.

Портреты композиторов перевесили местами. Кудрявый полнощекий Бизе теперь благодушно смотрел сквозь круглые очки на противоположную стену, где висел стальной щиток освещения. Я улыбнулась, вспомнив давний анекдот из десятого класса: Сережка, тощий взъерошенный вундеркинд, уже уходя с классного собрания, возмущенно сказал:

— Товарищи! Пора привести в порядок коридоры. Портреты композиторов развесить, что ли! Вон у нас напротив класса уже лет десять висит какая-то железяка с идиотской надписью: «ЩО»!

— Ну, пора в зал, — сказала я Карине. — А то там без нас начнут.

...Сережка вернулся на свое место, когда концерт уже начался. На сцене кнопка в белом переднике резво бегала пальчиками по клавишам под умильными взглядами сидящих в зале. Сережка был озабочен.

— Мой шестым играет, — сказал он. — Пассаж все-таки не выходит...

Наконец объявили его мальчика. Фамилия какая-то обыкновенная, я не запомнила: то ли Орлов, то ли Петров, то ли Кузнецов... Сутулый, долговязый, сумрачный мальчик. Брюки висят, рубашка на спине пузырится — нелепый мальчик.

— Какой класс? — спросила я Сережку.

— Восьмой, — ломая пальцы и нервно прищелкивая ими, ответил тот. Вытянув шею, он неотрывно смотрел на мальчика.

— Ну не тяни! — сквозь зубы тихо процедил он, и мальчик, словно услышав Сергея Федоровича, оглянулся на концертмейстера, маленькую седенькую Марью Филипповну, которая еще Сережке аккомпанировала; она дала ля для настройки, мальчик подкрутил колки и, достав носовой платок, расстелил его на подбороднике, где скрипка соприкасается с шеей... Тишина — секунды перед музыкой, что леденят и покалывают, и наконец бурное вступление фортепиано.

Едва вступила скрипка, я поняла, что это — настоящее, по той бессильно ревнивой тоске, которую я испытываю всегда, когда музыка проникает в душу без спросу, потому что вроде бы имеет право, как человек, недавно еще любимый, имеющий ключ от твоей квартиры и возможность войти туда когда вздумается.

Сначала скрипка только пробовала голос — невинный и хрупкий. Она спрашивала себя и отвечала себе, и была правдива и открыта до конца, как светлая девочка. Было и кокетство там, но — грациозное, почти детское кокетство. Вот она запела полным голосом, раскатилась протяжным контральто, но скоро стала взбираться вверх на цыпочках, замирая, заманивая кого-то, и по тревожному холодку коротко обрывающихся шажков становилось ясно, что это рискованная игра. Потом наступила жуткая короткая пауза, и скрипка вдруг заголосила, заголосила истошными воплями, и на самом мучительном, хриплом стоне ее оборвало фортепиано бурливым пассажем, катящимся вниз, в басы, и там, в басах, долго топталась молва, перемалывала чужое несчастье... Пока звучало фортепиано, мальчик достал из кармана сурдинку, надел ее на струны, и, когда скрипка вступила вновь, она уже была интриганкой, и голос ее звучал вкрадчиво и коварно, и все она лгала, все лгала — о, то была опасная игра!

Я опустила голову и прикрылась ладонью, чтобы Сережка не видел моего лица. Но он видел только своего сутулого мальчика, его костлявые руки, взмывающий смычок. Даже вечные Сережкины желваки окаменели на скулах. Капля пота бежала по виску...

...Кончилось наконец... Мучение кончилось, затянулась петля на последнем хрипящем аккорде, в зале переждали похоронную паузу и сильно захлопали. Сережка откинулся на спинку кресла, достал платок и окунул в него лицо, отдуваясь...

Громко хлопали в зале, ведь там сидело много наших, и они понимали толк в настоящем.

Я наклонилась к Сережке и сказала:

— Поздравляю тебя. Прекрасный мальчик!

— Все-таки сорвался в пассаже, на терциях! — воскликнул Сережка счастливым голосом. — Ну он у меня получит!

— Плевать на терции, — возразила я. — Этот мальчик умеет душу выворачивать, а такое кое-что значит.

— Ты всегда дилетантски судила о музыке! — отмахнулся Сережка.

Карина не хлопала. Она сидела — пряменькая, серьезная, быстро-быстро разглаживая на коленях подол платья. Я взяла ее потную ладошку и прихлопнула своей рукой.

— Понравилось? — спросила я.

Она молча кивнула, забрала свою руку и напряженно вытянулась: на сцене ведущая объявляла выступление следующего ученика.

...После концерта Сережка проводил нас до трамвайной остановки. Он был счастлив сегодняшним успехом своего мальчика и говорил не умолкая.

— Надо встречаться! — говорил он. — Нельзя терять друг друга. Надо отметить десятилетие нашего выпуска.

Подошел старый, пустой по позднему времени трамвай, расхлябил двери, мы с Кариной взобрались на замусоренную абонементами площадку. Сережка стоял, облокотясь на турникет, и смотрел на меня. Он был в светлом модном плаще, в низко надвинутой шляпе. «Интересный мужик...» — подумала я.

— Позвони! Надо встречаться! Надо вместе держаться! — еще раз крикнул он.

Я сказала с подножки трамвая:

— Кроме того, надо снять наконец со стены железяку с идиотской надписью «ЩО»...

Сережка заржал смехом шестнадцатилетнего оболтуса, трамвай дернулся, дверь небольно хлопнула меня по руке, и светлый плащ уплыл в густую темень... Карина сидела в середине пустого вагона, отвернувшись к окну. Хватаясь за поручни, я плюхнулась рядом и приобняла ее за плечо. Она вдруг обернулась, и я обомлела: столько безнадежного, взрослого отчаяния было в ее глазах, зеркальных от слез.

— Я такая несчастная! — сказала она.

— Ты что? — Я испуганно наклонилась к ней, крепко сжав ее плечо.

— Я несчастная, и все, — убежденно повторила она.

— Дурочка! — весело воскликнула я, чувствуя, как задыхается от тоски сердце: зачем, зачем я потащила ее на этот концерт! — Вот так дурочка! Здравствуйте! Да разве несчастные такие бывают? Разве у несчастных бывает такое роскошное синее платье, такой замечательный хвост с желтым бантом! — Я несла веселую ахинею и мысленно кляла себя последними словами. — Разве у несчастных бывает такой замечательный отец, который ничего для детей не жалеет! А какие у тебя брат с сестрой! А какая кошка!

Она улыбнулась моей болтовне, сморгнула слезинку и спросила:

— А что он играл?

— Кто?

— Ну, этот скрипач — красивый такой, высокий?

Я сделала вид, что не могу вспомнить.

— Ну, ученик вашего Сергея Федоровича.

— А, ученик! Тоже мне красивый — да ты видела, как он ходит? Как верблюд. Шею вытянет, ноги волочит — шмяк, шмяк, шлеп, шлеп! — Я, не вставая, показала, как ходит мальчик. Она улыбнулась, покачала головой:

— Как он играл!

— Хорошо играл, — согласилась я. — Но если хочешь знать, меня сегодня все спрашивали — что это за девочка с вами? Какая красивая девочка!

Она подняла на меня недоверчивые глаза.

— Правда, правда! Видела, я подходила к пожилой такой даме с длинным носом? Она заведующая фортепианным отделом. Вот она как раз и спрашивала: «Что это за дивная девочка с тобой? Издали видно, какая чудная, музыкальная девочка! Надо, говорит, ее в нашу школу забрать...»

Карина глядела на меня жадно, серьезно, чуть приоткрыв рот.

— Нет, — с сожалением вздохнула она. — Нет, не получится... Слишком далеко ездить...

— Я так и сказала: трудно добираться из нашего района. Двумя трамваями... И потом, — я наклонилась к ней и добавила серьезно: — Ты же культмассовый сектор! Нельзя же бросать общественную работу...

Она кивнула и отвернулась опять к своему отражению, колеблющемуся в черном окне трамвая... Мы помолчали...

— Не завидуй этим ребятам, — наконец сказала я. — У них тоже нелегкая жизнь... Я не знаю, как это тебе объяснить...

— Я понимаю. Много занимаются, — сказала она.

Мы опять замолчали. Нет, не могла я ничего объяснить ей...

Карина легла щекой на поручень и снизу посмотрела на меня.

— Вы немножко на маму похожи. Только у мамы были брови гуще и нос чуть-чуть горбатей...

Я молча провела рукой по ее разметавшемуся хвосту на голове.

— А папа нас летом в Анапу повезет, — сказала она. — Он сейчас хорошо зарабатывать стал, на все хватает. К лету много заработает, он сам говорил...

— Да, Анапа — это вещь, — сказала я. — Гляди-ка, чтоб мы свою остановку не просмотрели...

...В декабре, перед Новым годом, наши занятия прервались — Карина заболела. Она болела ангиной тяжело, долго, жарко, совсем истончилась и с трудом, как в гору, шла на поправку.

Хозяйством занимался брат, и все валилось из его нетерпеливых мальчишеских рук, все подгорало, выкипало, разбивалось. Несколько раз я пыталась помочь, но мальчик вежливо и горделиво отклонял мою помощь.

С отцом семейства я не сталкивалась, он приходил домой гораздо позже.

Столкнулась я с ним тридцатого декабря. С утра выстояла очередь в дощатый загончик, раскрашенный медведями и зайцами, долго копалась в тускло-зеленой куче елок и наконец выбрала две — одну для сына, другую для семейства.

Вечером я шла с елкой по двору, и навстречу мне, из гаража, зябкой побежкой торопился отец Карины. Он издали закивал мне, пряча руки в карманы старого пиджака, и, увидев, что я с елкой направляюсь в их подъезд, все понял и воскликнул:

— Ой, это вы моим?! Ох, какое же вам спасибо! Я же совсем замотался, света белого не вижу, детям елку не успел купить! Сегодня Ларисочка так плакала! Говорит, у всех елка, а у нас нет! Ох, какое же вам большое спасибо! Сколько я вам должен?

— Ну что вы! — сказала я. — Это детям, какие могут быть счеты!

Он открыл дверь в квартиру, суетливо повторяя:

— Ох, какое же вам большое спасибо! Вы просто спасли меня, не знаю, что бы я делал без этой елки!

В коридор выскочила Лариса, взвизгнула, затопала
в восторге ногами, подбежала и с размаху обняла елку,
припала лицом к колючим веточкам. Карина, еще слабая, с перевязанным горлом, тоже оживилась, велела
брату лезть на антресоли, доставать картонки с игрушками.

— Тихо, тихо! — покрикивал счастливый отец. —
Без шума, без хая! Елка посыплется!..

Дед сидел на диване в ватном халате поверх теплого
голубого белья и кротко наблюдал радостную суматоху
детей. Время от времени он пояснял что-то самому себе
отрывистым голосом.

...Весь вечер наряжали елку. Из старой простыни
под ней соорудили сугроб, присыпали конфетти, при-
порошили блескучими осколками битых игрушек, и
часам к десяти она уже высилась в углу, с желтой
сверкающей пикой на макушке, вся переливалась, волновалась нитями «дождя» и осеняла комнату таинством
смены года.

И это была уже на чахлая елочка, к которой долго
и кропотливо привязывали ветки, прихваченные мною
за полтинник в загончике, это была Ель — прекрасный
Идол, знак, мета, дошедшая до людей через тысячеле-
тия... Лишь в уголке простынного сугроба виднелась
бирка, нашитая в прачечной: 1462...

Несколько дней спустя в очереди за молоком я
случайно разговорилась с соседкой по прозвищу Чека.
Свое прозвище соседка получила за то, что непостижи-

мым образом знала все скрытое, тайное, давно захоро-
ненное обо всех жильцах нашего двора. От нее можно
было получить любые сведения: кто с кем живет, кто
кого бросил, кто что купил и чей муж вчера явился «в
стельку».

— А твой малой опять вчера костер жег на помой-
ке! — сообщила Чека. — Ты руки-то ему оборви, а
то делов наделает!

— Хорошо, я накажу его... — заверила я.

— Слыхала, Николай этот, с овчаркой, из двенад-
цатой квартиры? Зинку-то свою бросил. И овчарку
забрал. Все оставил, а овчарку забрал... — Подобные
сообщения она делала с суровым удовлетворением. —
Ты сама-то как: ходишь в двадцатую прыподавать? —
строго спросила Чека.

— Хожу, — смиренно подтвердила я, нисколько
не удивляясь ее осведомленности в моих делах.

— Ну и брось ходить. Посадили его.

— А? Кого? — Я очнулась. С меня мигом слетела
отупелость утренней очереди.

— Ну, его, папашу ихнего, кого! Забрали еще
вчера. Обыск был, тетю Машу понятой взяли... Да ты
тяни бидон, твоя очередь, ну!

Я машинально протянула бидон продавщице, машинально приняла его тяжесть.

— За что? — растерянно спросила я.

— Есть за что! — бодро и строго уверила меня
Чека. Вот что в ней было — уверенность высшей ин-
станции. — Он же экспедитором ездил, мясо на машине развозил.

— Ну и что? — спросила я, ничего не понимая.

— Вот балда музыкальная! — восхитилась Чека. — Ничего не соображает! Налево он это мясо пускал! С накладными всякие махеры-шухеры крутил...

— Воровал? — тупо уточнила я.

— Нет, обществу книголюбов отсылал! — весело воскликнула она, дивясь моей глупости. — Дурак есть дурак, вот что я тебе скажу! Воровал бы уж с умом... Люди вон всю жизнь тащат и на Доске почета висят... Маша говорит, на обыске все плакал, твердил: «Я для детей, для детей...»

Я подхватила бидон с молоком и, уже не слушая Чека, вышла из магазина. На улице было холодно. Морозец лизнул шершавым языком руки и лицо. В воздухе потерянно носились редкие сухие снежинки.

Я шла к Карине.

Она открыла дверь, и с порога на меня пахнуло бедой. По-видимому, дети не успели еще прибрать после обыска — буфет в столовой стоял пустой, посуда была выставлена на стол, на стулья, на полу валялись какие-то пустые картонные коробки, на диване ворохом лежала одежда.

Елка торчала в углу сверкающим пугалом, кошка пыталась сбить лапой низко висящую игрушку.

Я поставила бидон на пол, сняла куртку, размотала шарф.

— Когда? — спросила я у Карины.

— Вчера, — спокойно ответила она.

Да, осведомленность Чека была поразительной.

Дед с Ларисой сидели на диване, прижавшись друг

к другу, словно ища друг у друга защиты. Дед, конечно, ничего не понимал, но беду в доме чуял.

Брат, заплаканный, слонялся по комнатам, пытаясь навести порядок — то поднимал с полу меховую шапку отца, то закрывал распахнутые дверцы шкафа.

Карина была болезненно бледна и словно заспанна. Она сидела на музыкальном табурете, покручиваясь туда-сюда, и рассказывала мне подробности тихо и сосредоточенно... Да, последний год папа хорошо зарабатывал. Его взял к себе на базу дядя Ачил, муж тети Зины... Теперь вот так получилось, что папу забрали... Дядя Ачил? Нет, оказалось, что он тут ни при чем... Все они на базе оказались ни при чем...

Елка в углу осыпалась редким шепотком. Он становился различим в долгих, долгих паузах... Что-то звякнуло — это упал и покатился блестящий шар. Кошка отпрыгнула и уставилась на него.

— Теперь нас родня разберет... — сказала Карина. — Уж лучше в детдом, там бы все вместе были. А так... Лариску тетя Зина берет, она вон где живет — почти за городом!

— А тебя? — спросила я. — Тебя она не берет?

— Нет, меня папин брат возьмет, он сказал — пока на год, там видно будет... Деда тетя Зина сдаст, конечно, в этот... в стариковский дом, для безродных...

Мальчик вдруг глухо заплакал, уткнувшись лицом в ладони. Карина даже не оглянулась на него, продолжая покручиваться на табурете. Дед жалобно улыбнулся и забормотал что-то, локтем прижимая к себе лохматую голову младшей внучки.

— Может, и в самом деле проситься в детдом всем вместе? — предложила я, с отчаянием понимая всю свою бесполезность здесь, в этом доме, в этой беде.

— Нет, — сказал мальчик, ладонью стерев слезы. — У наших детей не бросают. Всех по домам разберут.

Зазвенел звонок в прихожей — настойчивый, хозяйский.

— Это тетя Зина, — не поднимаясь с табурета, вяло проговорила Карина. — За Ларисой приехала...

Мальчик открыл дверь, и, как в прошлый раз, прямо с порога вломился в дом хрипловатый повизгивающий голос.

— Давай шевелись, а! Шофер ждет! Все собирайтесь!

— Почему все? — послышался растерянный голос мальчика.

Тетя Зина толкнула дверь в столовую, окинула комнату едва заметным движением густой брови и скомандовала Карине:

— Давай, слышишь! Собирайтесь, живей! Хватай шмотки, какие нужны! Всех развезу.

— А дед как же? — спросила Карина, глядя на нее исподлобья.

— Завтра за ним дядя Ачил приедет. Давай, меньше говори! Поворачивайся, время мало!

— Так он один до завтра останется? — спросила Карина, не поднимаясь. — Он один боится. Мы никогда его не оставляем. Его кормить надо.

— Ничего, один день не сдохнет! — взорвалась

тетя Зина. — Давай, графиня тоже, сколько я здесь буду ждать! С работы отпросилась, шофер ждет!

Дед, почуяв опасность, беспокойно задвигался на диване, прижимая к себе младшую внучку, которая переводила испуганные глаза с сестры на тетю Зину.

— Я деда одного не брошу, — сказала Карина. Наступила мгновенная пауза, в течение которой тетя Зина осмысливала: эта маленькая дрянь, которая должна быть благодарна за все, что делает тетя Зина, смеет еще выбрыкивать и ставить условия — и полился страстно-визгливый монолог на все том же восточном языке, монолог, подсвеченный тусклым сиянием золотых зубов. Время от времени из зубов высекались русские слова: «тюрма», «засранка», «подохнете»...

Старик и младшая внучка таращили глаза с одинаковым испуганным выражением, мальчик вжался в кресло, и только Карина, уставясь на тетку с откровенной ненавистью, угрюмо выслушивала брань. Когда теткин монолог иссяк, она повторила негромко:

— Я без деда никуда не поеду.

Тогда я не выдержала.

— Послушайте, зачем вы их разлучаете? — Я старалась говорить доброжелательно. — Ведь это семья, а вы растаскиваете ее по разным углам...

Тетя Зина повернулась с таким изумлением на лице, как если бы дед вдруг заговорил по-русски и разумно.

— Ведь можно помочь по-другому... — продолжала я. — Наверное, родня у вас большая, можно собрать средства на жизнь детям, а с хозяйством и с дедом они отлично управляются...

Тетя Зина, как приемщик в ломбарде, мгновенно
взвесила и оценила мой старый тренировочный костюм,
пустые руки без колец, бедные натуральные зубы и
выговорила старательно-вежливо:

— Слушайте, дорогая... Зачем не в свое дело ле-
зешь? Зачем здесь посторонняя, чужая сидишь? Се-
мейное дело, сами разберемся...

И, схватив за руку Ларису, потянула ее со злостью:

— Давай едем, некогда здесь собрание проводить!

Но та, вдруг вцепившись в старика, крикнула отчаянно:

— Нет! Не поеду к вам! Деда! Держи меня крепко!

Старик обеими руками прижимал голову внучки к
своей седой груди в распахнувшемся халате. Но тетя
Зина была сильнее, она оторвала Ларису от старика, и
тот вдруг заплакал — жалобно, тоненько всхлипывая,
потрясенно глядя на свои вздрагивающие руки.

— Постойте! — крикнула я. — Оставьте детей! Я
возьму их! Я возьму детей, — твердо повторила я. —
И старика. Не трогайте их, оставьте здесь...

Тетя Зина легонько ахнула и несколько секунд
созерцала меня с ненавидяще-радостным выражением
на лице.

— Она возьмет детей, а?! Она возьмет детей! —
вкрадчиво воскликнула она, глядя уже не на меня, а
вокруг себя, как будто ее окружала толпа сочувствую-
щих. — Она возьмет детей и, как опекунша, захапает
все! Все!! Она ходила в дом и высмотрела, здесь есть
что взять! Потом иди доказывай, что — чье!!

— Что?! Что вы несете?! — задыхаясь, выкрикнула я. — Как вы смеете?!

— Потом отсуживайте, детки, шубу вашей покойной мамы у этой опекунши! — торжествующе гремела она. — Позарилась, а! На добро сирот позарилась! Не-ет! На, выкуси, музыка! Спа-арцменка!

Последнее относилось, по-видимому, к моему застиранному тренировочному костюму... Мы стояли друг против друга, и она вертела перед моим лицом бриллиантовыми и рубиновыми фигами. Боковым зрением я видела съежившегося мальчика и совсем обезумевшего от крика деда. Карина была у меня за спиной.

— Прохиндейка! Я еще проверю, чего ты здесь околачивалась! Я лично проверю! — Голос тети Зины пошел на следующий виток — еще более ликующий и визгливый. Мне не справиться было с этим голосом. Я почувствовала спазм дурноты в горле, выскочила в коридор и схватила куртку.

Оглянувшись, в последний момент я увидела совершенно меловое лицо Карины.

— Я тебя еще упеку, аферистка!

Хлопнув дверью, я отсекла липкую дрянь, которая неслась мне вслед с этим голосом.

Дома, увидев меня, сын спросил испуганно:

— Что случилось? Ты упала? Ударилась?

— Ударилась, — пробормотала я.

...Вечером я все-таки решилась вернуться к этой двери — надеялась, что кто-то из детей остался. Мне никто не открыл... Значит, Карина выиграла хоть этот бой — заставила забрать с собой деда.

Много раз потом я заходила в их подъезд и подолгу звонила в дверь — не могла отделаться от мысли, что там, в этой квартире, ждут моей помощи трое детей и сумасшедший старик.

...Года через три случайно во дворе я встретила брата Карины. Он повзрослел, подрос и не казался уже таким хилым — ему исполнилось семнадцать лет. Он вежливо и сдержанно поздоровался со мною, мы немного поговорили. Спасибо, все хорошо, папу освободят через два года. Все хорошо — я работаю, девочки учатся, дедушка умер...

Больше ни о чем он не позволил спросить себя. Извините, я тороплюсь. Мы обмениваем квартиру, и вон мужчина — видите? — ждет меня, хочет посмотреть нашу планировку. Привет? Обязательно передам...

Ну что ж, стоило только вздохнуть облегченно: я сбросила с себя и этот груз — эти ненужные и тягостные для меня уроки музыки. Но не вздыхалось облегченно, вздох застревал в горле и камнем валился на сердце...

Впрочем, что уж говорить! Эти уроки были последним серьезным напоминанием о моем музыкальном образовании. С тех пор прошлое беспокоит меня только по ночам.

Мне часто снятся мучительные «музыкальные» сны — через пять минут экзамен, а я так и не доучила партию левой руки в Прелюде Листа. Ах, с правой руки сидит комиссия — заметят или не заметят? Я должна перейти на начальные такты после цезуры; я должна после аккорда взять педаль, опаздывающую, вкрадчивой ногою, чтобы продлить этот звук в одиночестве. Я еще должна что-то: неуловимое, неназываемое, но должна, должна, и этот неназываемый долг висит кандалами на моих руках... Нечто сродни сыновнему или дочернему долгу — тяжкий, но сбросишь его с плеч — и мыкаешься сиротой... И эта надрывная тоска в горле — о, я должна то-то и то-то.

...Я просыпаюсь и молча плачу — без слез, без содроганий, это плачет во мне истерзанное благородным насилием детство... Я медленно прихожу в себя и вспоминаю, что ничего больше не должна ей, Музыке. Мои руки, прикованные сном к клавиатуре, как галерник, прикованный к галере, не шевелятся — они постепенно отходят от тяжести сна...

Я уплываю все дальше от возвышенного рабства и детских унижений, от желтых паркетов, отражающих черные ножки рояля, от партии левой руки, так и недоученной мною... Я оставляю храм, чьи грозные и хрупкие своды едва не обрушились на меня... Эту исповедь в полусне никто не услышит, я понимаю, что все это, в сущности, смешно и глупо для взрослого человека. Ведь все давно кончилось: мой отчим — музыка, — жесткий и справедливый, воспитал меня, поставил на ноги и отошел в сторону, оставив мне очень многое — например, приученность к каторжной работе, к тому, что никто за меня ее не сделает. Слишком много лет было: вот они, твои руки, вот сейчас являют работу, золотой груз многочасового старательства. Эта явность предъявленной работы, эта святая невозможность

предъявить чужое и есть главное наследие моего про-
клятого и благословенного музыкального прошлого...

Все хорошо... Но изредка, когда жесткие лапы моего
самолюбия сжимают сердце сильнее обычного, я застав-
ляю себя вспомнить, как ждали когда-то, но так и не
дождались моей помощи трое детей и сумасшедший
старик...

С годами глубже заглядываешь в себя, и настанет
день — не отшатнешься от гиблой пропасти вины. Не
отшатнешься от края, а пристально вглядишься в каждый камень этой вины, и маленький, и большой; и эту
тяжкую кладь, от которой ломится и стонет душа, по-
несешь до конца, не сбрасывая ни крошки, лишь иногда
молча жалуясь себе дрожащим горлом в размытую мглу
бессонной ночи...

1982

ДЕНЬ УБОРКИ

Нюра берет недорого — пять рублей за день. Но это, конечно, с хозяйскими харчами и чтоб за обедом обязательно поднесли. В этом пункте Нюра особенно не кочевряжилась, годилось все — и сухое, если белой в доме не водится, и портвейн, и даже домашняя наливка.

А что, домашняя наливка, если ее по правильному рецепту сделать, лучше любого магазинного. Вот, к примеру, какое домашнее делал всегда Владимир Федорович, царствие ему небесное! И смородинную, и рябиновку, и сливянку — и все из своего, все на даче росло. А однажды даже из винограда сделал, из того самого, что их молодая приятельница с юга прислала. Веселый был покойный Владимир Федорович и умер-то совсем не старым — и шестидесяти восьми не было. Жить и жить... После его смерти Галина Николаевна и дачу продала, и машину продала. А зачем ей машина? Одна как перст осталась. Детей-то у них с Владимиром Федоровичем не было, единственная дочка еще в младенчестве умерла.

Одна только радость — это молодая приятельница
с юга иногда в Москву приезжала. Сама-то Нюра ее
не видела, не приходилось как-то, а вот портретик на
стене в кабинете Владимира Федоровича часто рассмат-
ривала. Моет там окна или полы натирает и нет-нет да
и взглянет на портретик, а то подойдет и смотрит,
смотрит... На лицо ее как-то смотреть хотелось. Чистое
очень лицо, губы улыбаются, обманывают губы, а глаза
вот обмануть никого не могут. И раздор этот улыбаю-
щихся губ и тоскливых глаз был на портрете весь как
на ладони.

Нюра, бывало, смотрит, смотрит, потом смахнет
пыль со стекла и жалеючи так спросит портретик: «Ну
че прикидываешься-то?» Однажды обернулась, а в дверях кабинета Владимир Федорович стоит — локтем в
косяк уперся, сильной пятерней седые волосы назад
забросил.

— Что, Нюра, — и кивнул на портрет, — нравится?

— Ага. — Она отступила на шаг и, склонив набок
голову, еще раз окинула взглядом портрет. — Только
скушна чего-то...

— Нет, — возразил он, — она веселая... Она
такая, — и не нашел слова, только прищелкнул пальцами. — Это, Нюра, женщина, перед которой — плащ
в грязь!

Недаром писатель. Придумал тоже — плащ, и
вдруг — в грязь. С чего это?.. Впрочем, к красоте чьей
бы то ни было Нюра относилась уважительно, может
быть, потому, что сама была кургузенькой женщиной с
постоянно воспаленными от возни со стиральными по-

рошками красными веками без ресниц, со смешным
тонким говорком.

Были у Нюры клиенты и поважнее. В ее записной
книжке (а у Нюры, как у всякого делового человека,
была записная книжка) такие адреса встречались —
ой-ой! У нее была своя клиентура уже много лет. В
основном Нюра убирала Большому театру, некоторым
писателям и двум композиторам. За ней охотились,
переманивали к себе, к ней «составляли протекцию»,
потому что Нюра брала недорого, а возилась весь
день — и окна мыла, и полы натирала, и стирала. И
все делала на совесть, а это сейчас большая редкость.

О Владимире Федоровиче Нюра вспомнила сегодня
потому, что убирать к ним шла. То есть не к *ним*
теперь, конечно, а к ней — Галине Николаевне. День
подошел — семнадцатое октября. Галина Николаевна
давно на семнадцатое записалась.

Вот только добираться Нюре было далековато —
из Мытищ. На электричке, потом на метро с одной
пересадкой, а там на автобусе.

...Время неуклонно тянулось из осени в зиму, и этот
день — мутный с самого утра — был, наверное, пос-
ледней гирькой на весах природы, клонящихся к зиме.
Летящий острый дождь то набирал силу, то сникал, как
бы раздумывая — перейти ему в снежок или еще
потянуть эту осеннюю волынку.

В подъезде Галины Николаевны Нюра отряхнула
свой красивый, с яркими бирюзовыми узорами, зонтик,
сложила его и вошла в лифт. Хотя Галина Николаевна

жила на втором этаже, Нюра всегда поднималась к ней в лифте, она вообще никогда не пренебрегала теми благами, которые можно было выколотить у жизни, а уж тем более теми, что доставались даром. Перед дверью, обитой черным дерматином, она тщательно вытерла ноги о тряпку, которую собственноручно после каждой уборки постилала, и нажала на кнопку звонка.

За дверью зашлепали тапочки, и какая-то чужая женщина долго возилась с замком, приговаривая низким хрипловатым голосом: «Сейчас... минуту... Свинство какое-то...» Наконец дверь открылась, и Нюра увидела в коридоре девочку. Девочка была в ситцевой косынке и веселом фланелевом халатике Галины Николаевны.

— Я смотрю, туда — не туда попала? — удивляясь, спросила Нюра.

— Туда, туда... — сказала девочка низким женским голосом. — Ну заходите, холодно...

В коридоре девочка принялась раздевать Нюру, чего никогда никто еще не делал, даже собственная Нюрина дочь Валя, и этим привела ее в еще большее недоумение.

— Ой, да спасибо, да не надо, — смущаясь, приговаривала Нюра, а сама прикидывала: кем может приходиться Галине Николаевне эта девочка, так свободно чувствующая себя в хозяйском халатике? «Должно быть, внучатая племяшка из Торжка», — наконец сообразила она и вспомнила, что вроде когда-то уже видела эту девочку, лицо знакомое.

— А я по уборке, — сказала Нюра.

— А я знаю, — просто сказала девочка. — Вы —

Нюра... Пойдемте, мне велено вас завтраком накормить.

У нее было хорошее лицо с доверчивым выражением ничего не понимающего в жизни ребенка. Вот только мелкие веснушки портили. «Может, израстется», — с сочувствием подумала о ней Нюра. Впрочем, на кухне, где было посветлее, стало видно, что девочка постарше, чем показалось Нюре сначала. Можно ей было дать теперь и восемнадцать, пожалуй... Она быстро нарезала сыр, колбасу, хлеб, разбила на сковородку четыре яйца. «Племяшка... — подумала Нюра, принимаясь за еду. — Ихняя порода — кормить не жалея».

— Я забыла, вам наливку когда давать? Сейчас?

— Не, эт в обед! А то разморит, — охотно объяснила Нюра. — А что там?

— Рябиновка... — Девочка подняла бутыль повыше, и жидкость заколыхалась в ней тяжелым кроваво-розовым телом. — Дядя Володя делал.

— А ты племяшка будешь?

— Нечто вроде, — как-то неопределенно ответила она. — Так наливать?

Нюра полюбовалась на полную бутыль, помедлила, изображая озабоченность предстоящей уборкой... На самом деле это было то непредвиденное благо, которое случайно, в спешке обронила жизнь, и не поднять это благо было преступлением.

— Ну, плесни чуть... — разрешила Нюра. Заедая рябиновку толстым бутербродом и чувствуя, как знакомо согревается веселым теплом выпитого душа, Нюра неожиданно поделилась:

— Сейчас в метро мужик какой-то замуж звал. Вы, грит, очень мне подходящая, мне лицо ваше нравится. Доброе, грит, лицо...

Девочка села напротив Нюры, подперла подбородок сцепленными в кулак руками и серьезно уставилась на Нюру, подалась к ней детски доверчивым лицом.

— Приличный человек? — спросила она.

— Прили-ичнай! — подхватила Нюра, довольная, что ее слушают так кротко и внимательно. — В кроличьей шапке, пальто тако солидное... Молодой еще мужчина, наверно, и шестидесяти нет.

— А что он — вдовец, разведенный?

— Вдовец, вдовец... — подхватила Нюра. — Жена в прошлом году померла, а дети уже взрослые... — Ей все приятнее было говорить с этой девочкой, которая слушала ее не перебивая, смотрела серьезно теплыми карими глазами и вставляла замечания сочувственно и в самую точку. — Хозяйство у него на Клязьме... Дом, куры, индюки, поросенок есть... Замучился, грит, с хозяйством, женщина нужна хорошая, работящая... А я, грит, вижу — лицо у вас доброе.

— Ну и что же вы, Нюра, согласились?

— Не-е! — весело усмехнулась Нюра, хрустя огурчиком. — Ишь чего! Мне одной-то спокойней. Сын, Коля, уже техникум кончает. Дочка поваром в столовой... Сама себе я начальник. И все.

— Жалко... — задумчиво сказала девочка, и видно было по лицу, что она даже огорчилась за Нюру. — Он одинок, вы одиноки... Даже адреса не оставили?

— Не! — так же задорно-весело воскликнула
Нюра. — Да я с им всего три остановки ехала...

Она вдруг совсем некстати вспомнила вчерашний
разговор с Валькой на кухне, когда дочь, поеживаясь
и пряча от матери глаза, неожиданно расплакалась и
сказала, что беременна, уже второй месяц, а Сережка
и не заговаривает о свадьбе... Нюра поначалу от этой
интересной новости даже затрещину Вальке влепила, а
ночью все ворочалась, ворочалась, так и эдак прикидывала и решила, наконец, что в воскресенье пойдет к
Сережке домой, потолкует с матерью. А то детей стро-
гать они все мастера, пусть человеком себя покажет.

В прихожей позвонили. Это вернулась из магазина
Галина Николаевна. Нюре из-за стола было видно, как
в прихожей девочка снимает с нее пальто.

— Лина, я купила ваши любимые сырки с изю-
мом, — устало сказала Галина Николаевна девочке.

— Начинается беготня по гастрономам в поисках
мифических «любименьких» деликатесов, придуманных
дядей Володей, — сварливо ответила на это девочка, — хотя на самом деле я могу сено жевать.

— И все это вместо одного слова, — укоризненно
заметила Галина Николаевна.

— Спасибо, спасибо, — ничуть не смущаясь заме-
чанием, девочка чмокнула ее в щеку и подала тапочки. — Нюра пришла. Она сейчас в метро чуть не
вышла замуж, хотя ей предлагал это приличный человек
в кроличьей шапке и с поросенком.

— Поросенок-то дома у него! — крикнула Нюра
из кухни. — Рази ж он в метро с поросенком ехал!

Она была уязвлена перевоплощением девочки из внимательной, деревенски доверчивой собеседницы в столичную насмешницу.

— Здравствуйте, Нюра, — сказала Галина Николаевна, войдя в кухню. — Ешьте, ешьте, не торопитесь. Сегодня немного работы — полы натереть, ванну вымыть и простирнуть кое-что.

— Окна мыть не будем? — спросила Нюра.

— Нет, — морщась от головной боли, сказала Галина Николаевна. — Такая мерзкая погода... смысла никакого... Линочка, детка, принесите мне тройчатку из спальни. Невыносимо болит голова.

«Чего это она ей выкает? — подумала Нюра. — Чудно все у этих артистов...»

Галину Николаевну Нюра уважала и немного робела перед ней. Ей нравилось, что та не заискивает, не называет ее «Нюрочка», как другие клиентки, не торгуется при расчете, а бывает, что и надбавит. Вообще гордая панская кровь — Галина Николаевна была по матери полькой — сказывалась во всем: в манере держать голову, чуть откинув, всматриваясь в собеседника дальнозоркими глазами, в походке, в статной, отлично для ее возраста сохранившейся фигуре. В прошлом Галина Николаевна была актрисой и, может быть, потому говорила всегда чуть приподнятым, слегка драматическим голосом. Правда, после смерти Владимира Федоровича она сильно сдала, замучили головные боли, замучила тоска. Шутка сказать — сорок три года они с мужем прожили! И уже видно было, сильно было видно, что ей под семьдесят.

...Лина принесла лекарство, налила Галине Николаевне чай и уселась напротив Нюры с очевидным намерением продолжать расспросы.

— Нюра, а сын-то хороший? — спросила она. И опять Нюра поддалась на доверчивый и печальный взгляд взрослого ребенка, хотя за минуту до этого подумала, что нет, теперь уж ее не проведешь.

— Коля-то? Хоро-оший, — охотно заговорила она. — Краси-ивай у меня Коля-то... Брови густы-ия, ши-ро-окия...

Зазвонил телефон. Лина, мгновенно изменившись в лице, вскочила и опрометью ринулась в спальню.

— Господи, опять! — пробормотала Галина Николаевна, тоскливо глядя ей вслед. Вздохнула и перевела взгляд в окно.

Окно кухни выходило на унылый пустырь — обычный пейзаж новостроек. Редкими прутиками торчали недавно высаженные деревья, дыбились замерзшие комья грязи. За пустырем тянулось шоссе, по нему проезжали не торопясь желтые, игрушечные отсюда «Икарусы».

— Вас, тетя Галя... — упавшим голосом сказала из спальни Лина.

— Конечно меня! — с непонятной досадой воскликнула Галина Николаевна. — А кого же еще! Кто это — Тамара? Или Дуся?

— Тамара...

Галина Николаевна ушла в спальню говорить с Тамарой, а Лина опустилась на кухонную табуретку, посмотрела в окно, как только что смотрела в него Галина Николаевна, и тихо, отрешенно сказала:

— Снег пошел...

Потом поднялась и стала убирать со стола грязную посуду.

Да, осень сегодня клонилась к зиме. К вязкому серому небу прилипли бурые пласты облаков, как будто некто гигантский прошелся в грязной обуви и наследил. По пустырю весело трусил великолепный черный пудель и за ним, привязанный к любимой собаке поводком, неуклюже следовал грузный мужчина. Сверху из туманной мути на мужчину и пуделя медленно и лениво крошился крупяной снежок.

Уборку Нюра начинала всегда с кабинета Владимира Федоровича, а кончала кухней и прихожей. По натуре словоохотливая, она обычно стеснялась Галины Николаевны, и если уборка у других клиентов растягивалась до вечера, то у Галины Николаевны Нюра всегда управлялась часам к четырем. Но сегодня — уж так день начался — Нюра болтала без умолку, благо слушатель ей попался отменный. Девочка ходила за ней по пятам, как прежде, бывало, ходил Владимир Федорович, и стояла, как он, в дверях кабинета, локтем упершись в косяк, поддакивая Нюриной болтовне и хохоча в самые неожиданные для Нюры моменты. В руках девочка держала книгу в черно-белом переплете, но так ни разу и не открыла ее.

— А дочка, Валя-то, она поваром уже год работает, в нашей столовой трестовской... Хорошая столовая, большая, продуктов отпускают много...

— Дочка красивая? — серьезно, с любопытством спросила Лина.

Нюра замялась на секунду. Ей не хотелось признаваться, что Валя получилась у нее так себе — ни роста, ни тела...

— Дочка-то?.. — помедлила она и вздохнула. — Кудрявая она... Волос у ей очень кудрявый... — И объяснила просто: — Она у меня от еврейского поляка...

Лина удивленно-весело вздернула брови, а Нюра опять вспомнила Валькин несчастный затравленный вид с горящей пятерней на худой щеке, и сердце ее заныло. «У-у... гусь! — подумала она с ненавистью о Сережке и родителях его, солидных, богатых, машина «Нива» во дворе, домина огромный, сад... — А упрется — ниче-о, не таких видали, ниче-о, родим как миленьки — родим, и восемнадцать годков, сволочь, платить будешь, восемнадцать годков, как один день!»

— О! Вот она... — сказала Нюра, вытирая пыль с портрета молодой южанки. — Улыбается... Придуривается... Будто не видать, что ей плакать охота...

— Да, — сказала Лина, — ей плакать охота.

Тут вновь зазвонил телефон и вновь Лина, побелев лицом, бросилась в спальню.

— Не вас! — высоким страдающим голосом воскликнула Галина Николаевна. — И не ждите, сумасшедшая девочка! Он не позвонит.

В ответ ей что-то тихо сказала Лина, и опять высоким сильным голосом бывшей актрисы, в котором странно переплетались любовь, страдание и раздражение, Галина Николаевна воскликнула:

— Поставьте красивую точку! Андрюшке нужен отец, а не проходимец!..

«Вон оно чего... — подумала Нюра, прислушиваясь. — С дитем она... А здесь, видать, хахаль... да неподходящий...»

Лина появилась в дверях кабинета с книгой под мышкой, улыбаясь странно, беспомощно. И снова Нюре показалось, что она где-то видела ее раньше, встречала... Но где?

— А хорошо, видать, на юге, — продолжала Нюра, вешая портрет на гвоздь, — виноград круглый год, гранаты.

— Ну не совсем круглый, — заметила Лина.

— Вот она, которая нарисована, однажды осенью виноград им прислала... Желтый такой, круглый, во! — Она сделала кругляшок из большого и указательного пальца и показала Лине величину виноградин.

— Крымский, — сказала та.

— Ага... крымский... Владимир Федорович покойный вино из него сделал. Знатно получилось вино!

Потом Нюра принялась за спальню. И вот тут она увидела, как Лина бросается к телефону. Резкий пронзительный звонок невидимой петлей захлестывал ее детски тонкую фигурку, и будто грубая сила волокла ее на аркане к голубому телефонному аппарату. Как она хватала трубку! Как она заранее любила эту трубку за то, что в ней, может быть, прозвучит единственный голос! Как она умоляла об этом трубку — пальцами, кистью руки, щекой и хрипловато-низким, обрывающимся «Я слушаю!».

И — застывала, и отвечала вежливо, когда не туда попадали, или звала Галину Николаевну.

Неладно было в этом доме. Неладно...

— Колька-то мой, — сказала Нюра весело-тоненько, — чего захотел — телевизор цветной. Уперся — подавай ему цветной телевизор. Надоело пялиться в обыкновенный.

— Цветной кусается, — заметила Лина.

— А у меня деньги есть, — гордо возразила Нюра. — У меня денег мно-ого! Знаешь, сколько на книжке-то у меня? — И, выдержав небольшую паузу для пущего эффекта, веско выложила: — Полторы тыщи!

Лина изобразила на лице благоговейный трепет перед Нюриным капиталом, а Галина Николаевна горько улыбнулась. Сейчас она вспомнила их лучшие с Володей дни, когда Володины пьесы шли во многих театрах страны и, бывало, в месяц у них выходило денег до двух тысяч. И тогда особенно остро хотелось в доме детских голосов и начиналось бешеное придумывание ненужных трат — и дорогие подарки племянникам, и курорты, и покупка дачи, машины...

— Нюра, значит, если вы без выходных работаете, то у вас в месяц полтораста выходит? — спросила Лина.

— Но ты бери еще — я ж ночным сторожем в детсаду сплю.

— А, — сказала Лина, — прилично...

— Прилично выходит! — с удовольствием подхватила Нюра. — Да Валюха продукты со столовой носит.

Ихних денег я не беру, ни Валькину получку, ни Колину стипендию. Они молодые, правильно? Пусть гуляют... — И, задумавшись, держа на отлете пыльную тряпку, протянула: — Красивый у меня Коля-то... Брови широ-о-кия.

— Муж не помогает?

— Какой муж?! — искренне развеселилась Нюра. — У меня его сроду не было! На что они сдались мне, алкаши чертовы!

Уборка шла своим ходом. Нюра уже заканчивала постирушку. На табурете в тазу лежали тяжелые жгуты выжатого белья. Нюра вытерла мокрые пуки, смахнула пот со лба, разогнулась, осторожненько придерживаясь за трубу отопления, и завернула краны. В ванной повисла тишина. И стали слышны голоса на кухне. Старательно беспечный голос Лины и нервный, срывающийся — Галины Николаевны.

— ...значит, не может дозвониться.

— Ах, Лина, Лина... Поставьте красивую точку! Сколько можно мучиться, два года уже! Он отнимет, исковеркает вашу молодость, он, который ногтя вашего не стоит!

— Неправда! Не надо так говорить о нем! — Линин голос дрожал и переливался, как последняя дождевая капля на высыхающем оконном стекле. — Он талантлив, вы знаете, вы сами говорили...

— Плевать на его талант! — воскликнула Галина Николаевна. — Он любить не умеет. Разве это мужчина? Это ничтожество... Нет, — забормотала она, — нет, я ничего не понимаю больше в жизни, я старая, я

выжила из ума... Что такое — любимая женщина приезжает бог знает откуда, с другого конца света, на
считанные дни! Да здесь надо с ума сойти, времени счет
потерять, нет, я ничего не понимаю...

— Но у него же работа, какие-то дела, друзья...

— Какие друзья?! — простонала Галина Николаевна. — Послать к черту всех друзей, когда на считанные дни приехала любимая женщина! А он в первый
же день потащил вас на какой-то идиотский день рождения, к каким-то чужим людям... Бог мой, а когда же
вдвоем побыть, поговорить, когда друг другу в глаза
поглядеть!

— Оставьте, Галина Николаевна, — устало сказала Лина. — Это — жизнь, а вы все роли в каких-то
пьесах вспоминаете... Он не герой-любовник, он обыкновенный человек, у него масса забот и обязательств...

— Перед всеми, только не перед вами! Бедная девочка... Был бы жив Володя... — Голос ее осекся,
наступила тишина, и через мгновение она прокашлялась
и высморкалась.

Нюре надо было пройти на балкон, белье развесить,
но проходить пришлось бы через спальню, а она не
решалась появляться там сейчас. Так и сидела на кра-
ешке ванны, бессмысленно глядя, как капают из крана
нерешительные капли.

«Конечно, у их папаша — главбух... Они своему
Сережке дочку министра хотят, — думала Нюра, и
сердце ее заходилось от возмущения и острой жалости
к своему ребенку — худенькому, кудрявому, глупому
и беззащитному. — Им моя Валька неподходящая...

Ниче-о-о... Пусть им ее живот глаза колет, пусть на свово внука по соседству любуются... Не дам аборт делать, не дам! Родим по закону и фамилию ихнюю напишем, и будут каждый месяц как по расписанию платить, сволота важная!»

— Да, — наконец тихо проговорила Лина. — Да, я чувствую, что надо нам объясниться... К чему тогда эти письма, мучительные телефонные разговоры, просьбы приехать... Я поеду к нему сегодня, и...

— Вы поедете! Поедете на очередное унижение. Он даже не позвонил, а вы собираетесь ехать... Не пущу!

Нюра воспользовалась паузой, подхватила таз с бельем и открыла дверь спальни.

— Галинниколавна, — сказала она, — вот вроде все. Развешу, и обедать можно.

— Ну прекрасно, — кивнула Галина Николаевна. — Спасибо, Нюра.

Кормила Галина Николаевна всегда отменно. Первого наливала глубокую тарелку до краев, над кастрюлей не замешкивалась глубокомысленно, как иные жены народных и заслуженных, а клала щедрый кусок мяса. И второго — от пуза, да в придачу на стол и селедочку подавала, и грибков. И печеное всегда у нее водилось. А главное — ставила на стол перед Нюрой большой фужер синего стекла и наливала — до краев!

Нюра и за обедом болтала не переставая:

— Галинниколавна, я ведь кухню немецкую взяла,

знаете? У композитора — носатый такой, знаменитый. Ну, знаете, его песни эта поет... патлатая, как ее...

— Дорого отдали?

— Да нет, даром, считай... Они финскую кухню взяли, а я, значит, за эту вцепилась. Красивая — десять прыдметов. Яшичек красный, яшичек серый.

Лина почти не ела. Она сидела, напряженно прислушиваясь к телефону в спальне, и, хоть слушала Нюру и кивала, взгляд ее теплых карих глаз был рассеян.

— Смотрите, тетя Галя, — негромко бросила она, кивая на газету, лежащую сбоку от нее, на подоконнике. — Государственную премию получил... — и назвала фамилию известного писателя.

— Ну что ж, он заслужил, — откликнулась Галина Николаевна. — Вы знаете, Линочка, они ведь с Володей дружили в молодости...

— Да, вы рассказывали.

— Но потом он оказался замешанным в одной некрасивой истории, а Володя — вы же знаете его категоричность — был большой специалист по порче отношений. Ну и разошлись... — Она помолчала, вспоминая. — Мы жили тогда у Никитских ворот, в крошечной комнатушке. Володя писал свою первую пьесу, денег не было ни гроша. Боже, что за время было чудесное, голодное, счастливое! Володя, помню, ходит, ходит по комнатушке этой, попишет немного и снова ходит. Потом вдруг бросится на диван, руки за голову заломит и восклицает трагически: «Почему я так много работаю?! Ну почему я так много работаю?! Потому что мне лень остановиться».

Лина, тихо улыбаясь, не сводя глаз, смотрела на Галину Николаевну, и Нюра подумала, что этих двух людей связывает нечто большее, чем родственные отношения.

— Слышь, — неожиданно для себя сказала Нюра Лине. — А давай мы замуж тебя выдадим.

Лина засмеялась и сказала:

— Давайте.

— Я женихов много знаю! — горячо и всерьез заговорила Нюра. — Я ж людям убираю... Вот Матвейлеонидыча, академика, сын недавно разошелся. Хороший жених. Красивый... только немного лысый.

— Нюра, оставьте, — сказала Галина Николаевна, хмыкнув.

— Нет-нет! — возразила Лина. — Очень интересно! Продолжайте, Нюра, значит — красивый и лысый... А сам он тоже академик? Или еще только профессор?

Нюра чувствовала подвох, хоть Лина и смотрела на нее ясными глазами, без тени улыбки, но остановиться уже не могла.

— Не, он кандидат... Леонид Матвеич, Леня, значить... Хороший, очень умный, добрый.

— Так, Леня. А чего это он с женой разошелся — умный, добрый?

— А понимаешь, — доверительно проговорила Нюра, несколько даже понизив голос. — Она брылась. А он не знал, — и торжественным взглядом окинула оторопевших Галину Николаевну и Лину.

— То есть как — брылась? Бороду, что ли? — в замешательстве спросила Галина Николаевна.

— Не, она вся волосата была. И ноги, и руки, и спина, и...

— Ну будет, Нюра, за столом-то...

— До самой свадьбы брылась. А наутро — это мне мать его, Елизавета Прохоровна, рассказывала — наутро он выходит из комнаты, убитый как есть, смурый-смурый и говорит: «Мам... ты мне дай еще одно одеяло... Она колется... Не могу с ей спать». Мать так и села: как — колется? «Вот так, — говорит, — как обезьянка...»

Лина как-то странно закрутила головой, замычала и выскочила из кухни. Вскоре из кабинета послышался ее громкий и серьезный голос:

— Не над чем смеяться, между прочим. Бедняги оба...

Минут через пятнадцать она вышла из кабинета и показалась в дверях кухни. Нюра как взглянула, так и оставила полную ложку в тарелке.

Лина переоделась, видно собралась уходить. Не было блеклой голубой косынки, просторного хозяйского халатика. Густые клубы волос цвета тяжелого старого серебра вились вокруг головы, лицо было бледно, припудрено, губы тронуты темной помадой. И вся она, плотно схваченная тонким черным джемпером, черными брюками, черным велюровым пиджачком, в котором плечи ее казались надменными, строгими, хрупкими, была похожа на старинное украшение из благородного серебра в черном бархатном футляре.

— Ну, я пошла... — сказала она.

Галина Николаевна всплеснула руками и воскликнула:

— Лина! Вы все-таки собрались? После всего! Вы с ума сошли, я не пущу вас!

Лина молча надевала сапоги — остроносые, на высоком каблуке, не торопясь заправляя в них брюки.

— Я... я вас любить не буду!.. — беспомощно, по-детски закончила Галина Николаевна.

Лина усмехнулась невесело:

— Будете, тетя Галя. Куда вы денетесь...

Она подошла к Галине Николаевне — высокая, на каблуках, тонкая, положила обе руки на ее старческие плечи и негромко проговорила своим голосом чуть расстроенной виолончели:

— Уж небо осенью дышало, тетя Галя, уж меньше становился день... — и вдруг сказала длинную фразу на каком-то чужом языке.

— Это кошмар!.. Вы, конечно, останетесь там ночевать.

— Ну, я надеюсь, меня не выгонят.

— Возьмите на всякий случай деньги на такси. Вдруг придется возвращаться вечером одной.

— Вы полагаете, меня все-таки могут выгнать? — весело спросила она.

— Ох, Лина, Лина...

Лина надела пальто — тоже черное, обмотала шею черно-красным полосатым шарфом.

— Нюра! — сказала она из прихожей. — Прощайте. Спасибо вам.

— Мне-т за что? — откликнулась Нюра, немного оторопелая. — Вам дай бог...

Уже в дверях Лина неожиданно повернулась и сказала, придерживая дверь:

— Я вот думаю — а как она спину брила? А, Галина Николаевна? Вот где трагедия!..

— Идите наконец, ненормальная! — махнула рукой расстроенная Галина Николаевна.

Дверь захлопнулась. Слышно было, как на лестничной клетке простучали по кафельному полу Линины каблучки, и все стихло.

Галина Николаевна приплелась на кухню, села на табурет, напротив Нюры, — та допивала чай — и тихо сказала себе:

— Хоть бы она десятку нашла в кармане... Ведь не заметит, такая рассеянная...

Нюра вздохнула, зачерпнула вишневое варенье и опустила ложку в чай. Она опять подумала о своей Вальке.

— Непутевая? — сочувственно спросила она Галину Николаевну, кивая на дверь.

— Кто? — Та смотрела на Нюру, не понимая.

— Ну... племяшка... или кто она вам?

— Нюра! — удивленно воскликнула Галина Николаевна. — Вы что? Это же Лина! Вы не узнали? Вы же так любите на ее портрет смотреть...

Нюра тихо ахнула и откинулась на стуле.

— Вот те на... — медленно проговорила она. — А я-то весь день думала — где ее видела? Не признала...

Теперь ей уже было непонятно: как же, в самом деле, она не узнала Лину? Может быть, потому, что на портрете та смотрит вбок, ускользающим взглядом, а живая, настоящая заглядывает прямо в глаза?

Нюра пожала плечами и повторила:

— В косыночке этой... веснушки... така молоденька... Не признала.

— Молоденька... — с горечью сказала Галина Николаевна. — Ей уже под тридцать, Нюра. У нее уже Андрюшка на будущий год в школу пойдет... С мужем рассталась давно... — и еще раз тихо добавила: — Под тридцать... А счастья не было и нет.

— Ишь ты... — вздохнула Нюра понимающе и тронула Линину книгу на подоконнике — чернобелую.

— Не по-русски чего-то написано.

— По-английски. Это Торнтон Уайлдер, писатель такой...

— Ишь ты, — еще раз удивилась Нюра, — так прямо и шпарит?

— Лина преподает язык в институте.

— Вот те и девочка, — подытожила Нюра... — Ладно, хорошо у вас, однако идти пора... Позвоню только кое-кому... Можно, Галинниколавна?

— Ну конечно, Нюра, — рассеянно кивнула та, продолжая думать о своем. Представляла, как Лина едет сейчас в метро — в черном пальто, черной шляпке, шарф черно-красный вокруг шеи обмотан, вокруг шеи... А может, вспоминала лицо своего молодого Володи, с рассыпанными на лбу темными волосами, с ухмылкой веселой и этим: «Почему фильде-перс? Почему не фильде-грек?»

Нюра порылась в своей хозяйственной сумке, достала красную записную книжку, всю исписанную — ой-ой — какими-то адресами, и уже на пороге спальни обернулась вдруг и спросила:

— Галинниколавна, а портретик-то кто с ее делал? С Лины-то?

— Брат. Он художник.

— А-а... — протянула Нюра. — Ну, тогда понятно... От брата не скроешься. Брат родной — он все видит. Ему улыбайся, не улыбайся.

— Да, — сказала Галина Николаевна. — Очень талантливый художник, но тоже, знаете, Нюра, свои капризы, свой характер. Эти таланты обычно такие тяжелые люди.

— Эт мы знаем! — заверила ее Нюра, навидавшаяся на своем веку «талантов».

— Вот Лина и тянет двоих своих мужиков — брата и Андрюшку. Да еще диссертация на шее, никак закончить не может... — И спохватилась: — Ну, звоните, Нюра, звоните!

Через минуту Нюра уже кричала в трубку своим смешным тонюсеньким голоском:

— Софь Марковна, вы обои-то возьмете? На Войковской... Краси-ивыя обои-то... Красные, с золотым... Ой, краси-ивыя!..

Вечером, сидя у телевизора, Галина Николаевна услышала, как отпирают входную дверь. Она устремилась в прихожую. Там стояла Лина — опаленная морозцем, припорошенная снегом, как-то странно, безудержно, болезненно веселая.

— Лина?.. — растерянно пробормотала Галина Николаевна и умолкла.

— Он на тренировке, — громко, внятно, как глухонемой, объяснила ей Лина не раздеваясь. Словно она пришла сюда только затем, чтобы объявить это.

— На какой тренировке? — тихо спросила Галина Николаевна.

— Ка-ра-те! Это сейчас очень модно. — Она засмеялась. — Вот записка: «Я на тренировке. Заночую у Афанасия. Завтра звякну, не скучай, целую». — Ее тонкая рука судорожным движением сильных длинных пальцев смяла записку и сунула в карман пальто.

— У кого? — зачем-то спросила Галина Николаевна, хотя ей было абсолютно все равно, где он будет ночевать.

— У Афанасия, — охотно, живо объяснила Лина. — Тренировка кончается поздно, в одиннадцать, а от Афанасия ближе утром на работу. Точка. — Она заплакала, опустилась на банкетку в прихожей и стала медленно разматывать шарф.

Галина Николаевна бросилась на кухню, схватила чашку, накапала в нее валерьянку.

— Линочка, детка, выпейте... — Рука, держащая чашку, дрожала.

Лина опрокинула жидкость в рот движением, каким Нюра опрокидывала содержимое фужера, и, вынув из кармана десятку, сказала:

— С чего это вы взялись содержать меня, гражданка Монте-Кристо? Я и сама богатая женщина. У меня, если хотите знать, до отъезда еще четвертак остался, — она подняла на Галину Николаевну заплаканные глаза и улыбнулась.

Галина Николаевна опустилась рядом с ней на банкетку, хотела сказать, что все перемелется и должно же, в конце концов, все у Лины образоваться, но проговорила упавшим голосом:

— Лина, Лина... Вот вы уедете в среду... и опять — такая тоска...

В Мытищах Нюра вышла из вагона электрички, подхватила хозяйственную сумку, отягощенную продуктами, и медленно пошла по знакомой дороге к автобусной остановке.

На углу, в световой трапеции фонаря, моросил мелкий суетливый снежок.

Почему-то именно здесь, почти дома, возле длинного серого забора, Нюре всегда казалось, что вот она свалится сейчас прямо на дороге, свалится, раздавленная грузом целодневной усталости, и останется лежать в блаженном безразличии к проезжающим машинам, к клиентам, записанным на завтра, к собственным детям — Коле, Вальке...

Она глубоко вздохнула, крепче ухватилась за ручки тяжеленной хозяйственной сумки и подумала: «Ниче-о, может, все добром еще кончится. Чего это я вскинулась, не узнав толком? Может, они по-людски все захотят... Нече-о, Валька-Валек, ниче-о...»

На фонарном столбе сидела лохматая носатая ворона и над чем-то мрачно хохотала. Ворона была похожа на одного известного композитора, у которого Нюра убирала регулярно через среду.

— Сколько вы заплатили Нюре? По таксе? — спросила Лина.

— Добавила рубль, — сказала Галина Николаевна, — она сегодня хорошо поработала.

Они пили чай на кухне. Лина, в голубой косынке, в хозяйском халатике, сидела на кушетке, уткнувшись подбородком в приподнятые колени, и медленно листала подсунутый Галиной Николаевной старый журнал мод.

— А у нас сейчас такая благословенная, такая ясная осень, — мечтательно проговорила Лина, отрываясь от картинки с казенными женщинами. — Небо — синий омут, такое гордое, высокомерное, ни к чему отношения не имеет... Платаны еще не облетели... — и потом тряхнула головой и сказала, виновато улыбаясь: — Вообще-то у них и в самом деле строго с этими тренировками. Говорят, если пропустить одну, то исключают из секции.

Галина Николаевна вскочила, нервно заходила по кухне, говоря, что Лина неисправима, что она погубит, растопчет свою молодость и что она должна поставить в этой истории красивую точку.

А кутерьма снежинок за окном становилась все сумбурней. Сухие белые крошки снега бились о стекло настойчиво и исступленно, словно хотели ворваться в дом, вмешаться, внести ясность... Может, знали что-то такое, что неведомо было людям. Или наоборот — не знали ничего, а просто безудержно и смятенно хотели жить, жить, не загадывая наперед о своей судьбе, не ведая ее.

1980

СОБАКА

Он прощался всегда намеренно небрежно и не позволял ей провожать себя. Считал — не стоит привлекать внимание Судьбы к этим прощаниям, чтобы, чего доброго, той не пришло в голову поставить под одним из прощаний свой беспощадный росчерк. Судьбы он боялся и никогда не строил планы дальше, чем на завтрашний день, — боялся, что Судьба обозлится на него за легкомысленную самоуверенность. Может, это было единственным, чего он боялся в жизни...

А в этот раз даже не смог забежать к Ирине перед поездкой — с матерью случился очередной сердечный приступ, и после вызова «скорой» он просидел весь вечер дома — неловко было оставлять мать одну.

Ирина ждала его, конечно, волновалась, надо было позвонить, и он долго приготавливался к этому звонку — выкурил две сигареты, написал ответ на деловое письмо, которое валялось уже месяц на холодильнике, посмотрел по телевизору мультик.

И оттого, что звонить надо было непременно, и

оттого, что он знал заранее ее слова и интонацию, с которой эти слова будут произнесены, в нем возникло и завибрировало раздражение, как частенько случалось в последний год, — зудящее раздражение на мать, на Ирину — на этих двух женщин, делающих жизнь его непереносимой.

Набирая номер и глядя исподлобья на экран телевизора, где копошилось на стволе диковинного растения какое-то диковинное сумчатое, он подумал: ее можно понять, она, конечно, устала...

— Ира! — бодренько начал он. — Тут такое дело, понимаешь. Я никак не смогу сегодня. У мамы приступ был, «скорая» только уехала... Ну, ты сама понимаешь...

— Понимаю, — спокойно сказала Ирина. Но он-то знал подкладочку этого спокойствия. Да, подумал он, конечно, устала за эти годы. И я устал. Но что же делать, что же делать...

— Ну, до завтра обойдется, я надеюсь, — продолжал он. — А утром Андрей заедет за мной.

— Ага... — рассеянно, как ему показалось, ответила Ирина.

И это его насторожило.

— ...За мамой здесь тетя Люба присмотрит. А я дней через пять — назад... Может, и раньше... Посмотрим, как там сложится.

— Ясненько, — ровно проговорила она, и он понял, что весь этот тон, разумеется, — протест.

— Ирина! — крикнул он. — Ну что такое?!

— Езжай, ради бога, — сказала она сломавшимся, как перед плачем, голосом и повесила трубку.

Он схватил пачку сигарет и пошел на балкон покурить. Мать спросила вслед:

— Мадам в претензии?

— Оставь меня в покое! — огрызнулся он.

— Бедняжка! Никак не может дождаться моей смерти! — Когда речь шла об Ирине, мать всегда переходила на патетический тон, у нее это хорошо получалось, она всю жизнь вела драмкружок во Дворце пионеров.

Он стоял, облокотившись на перила, и смотрел, как внизу, во дворе, Славик моет новые «Жигули». Он так любовно протирал тряпочкой помидорно-красную крышу машины, что хотелось, как в шкодливом детстве, стряхнуть на эту идеально лаковую гладь пепел от сигареты.

Мать, лежа на диване, продолжала что-то говорить. Он вздохнул, придавил окурок о перила и толкнул в комнату балконную дверь.

— ...и пересидит, переждет, конечно... И захапает тебя! — торжествующе закончила мать. Монолог был неизменный, с незначительными вариациями.

— Лежи, пожалуйста, спокойно, — миролюбиво сказал он. — Тебе нельзя волноваться. — Но не выдержал, процедил сквозь зубы: — И не трогай Ирину, сколько можно просить тебя!

За Бричмуллой они свернули на узкую пыльную дорогу и долго еще петляли по ней, поднимаясь все выше. Андрей остановил «Ниву» на небольшой поляне.

— Ну вот, — сказал он. — Доползли... Как тебе здесь — глядится?

Внизу горбились горушки, окрашенные в охру, от темной до золотистой, с желтыми и зелеными пролысинами, над горами вздымались красновато-бурые скалы. Над всем этим дыбилось жаркое пустое небо.

— Что, нормально... — сказал он и выбрался из машины.

Поляна, на которой они остановились, заросла травой и кустарником. Повсюду торчали огромные фиолетово-чернильные шапки чертополоха, узорчатые желтые шапочки бессмертника.

Он огляделся вокруг и, закрыв глаза, глубоко вдохнул воздух, напоенный хрупкими тянущимися запахами.

— Лимонник... шалфей... — узнавал он. — Что еще? Мята... душица...

Чуть поодаль сбились в хилую рощицу дикие яблони. Над рощицей в скалу уперлась огромная арча, выгнутая саксофоном.

— Смотри, саксофон, — кивнул он Андрею.

— Ага, я по нему ориентировался... — ответил тот, доставая из машины сложенную палатку и тугие бокастые рюкзаки. — У нас тут дневка была в прошлом году, когда без тебя ходили...

Андрей возился с палаткой, искал в машине запропастившиеся колья, чертыхался, а он стоял и молча оглядывал такое огромное и все-таки тесное пространство, загроможденное скалами.

Со студенческих лет они сплавлялись на катамаранах по горным рекам, ходили с ребятами в походы по два-три раза в году — казалось бы, и привыкнуть можно, — но каждый раз он вновь тихо изумлялся этим громадам и задыхался, жадно глотая этот воздух.

— Виктор, подержи! — позвал Андрей.

Он встрепенулся и пошел помогать другу ставить палатку.

Давно уже он признался себе, что завидует Андрею. Тому, как сдержанно и спокойно властвует Андрей в своей жизни. Тому, как преданно заглядывают в глаза ему Вера и мальчишки. Да и в деле своем — не с наскоку, а верно и основательно забирался Андрей все выше — недавно его назначили главным инженером крупного завода. А одногодки, между прочим, одногодки... Что там говорить! — Андрей был человеком удачи. И сильнее всего Виктор завидовал его семейной жизни. Как-то сумел Андрей вылепить себе половину, не сломав женщину, не повредив ее достоинства. Здесь даже не скажешь — повезло. Нет, сам сделал, сам — Верка была в институте безалаберной и дурашливой девчонкой. И не полезешь ведь в душу, не спросишь что и как.

Взять нынешнюю вылазку: решили без женщин идти — Вера спокойно, молча сложила мужу рюкзак; если бы в последний момент Андрей велел ей собираться — собралась бы за десять минут так же спокойно и споро. Не было в их союзе междуусобиц из-за какого-то дурацкого самолюбия. Самолюбие растворялось в любви и безоговорочном доверии друг к другу.

А у Ирины ее самолюбие — бастион, не подступишься.

«Да... — подумал он, забивая камнем кол в мягкую землю. — Да, все дело в безоговорочном доверии... Как же они договорились об этом? С самого начала? Или вовсе ни о чем не договаривались?»

— Сильнее натягивай, — привычно командовал Андрей. Он умел погружаться целиком в дело. Худощавый, жилистый, с всклокоченной шевелюрой, сейчас он был поглощен устройством жилья.

Палатка была двухместная, отрадно-желтенькая — хорошая палатка, польская, купили в складчину для таких вот вылазок вдвоем.

— Перекусим, да? — спросил Андрей, стягивая майку и энергично вытирая ею потные грудь и спину. — Посмотри, что там Верка в рюкзак натолкала.

— Ого, чего тут только нет! — удивился Виктор, доставая из рюкзака пакеты. — Это что? Курица? Яйца. Огурцы. Сало... Чего-то непонятное в бумаге.

— А, это ценная вещь, — заметил Андрей, заглянув в рюкзак через его плечо. — Пирог с капустой. Вершина творчества. Ты пошарь, там и грибочки в банке должны быть.

— Эх, черт, и куда я смотрел в институте! — воскликнул Виктор. Обычная шутливая реплика, дежурный застольный комплимент талантам Верки. Андрей на эту реплику неизменно промалчивал. Произошел с ними непонятный такой случай лет пять назад.

...Весной, набрав отгулы, решили вчетвером пройти по Чаткалу на катамаране. Андрей — командиром, как всегда. Дима и Сурен шли второй раз всего, а речка сердитая была, с характером. Порогов этих, водоворотов, камней! Да, гордая речка, горная, ее оседлать непросто.

Помнится, на второй день похода у него лопнул ремешок от шлема, но до сих пор не вспомнить, почему Андрей-то без шлема оказался. Спасательные жилеты были, верно, да только от них мало толку на этих горных речках. Течение бешеное — пошвыряет башкой о камни, и никакой жилет не спасет.

Андрея вышибло из катамарана неожиданно, стволом сухого дерева, низко наклоненного с берега над водой. Виктор сидел вторым, за Андреем, и когда того выбило в воду, вдруг увидел, что Андрей-то без шлема, и бросился за рыжей шевелюрой, крутящейся в водоворотах между камней. Прыгнул, не вспомнив о собственной незащищенной голове. Андрей плавать не мог, вот в чем было дело. И по сей день не научился плавать, урбанист чертов.

Здорово побило их обоих, пошвыряло вдоволь, наглотались; но Андрея, полуживого, он, полуживой, все-таки выволок.

Ребят — Диму и Сурена — отнесло дальше, они растерялись, неопытные.

Андрей просил Вере о приключении не говорить. Но уже в городе, когда ждали автобуса, Дима позвонил из автомата жене и случайно проболтался. Та, конечно, немедленно позвонила Верке: мол, встречай своих героев покалеченных...

Инвентарь — скатанные катамараны, палатки, весла — хранился всегда у Андрея в кладовке, после походов первым делом вваливались к нему, это уже традицией стало. Так что свидетелями сцены в прихожей были все.

Позвонили. Верка за эти полчаса, видно, успела наплакаться — открыла дверь зареванная, с набрякшими веками, и, когда увидела его перевязанную руку, вдруг завыла и бросилась, да не к мужу, а к Виктору — обняла за шею, прижалась, больно налегая на поврежденную руку. Он растерялся и даже испугался, когда поверх ее припавшей головы увидел незнакомое, какое-то гипсовое лицо Андрея.

— Вера, я — вот он, — хрипло, спокойно сказал Андрей... Сурен выручил — засмеялся, воскликнул с кавказским акцентом:

— Правильно, женщина! В ноги кланяйся! — Сурен редко пускал в ход этот акцент, но всегда кстати. — Он тебе кормильца спас, отца твоих детей!..

...Месяца три после этого странного случая он не появлялся у Андрея, и тот не приглашал. Потом чей-то день рождения подкатил, нельзя было не встретиться — и сгладилось, выровнялось... Но изредка он вспоминал лицо Андрея, каким было оно в тот миг — бескровным, смертельно-спокойным, — и осторожная мысль пробегала: а может, Андрей не так уж и счастлив, как представляется?

...— Слушай, это какая-то дивная курица, — заметил он, обгладывая смуглое крылышко. — Это не курица, а райская птица.

— Да, Верка ее с майонезом делает, с орехами...

— Сациви называется, кацо...

— Нет, это по-другому, в духовке, кажется. А тебе не все равно? Ешь, — Андрей выломал куриную, перламутровую от майонеза ногу и протянул ему: — Женись, тебе Ирина тоже приготовит.

— Даже самая дивная курица не стоит такой жертвы, — отшутился Виктор.

...Когда мылись, поливая друг другу воду из канистры, Андрей еще раз настойчиво спросил:

— Чего не женишься, бобыль?

— Отстань, — отмахнулся он, снимая с плеча Андрея полотенце. — Дай хоть здесь пожить спокойно.

— Нет, правда?

— Я тебе сто раз говорил: не могу я мать оставить, она больной человек! — Он начал раздражаться. — А вместе они не уживутся.

— Сам виноват.

— Может быть... — Он вздохнул. — И потом Илюшка растет, возраст у него сейчас самый противный — четырнадцать... Он отца помнит хорошо... Знаешь, временами я такие его взгляды на себе ловлю...

— Еще бы не глядеть ему! Парень видит, как маме весело живется... Смотри, останешься когда-нибудь и без жены, и без матери.

— Значит, судьба такая, — усмехнулся он.

— Не судьба, а ты — дурак, — спокойно сказал Андрей, взял из рук его полотенце и пошел к палатке. Крикнул оттуда:

— Я — пас! Лезу дрыхнуть.

...Солнце стояло еще высоко, трава звенела, тренькала, жужжала и зудела, и все это сливалось с теплым ветром в ровно дышащее молчание гор. И в густоте насыщенного звуками молчания раздавалось то далекое ржание пасущегося коня, то лай чабанской собаки.

Он накинул рубашку и сказал:

— Андрей, я прогуляюсь...

Тот не ответил, наверное, уснул. Он подумал, что Андрей и вправду устал сегодня — все-таки за рулем, по горной дороге.

Через рощицу диких яблонь он вышел к подножию большого холма, на волнистом гребне которого паслись тонконогие кони, медально отпечатываясь на фоне акварельно промытого неба.

Он стал неторопливо взбираться, стараясь ничего не пропустить по пути — ни корявого деревца миндаля, ни ящерки, мелькнувшей по камню; вдохнуть в себя прогретую солнцем пахучую благодать воздуха и не думать ни о чем — отбросить на эти пять дней тягостный бред своей городской жизни.

Навстречу ему на шоколадной лоснящейся кобыле спускался человек с ружьем за спиной. Подъехав, остановился и вежливо поздоровался. Это был мужичок-замухрышка, в телогрейке, в кирзовых сапогах.

Виктор угостил мужичка сигаретой, тот обрадовался, слез с лошади и охотно разговорился.

— Егер я, — охотно пояснил мужичок. У него было живое простоватое лицо монголоидного типа. — Туда-сюда еду, смотрю. На кабан запрещение ест... Я — егер, такой должныст строгий, смотреть нада...

Виктор объяснил егерю, что приехал вдвоем с приятелем, — во-он их палатка, желтая, ружей у них нет, стрелять не собираются ни кабанов, ни куропаток. Отдохнут дней пять и поедут... Места здесь красивые.

Егерь оживился и подтвердил, что места и вправду красивые, показал, как идти до водопада, красавец водопад, метров двадцать высотой... Сказал — недалеко, километров пять до перевала, — знаменитая березовая роща, та самая, что еще при русском царе посадили. Каждый саженец в золотой обошелся.

Его шоколадная красавица гнула холеную шею, нехотя брала мягкими губами стебельки травы и, вскинув голову, косила каштановым зрачком.

— Там что — чабаны? — спросил Виктор егеря, кивнув на гребень холма.

— Чабаны, да, — заулыбался егерь. — Приятел бери, в гости ходи... Баран резать будем, шурпа, плов варить будем.

— Ну, спасибо, придем... — и он не удержался, похлопал кобылу по теплой шее, ощутив под ладонью упругую мощь лошадиного тела.

Егерь попросил еще сигарету, впрок, и вскочил на лошадь.

— Осторожно ходи, — посоветовал он. — Сыпун много, сель бывает... Вон там, — он показал в сторону, где перекрещивались покатые гребни холмов, — там десыт человек от сель погиб.

— Когда? — быстро спросил Виктор, почувствовав, как неприятно ткнулось и заныло что-то в сердце. — В семьдесят четвертом? Разве здесь?

— Издес, — подтвердил егерь спокойно, — все спартсмен был, карта маршрута был, все был... — Он вздохнул и тронул пятками лоснящиеся бока кобылы: — Хоп, отдыхай...

Виктор смотрел на круп удаляющейся лошади, на ватную спину егеря и пытался совладать с непонятным смятением.

Это была группа Позднышева, десять человек, и среди них — муж Ирины, Костя Мальцов... Да, Костя Мальцов, хороший парень... Как же он временами ненавидел его, мертвого, как ревновал Ирину — к имени, к памяти, к прошлым объятиям — к мертвому ревновал.

Может быть, слишком явственно понимал в иные минуты, что она постоянно сравнивает их, сталкивает — мертвого и живого, и едва ли живой желанней ей и дороже...

Зачем же он оказался здесь, сейчас, что за беспощадная рука привела его сюда и развернула лицом к этим пустынным холмам — вот оно, место Костиной гибели. А теперь отдыхай — то есть мучительно и тщетно старайся выкинуть из головы хоть на пять дней ссоры с Ириной, Костиного сына, так похожего на отца, тяжелый характер матери, бесконечные визиты на дом врачей, однообразные телефонные разговоры — что еще?

— Переста-ань, — простонал он негромко, не понимая сам, к кому обращается: к себе ли, к Ирине, к мертвому Косте или к тому тайному мытарю, что ведает обрывистыми тропками его судьбы, держит карту его маршрута. — Ну что ты, что ты? Почему?.. Не надо, не мучай, не мучай!

...Он повернул в противоположную сторону и долго, изматывая себя, взбирался меж камней и кустов на крутой каменистый холм и, когда взобрался, наконец, на гребень, почувствовал, что обессилел.

Он повалился в траву — грудью, щекой, — в этот пронизывающий запах сырой земли и нескончаемой жизни и долго лежал так, бессмысленно изучая торчащий перед глазами кустик молодого лимонника, еще какую-то тонкую травку с фиолетовой робкой крапинкой цветка.

Он перевернулся на спину, раскинул руки, принимая на грудь это любимое, непостижимое небо, и молча заплакал... Такое с ним бывало... В одиночестве, в горах или на море, он иногда плакал от сладкой ностальгической тоски по уходящей жизни. Всегда, с самого детства, очень остро он чувствовал мимолетность своей жизни и трепетно относился к прошлому, часто перебирал в памяти, перетряхивал — берег его, как бережет хозяйка и прячет дорогие вещи в шкафу.

Он вспомнил прошлогоднюю поездку в горы, весной, с Ириной и Илюшкой, ее синюю панамку — смешную, с огромной, как у клоуна, пуговицей на макушке. Илья ушел в поселок за пивом, а они валялись в палатке, решали кроссворд и долго не могли отгадать слово «эротика», когда же наконец отгадали, то взглянули друг на друга и расхохотались, он выкатил глаза, сделал алчное лицо и повалился на нее, она же, изнемогая от смеха, отбивалась и вскрикивала: «Виктор, пусти, перестань, ну! Сейчас ребенок вернется...» А через полчаса поссорились, яростно, из-за какой-то чепухи; видели, как по склону с тяжелой авоськой поднимается Илюшка, улыбается, победно машет им бутылкой пива, и — не могли остановиться. Впрочем, Илья не раз уже бывал свидетелем остервенелых ссор, ему не привыкать...

В последние месяцы раздражение стало прочным и, как ему казалось, чуть ли не единственным оттенком отношения к Ирине. Иногда он даже спрашивал себя: «И это любовь?»

Тогда он представлял, что она умерла. Ирина. Приходят и говорят: она умерла. ...Нет, не так. Звонят. Чужой спокойный голос в трубке. Говорят: она умерла. И по тому, как хватал его паралич ужаса в эти минуты, он понимал, что обреченно любит ее...

Последний раз он видел ее неделю назад. Утром выписал на работе городскую командировку, быстро уложился с делами и к обеду уже звонил в родную дверь, обитую коричневым дерматином. Ирина, видно, выскочила из ванной — была в махровом халате, с круглой, как у ребенка, намыленной головой.

— Привет! — обрадовалась она. — Молодец, что пришел. Покрась меня, а то я не вижу сзади... — и убежала в ванную.

Он открыл холодильник, отрезал кусок сыру и так жевал, стоя у окна в кухне. Ирина вышла из ванной с полотенцем на голове.

— Не хватай сухомятку, пожалуйста! — Она всегда сердилась, когда он ел стоя, на бегу, как придется.

— Покрасишь меня, и сядем обедать. У меня рассольник и голубцы.

— Голубец ты мой. — Он глядел в окно и рассеянно жевал.

— Понимаешь, сегодня Аскарянц устраивает банкет после защиты. Не могу же я пугалом идти! Меня Илюшка всегда красит, а тут я забыла с ним договориться, и он на тренировку побежал.

— Кто оппонент у Аскарянца?

— Москвич какой-то. Интересный, в очках, с шевелюрой эдакой. Я фамилию забыла... Вот, смотри, — она уселась перед зеркалом, выдавила в чашку из толстого тюбика вишнево-бурую змейку, размешала, — вот тебе щетка. Окунай и тщательно крась каждую прядь. Особенно у корней прокрашивай. Ясно?

— Ясно, гражданка клиентка. — Он встал за ее спиной, взял старую зубную щетку с растрепанной щетиной, тоже вишнево-бурой, окунул ее в раствор и приподнял прядь волос на затылке Ирины.

Почти вся прядь была седой. И это почему-то испугало его. Он привык, что Ирина молодо выглядит, он вообще привык к ней и давно уже не всматривался в ее лицо, волосы, фигуру, как не присматривался к себе. И эта, неожиданная для него, седая прядь — ошеломила.

— Ира! — воскликнул он и стал судорожно ворошить волосы на ее голове, надеясь, что это просто попалась такая прядь, что сейчас он ее закрасит и все будет о'кей... Нет, седины было много, очень много.

Ирина засмеялась и мотнула головою:

— Ну не балуйся!

— Ира, ты вся седая!

— Сделал открытие, — невесело улыбнулась она и вдруг, подняв глаза, увидела в зеркале его изменившееся лицо. Они молчали и глядели друг на друга и в эти секунды, казалось, понимали такое, чего не могли понять все эти годы... Он молча наклонился и прижался щекой и губами к ее шее, там, где сидела круглая родинка. Ирина молчала, не шевелясь.

— Ну, давай краситься... — наконец тихо и медленно проговорила она. — Будем закрашивать нашу жизнь в красивый цвет.

...Он заметил, что вокруг много растет ревеня, поднялся и стал рвать его — из ревеня мать варила отличные кисели. Он снял рубашку, натолкал в нее ревеня, завязал рукава и перекинул через шею, как хурджун через ишака...

Горячий дневной свет понемногу линял, остывал и стекал с неба в ущелье, где загустевал в вязкие сумерки. С вершины горы открывался дневной закат: солнце, налитое, с кровавой тяжестью в брюхе, грузно оседало в клубневую гряду облаков.

Театральное действо, подумал он, любуясь закатом, и только сейчас ощутил глубокую тишину, в которой происходило это угасание дня. И сразу в тишине послышался шелест травы за спиною.

Он обернулся — шагах в пяти стояла собака, белая, в черных подпалинах, с обрубленным ухом. Стояла и молча смотрела на него желтыми глазами.

От неожиданности он вздрогнул и даже отступил

на шаг. Непонятно было, откуда взялась собака. Откуда и чья она? Может, чабанская?.. Она подбежала, стала молча ласититься, что было жутковато. Нет, не похожа на чабанскую. Те — собаки гордые, ничего у чужих не просят.

— Ну что ты, что ты? — спросил он, потрепав ее по голове, забирая в горсть единственное тряпичное ухо. Заговорил, чтоб услышать свой голос, хоть что-то услышать человеческое в этой томительной тишине. — Ты что здесь делаешь, а? Ну, чего молчишь?

Собака глядела на него, ждала.

— Ты есть хочешь? — догадался он. — Ах, бедолага... А у меня нет ничего. В палатке найдем, пошли... — Он повернулся и пошел, собака потрусила за ним. — Пойдем, пойдем, — повторял он, стараясь не смотреть в ее странные желтые глаза.

...Прошли километра два, когда он вдруг понял что заблудился. Это обескуражило его. Обычно он прекрасно ориентировался везде — в незнакомых городах, в лесу, в горах, а тут на тебе, заплутал.

Горы уже померкли, сизыми тенями соскальзывали по ним облака, небо загустело, налилось фиолетовым, и на окраине его всплыла сумеречно-хрупкая луна.

Собака стояла у его ног и, подняв одноухую голову, пристально смотрела. Две холодные луны плыли в ее глазах. Он отвел от собаки взгляд и огляделся, пытаясь сообразить, в какую сторону двинуться. Он искал арчу, выгнутую саксофоном. Но в сумерках, стремительно глотающих пространство, все труднее различались даже недалекие деревца.

— Хреновина какая-то, — буркнул он, повернул и пошел влево. Показалось, что за острым выступом скалы будет тропка, по которой он поднимался.

Собака бежала за ним как привязанная, и с каждой минутой ему все больше становилось не по себе. В голову полезли дикие мысли: вдруг почудилось, что не за ним бежит она, а гонит его впереди себя, как гонит пастух бездумную скотину на бойню.

Два раза он оборачивался и громко заговаривал с нею, с собакой.

— Ты чего молчишь? — раздраженно спрашивал он, и собственный голос казался враждебным в этой темной тишине. — Ты скулить умеешь? А лаять? Вот так умеешь? — Он остановился и залился оглушительным лаем, с подвывами, порыкивая.

Склонив голову набок, собака внимательно глядела ему в глаза. Наблюдала...

Он почувствовал, как страх цапнул коготком где-то в животе, и тихо выругался.

— Пошла! — крикнул он собаке. — Дура, все из-за тебя! Чего привязалась? Пошла отсюда!

Собака спокойно глядела немигающими желтыми глазами.

Он повернулся и побежал. Она — за ним, неторопливо, размашисто, словно была уверена, что никуда он не денется.

— Ах, ты так! — пробормотал он сквозь зубы, подобрал камешек и швырнул в нее. Собака отпрянула, мотнула головой и опять спокойно стала приближаться боком.

«Да какая это к черту собака! — смятенно подумал он. — Никакая это не собака!» — попятился, не решаясь повернуться к ней спиною, подался назад, и вдруг нога его скользнула вниз, зашуршали камни, он упал навзничь и, чувствуя спиной и затылком перебор мелких камешков, стал сыпаться, сыпаться вниз по склону.

Он понял, что попал в сыпун и катится в пропасть. Перевернулся на живот, стал тормозить локтями, коленями, хватаясь за что попало, но безуспешно — медленно катился и катился вниз.

Собака тоже попала в сыпун, катилась за ним следом. Сыпались камни... Один крупный угодил в собаку; она завизжала пронзительно, задергала лапами, беспомощно пытаясь подняться и время от времени сваливаясь ему на спину.

Повезло с этой рубашкой, набитой ревенем, — дурацкая прихоть, а как повезло! Она, как подушка на шее, смягчала падение и слегка тормозила и защищала голову от падающих камней. Несколько раз ему удавалось застрять на минуту, уцепившись за колючий сухой кустик, и он лежал, почти бессознательно отмечая, как сплывала, съезжала по камням собака, как замедлены, расщеплены ее движения. Наконец она прикатывалась к нему, он с ней разговаривал.

— Думала, доконаешь меня? — хрипло спрашивал он, заглушая гулкие, дробные удары сердца и слыша, как колотится о его спину сердце собаки. — Я-то понял, кто ты... Да уж не молчи... скажи сразу —

конец, что ли? — Облизнул запекшиеся, распяленные в напряжении губы, подумал: а ведь и вправду конец! Застонал, дернулся, и покатился вниз, и долго, бесконечно долго катился, пока не уперся ногами в валун.

Несколько мгновений он лежал, глядя в сочное, чернильно сгущенное небо, боясь пошевелиться. Валун качался, впереди внизу чернела пропасть, пасть ее дышала холодом.

— Приехали, — омертвело выдохнул он. Сверху прикатилась собака, она молчала и тяжелым кулем давила на спину, дергалась, истекала кровью — парные струйки крови бежали по его шее, груди, спине. Майка намокла и неприятно липла к телу.

Он уже привык к собаке, привык катиться с нею по бесконечному пути в пропасть. Она была вечным спутником, товарищем по смерти. Собака была — Судьба. Его собственная Судьба с желтыми глазами, от которой он столько раз уворачивался.

— Вот ты где меня достала, — сказал он собаке. — Ну, ладно... сейчас полетим... сейчас... Да не дрыгайся ты, дура... Все уже кончено.

Он подумал вдруг, что Ирина сейчас в усталой горечи, в досаде и — бедная — не знает, что *все кончено*, что он погиб, его уже, в сущности, нет. *Все кончено*, и какая чепуха их ссоры, и мелкие и крупные, их жалкая грызня все эти годы, когда нужно было — так просто! — любить и любить друг друга. И как ясно это теперь и как хочется жить, а надо гибнуть... Надо гибнуть, да не все ли равно — теперь уж все кончено

и жить осталось две-три минуты, и те в темени, как и
вся жизнь.

Боже ты мой, как бездарно жито-прожито, и чего
хотел, и за чем гонялся? По каким рекам опасным
убегал от нее, какую такую жалкую волю оберегал
столько лет! На, давись теперь своей волей, захлебнись
ею — собачьей кровью... Да, меня уже нет, а она не
знает, бедная моя, не знает ничего и ничего не понимает,
лелеет свою горькую усталость, пестует ее — свою
обиду, а меня-то уже нет...

Его тошнило, тянуло в пропасть. Дрожащей рукой
он стянул с шеи хурджун с ревенем и выпустил. Несколько секунд, раскинув полные рукава, рубашка ле-
тела вниз, и это слишком напоминало человека.

Краем глаза он увидел соседний валун, повыше.
Пришла вдруг странная мысль: избавиться от собаки,
раздвоиться с нею, уйти — от нее.

Одной рукой он уперся в валун, другой поднял
собаку (она оказалась тяжелой), напрягся и перебросил
за тот, соседний, камень.

— Ну вот... — пробормотал он. — Лежи... Ты
теперь сама по себе...

Тут он заметил — слева, вверх по скале, насколько
видно было в густеющей темени, выдаются щербатые
уступы. И он решился. Подтянул колени, перевернулся
на живот и, ухватившись пальцами за первый уступ,
пополз по скале.

Он полз медленно, осторожно, по одной подтягивая
ноги, нащупывая ими пройденный руками выступ, и
тогда приникал к еще не остывшим от дневного жара

камням, отдыхал. Один раз обернулся: собака молча глядела вслед ему желтыми, лунными в темноте глазами.

— Прости, — сказал он ей. — Прости, так получилось...

Она молчала.

— Скажи хоть — за что? За Ирину?

Собака молчала...

Он отвернулся от ее глаз и стал карабкаться дальше...

Он полз по скале над пропастью, руки и ноги напряженно дрожали, мыслей не было, а все какая-то глупая шелуха крутилась в голове, как мусор в речном водовороте: что вот мать все точила его, просила прописать свою внучатую племянницу Галю, а он тянул, тянул, непонятно почему, и, пожалуйста, дотянул. Или являлась вдруг перед глазами, залитыми мутным потом, белая эмалированная кастрюля, в которой мать варила кисели; мучительнее всего донимала родинка, одинокая и беззащитная родинка на плече Ирины, вернее, там, где плечо поднимается в шею. Это была любимая его родинка, и сейчас она просто не выходила из головы, сидела там, будто гвоздь, вбитый по самую шляпку.

Наконец, ему крупно повезло — он наткнулся на площадку размером с табурет, выполз на нее, лег животом и долго лежал так, пока не понял, что сорвется, если не будет карабкаться дальше...

Теперь, когда за камнем он оставил свою желтоглазую Судьбу с обрубленным ухом, ему казалось, что он уползает от смерти. Но нет, он полз вровень с нею, и она зорко следила своим желтым оком за каждым его движением, как следит озорник за мечущимся тараканом в ловушке умывальной раковины... Продлевает, сука, подумал он, забавляется. Его вдруг охватила жгучая ярость, желание немедленно оборвать это жалкое копошение, это трусливое уползание от смерти: сгруппировать тело и ринуться вниз, в клубящуюся сизым дышащим туманом пропасть, как прыгал он не раз с вышки в бассейн; но представил этот последний полет, острые камни внизу и опомнился, крепче ухватился за крошащийся под рукою выступ...

Отдохнул он на небольшой площадке, загаженной орлами. Так обрадовался, когда взобрался на нее, оскальзываясь в свежем птичьем помете, что сел, подобрав колени и жалобно засмеялся. Пришла даже мысль дождаться здесь утра, ведь наверняка Андрей уже мечется, ищет его...

Черное небо дышало и роилось звездами — крупными, зеленоватыми и дрожащими, и мелкими — колючими булавочками. В небе происходила дальняя жизнь — что-то помигивало, шевелилось, перемещалось, срывалось и падало, и эта жизнь казалась враждебной, как и жизнь ночных гор. Он сидел на площадке, а сверху и вокруг тянулись холодные и непостижимые пространства.

С полчаса он сидел, дрожа от холода и напряжения, боясь поскользнуться — площадка была слегка поката, — и понял: надо ползти дальше. Его гнало неотступное ощущение погони, какой-то невидимой, но жестокой травли, и спасение было — в движении.

Внимательно осмотревшись, насколько позволял осмотреться мерклый свет луны, он заметил совсем рядом торчащие из трещины в скале сухие корешки, а ниже, один за другим, — выступы, прочные на вид, и решил спускаться вниз, в ущелье, по этой отвесной скале.

Он спускался, из-под кроссовок летели камни, крошились уступы, раз он чудом удержался, схватившись за кустик колючки, сильно ободрав при этом руки и щеку. И все-таки он спускался! Медленно, отбирая у желтоглазой каждый шажок вниз, не зная, как глубока эта пропасть и сколько еще придется так ползти...

Потом он наткнулся на длинный, узкий, опоясывающий скалу выступ, подумал, что эта тропка должна привести куда-то, и, подтянувшись, вскарабкался на нее, распластался грудью и руками по скале...

Тропка и вправду привела к тесной — шириною метра в два — расщелине, и он, обдирая руки и тело, стал спускаться по ней. Это была удача, так он продвигался гораздо быстрее, опираясь руками в стены расщелины, нащупывая ногами выемки в скале. Иногда, почувствовав ногою надежную опору, он отдыхал минуты две-три, расставив руки, как бы раздвигая ладонями расщелину.

Горячий пот бежал по спине и груди, щипал глаза, щекотал в носу. Минутами ему казалось, что он слепнет — все сливалось в едкую мглу. Он спускался на ощупь и, не глядя, поставил ногу в уступ, где свила гнездо птица. Она вылетела с испуганным криком, ударив его крылом по лицу, он сорвался и долетел вниз, и летел в расщелине несколько метров, ударяясь коленями и локтями о выступы, пытаясь ухватиться за что-нибудь. И когда рука скользнула по шершавому, колючему, он вцепился мертвой хваткой, повис, перехватил куст — это оказался дикий шиповник — другой рукой и, осторожно подтягиваясь, бормоча шиповнику: «родной... родной...» — выполз, наконец, на узкий выступ шириною с туфлю. Правая рука была в чем-то липком, горячем, струящемся, и он понял, что это кровь, и испугался, что вскрыта вена на запястье. Не отпуская колючие ветки шиповника, он прижался лицом к руке, надавливая щекою, пытаясь остановить кровь, и вдруг на соседнем склоне метрах в трехстах внизу увидел огни.

Альпинисты, понял он, еще не веря глазам — ночные восхождения, с прожекторами, — и заорал, заплакал, не ожидая в себе такой силы голоса.

Его услышали, ослепили прожектором, и через несколько секунд он увидел, где стоит. Внизу тянулась все та же пропасть, слева, у самого локтя, выпирал из скалы бурый валун. Внизу бежали ребята, размахивали руками, что-то кричали. Он понял по жестам: там, за валуном, тропка... Нужно было перебраться как-то, перевалиться через камень, и это было последнее, что связывало его с желтоглазой, и это было уже не так страшно, потому что внизу бежали люди, кричали, размахивали руками.

Он обнял валун, перекинул ногу и почувствовал, что камень сейчас сдвинется и полетит в пропасть вместе с ним. Последним рывком он успел втащить свое тело на камень, и, когда тот сдвинулся и накренился, он был уже на тропке и полз по ней вниз. А дальше — по мелкому сыпуну, почти без сознания, кубарем — к ребятам...

Он слышал какие-то голоса, чувствовал, как его тормошат, ощупывают, перевязывают руки, видел мелькание лиц и фигур, все это перемежалось с гулкой обморочной пустотой. Потом всплыло какое-то оранжевое пятно. В это пятно он сказал, с трудом ворочая распухшим прокушенным языком:

— Спасибо... ребята...

— Тебе спасибо за то, что жив, — ответило пятно. Это оказался дюжий парень в оранжевом анараке и вязаной шапочке с бомбоном. — Тут знаешь какая ступень? Тут только в связке и со снаряжением лазают. Непонятно, как ты жив остался.

— Да, кино! — сказал кто-то рядом. — Сам сможешь идти?

— Конечно, что вы, ребята! — усмехнулся он, вернее, дернул какой-то застывшей мышцей лица, попробовал встать и тут же свалился кулем — ноги не держали.

Его подхватили под мышки, поволокли к палаткам и там уже, укутав спальниками, заставили выпить три стакана крепчайшего чая с невероятным количеством сахара.

Теперь, в безопасности, среди незнакомых, но таких теплых, родных людей, его колотил озноб, сменявшийся приливом горячей крови к голове.

В палатке с ним возились двое: дюжий парень в оранжевом анараке и совсем юная девчушка с ломким, как у подростка, старательным голоском. Лицо ее в глухом свете фонаря казалось серьезным и таинственным. Она смазывала зеленкой глубокие ссадины на его руках, на лице, на теле, долго возилась с пластырем, заклеивая что-то на спине.

— Ты, случаем, не из летающей тарелки? — поинтересовался парень в анараке. — Вроде для нормального человека маршрут необычный.

Виктор улыбнулся разбитыми губами.

— Погулять пошел, — проговорил он. — В сыпун... угодил...

Виктор вспомнил об Андрее и встрепенулся вяло:

— Пойду я...

— Сейчас побежишь, — весело согласился «анарак» и велел девушке: — Ну-ка, укрой получше, смотри, как бьет его...

Виктор почувствовал, что его ловко, уютно накрывают, обволакивают густой истомной пеленой, и спросил сквозь сон:

— Как вас зовут?

— Ирина, — ответила девчушка старательным голоском.

— Ирина... — повторил он блаженно и вдруг уснул. Но сразу очнулся и забормотал: — Нет, ребя... мне идти... сейчас же, он там с ног сби... — и уснул опять на полуслове.

...Часа через три, на рассвете, его словно подбросило: «Андрей!» Ну да же, Андрей! Да что ж это он валяется здесь, черт возьми!.. Осторожно, чтобы не потревожить спящих рядом незнакомых ребят, наломавшихся за ночь на восхождении, он нашарил у выхода кроссовки, надел их и выбрался из палатки.

В ущелье, словно мыльная пена в корыте, плавали

жидкие облака, зато небо и блескучие снеговые вершины, уже ограненные солнцем, были прозрачно чисты...

Неподалеку, по седой траве, в тощем облачке бро-
дил конь, нагибая за травой шею, словно поминутно
соглашаясь с чем-то. За конем ходила вчерашняя девушка, протягивала сахар на ладони и упрашивала старательным голоском:

— Красотуля моя, удостой внимания, если в гости
явился.

— Не унижайся перед ним! — «Анарак» сидел у
костра с консервным ножом в лапище, трудился над
банкой тушенки. Увидел Виктора и сказал: — А-а,
небесный тихоход выполз. Ну что, отец Федор, больше
не погонишься за бриллиантами мадам Петуховой?

Девушка расхохоталась так, что конь испуганно пря-
нул, а Виктор усмехнулся и похвалил:

— Классику знаешь... — В майке было холодно,
его пробирала дрожь.

— Ну ты и разукрасила его, Ирка! — восхитился
«анарак». — Он прямо весь как молодой зеленый
побег!

Девчонка опять прыснула, а он подумал: ну и втю-
рился ты, «анарак», в эту Ирку, на пупе вертишься,
чтоб она лишний раз фыркнула. И сказал:

— Ладно, ребята. Мой друг там, наверное, совсем
перепуган. Спасибо вам огромное. Пойду я.

— Слушай, — парень отложил банку, поднялся и
снял анарак. — На, надень.

— Что ты, зачем!

— Надевай, тебе говорят! Околеешь! — и почти насильно натянул просторный анарак на плечи Виктора.

Девчушка сказала:

— Будет повод в гости прийти. — У нее оказалось круглое, очень славное лицо.

— Вас правда зовут Ириной? — спросил он, и столько непонятного удивления было в его голосе, что «анарак» и девушка одновременно рассмеялись, и парень сказал:

— Врет, конечно. Матильдой ее кличут.

Виктор кивнул и пошел на вялых ногах, жалко улыбаясь. Он чувствовал себя пустым дырявым мешком, смятым и ни на что не годным. Поднявшись на холм, он обернулся. Вокруг рассыпанных по зелени ярких палаток все бродило облако на лошадиных ногах, время от времени вздымая голову на благородной шее.

...Андрея он увидел издали. Тот стоял на скалистом выступе горы, похожем на отставленный локоть, там, где арча выгибалась саксофоном, и смотрел в его сторону. Странно, подумал он, Андрей давно должен был увидеть яркий анарак — почему он не окликнул меня?

Он закричал, замахал руками, и Андрей стал спускаться навстречу. Когда тот подходил, Виктор заговорил громко и нервно:

— Погоди, не ругайся. Я все объясню. Ты здорово перетрусил? — Андрей подходил молча, и странным показалось его лицо: переболевшая ненависть была в лице и во взгляде.

— Сссук-кин сын... — проговорил Андрей сиплым шепотом. — Прогулялся? — и с чувством выматерился, что с ним редко случалось.

Виктор остановился.

— А... почему шепотом? — растерянно спросил он.

— А песни пел всю ночь, — с ненавистью просипел Андрей, прошел мимо к палатке и швырнул внутрь ненужный уже фонарик.

Виктор только сейчас ощутил по-настоящему, что пережил, что передумал друг за эту ночь; представил, как рыскал тот по горам с фонариком, как сорвал голос, пытаясь докричаться, и вдруг такая нежность к этому обозленному мужику подкатила к сердцу, что он даже засмеялся.

— Погоди, Андрюха, — мягко проговорил он. — Ну дай сказать... Я с того света вернулся. В сыпун угодил, чуть в ущелье не свалился. Полз по чайной ложке в час... Да я тебе расскажу — это целый роман! Меня альпинисты подобрали, чаем отпоили... — Он расстегнул анарак: — Во, видал — боевые ранения?

— Чего тебя к ущелью понесло, идиот? — просипел Андрей, не смягчая ненавидящего взгляда.

— Да собака пристала, дурная, одноухая... — Он вспомнил собаку, и вдруг такая тоска и усталость навалились, что расхотелось рассказывать об этой ночи. — Ты водки выпей, — проговорил он виновато. — Выпей водки и ляг, поспи. А главное — молчи, не разговаривай...

В палатке Андрей лег на спальник и прикрыл глаза. Но по тому, как вздрагивали веки, как дергались желваки на скулах, Виктор видел, что Андрея не отпускает страшное напряжение пережитой ночи. Самому ему ужас этой ночи казался уже бредовым наваждением, которое надо забыть поскорее.

Он снял анарак, подивился размерам его хозяина, хотя сам был не из щуплых, и натянул свой тонкий джемпер.

— Не забыть бы ребятам вернуть, — сказал он, бросая анарак в угол палатки. — Прекрасные ребята... Можно пойти к ним вечером... А можно к чабанам махнуть. Взять пузырек и махнуть. Они тут недалеко... — и вспомнил егеря: «Баран резать будем, шурпа, плов варить будем...»

Андрей молчал. Веки его подрагивали.

— Знаешь, а ведь именно здесь погибла группа Позднышева, — вспомнил Виктор. — Именно здесь... Странно, правда? Ты знал это?

— Нет, скажи, — Андрей вдруг сел рывком, сжал руками приподнятые колени, — скажи, почему от тебя всем плохо?

Вопрос был неожиданным, во всяком случае, никогда он не думал, что услышит его от Андрея. Это была реплика Ирины, и в подобных схватках он умел отражать удары — слава богу, закаленный боец. Но сейчас слова Андрея — неловкие, сказанные смешным старушечьим голосом — ударили его неожиданно и сильно.

— Почему — всем? Что ты, Андрюха... — растерянно забормотал он. — Ты успокойся, расслабься... Ты просто перенервничал... По-твоему, я ради удовольствия в сыпуне катался.

— Да! Ради удовольствия, — просипел Андрей. Он натянуто хмыкнул:

— Ну, дед, ты умом тронулся...

— Ты на любую опасность прешь знаешь почему? — напористо спросил Андрей, не обращая внимания на его реплику. — Тебе надо себя убедить, что ты настоящий мужик. Что ты — человек поступка. Что ты живешь настоящей жизнью! А ты не живешь!

— Да ну! — Он прищурился, пытаясь скрыть растерянность.

— Да! Ты не живешь, а тянешь жизнь, как тянут время перед визитом к зубному врачу. Ну это — хрен с тобой, горбатого — могила, но ты же и близкие жизни мытаришь. Ты сколько лет Ирине душу треплешь?

— Ну ты Ирину оставь! — глухо оборвал он Андрея. — Это моя беда, я сам разберусь.

— Восемь лет разбираешься, Илья успел вырасти без мужика!

— А ты не лезь в это дело! Что ты о нас троих знаешь? Я сказал — моя беда, не тронь!

— Да никакая не беда. Ты эту беду сам смастерил. Против Ирины мать, как щит, выставил. Разом от обеих спасся... А мать? Ей сладко с тобой?

— При чем тут мать?! — крикнул он. — Чего ты о матери вспомнил? О себе заботься, судия хренов!

— Да потому, что ты весь тут: перейти к Ирине — так мать нельзя оставить, а уехать в горы на пять дней — можно, а что там за эти пять дней с матерью будет — соседка приглядит, да? — Оттого, что Андрей говорил не своим, сорванным, будто шаркающим голосом, было даже страшно — будто и не друг с ним говорил, а кто-то чужой и беспощадный... — А тебе все — ничего, все шуточки... Вот где у меня твои шуточки! Твои хохмы с рубашкой!

— С какой рубашкой?!

— С такой! Вон она валяется, я ее на рассвете подобрал... Остроумно придумал, стервец: собственное чучело изготовил и живописно так между камней уложил — ни дать ни взять Виктор без башки валяется. Я, пока к этой рубашке бежал, думал — спячу, не добегу, сердце разорвется... Орал как резаный, голос сорвал...

— Да эта рубашка!.. Да выслушай меня! Дай сказать! — Он не на шутку разозлился на Андрея.

— Не дам! Я всю ночь, пока по горам спотыкался, всю ночь о тебе думал, о твоей жизни! И ты изволь выслушать! Оглянись вокруг — всем от тебя плохо!

— Да кому еще?! Кому плохо?! — запальчиво, озлобленно крикнул он. — Тебе плохо? Вере твоей плохо?

— Плохо Вере! — выкрикнул вдруг Андрей петушиным голосом. Бешеные зрачки его пронзительно голубели в кровавых прожилках. — Плохо. И ты это знаешь! Ты знаешь, что она-то всю жизнь тебя любит! С института еще...

Виктор дернулся, как от тока.

— Дурак! — ошеломленно пробормотал он. — Совсем спятил! — и понял вдруг совершенно отчетливо, что тяжкие слова Андрея — чистая правда. И сник, подавленный.

— Скажешь — не видел, как она смотрит на тебя? Скажешь — не знал, что за меня она от безнадеги вышла?.. А я — как проклятый, всю жизнь, как на вулкане... живу и трясусь: вдруг ты на нее глаз положишь, вдруг разом и жену мою и пацанов прикарманишь... — Андрей говорил страшным шепотом. — А она ведь пойдет за тобой... Пойдет, я знаю...

Он, как слепец, шарил руками по спальнику — искал пачку сигарет. И от этого беспомощного жеста, и оттого, что говорил Андрей, как кровью харкал, пронзительная жалость к другу, жалость и любовь окатили его, смыли сиюминутные обиды, оставив только одну, главную, страшную обиду, усмирить которую не было сил. Он подался к Андрею, рванул его за плечо, стал трясти, выкрикивая, всхлипывая:

— Андрюха, ты что?! Ты что-о-о?! Как ты мог такое, гад, сволочь? Сколько лет?! Я предавал тебя?! Скажи, я предавал?! А на реке... когда мы оба... оба могли... как Костя Мальцов... я тебя предал?

Андрей молчал, сжимая в трясущихся пальцах пачку сигарет. Он отпустил плечо Андрея.

— Так, выходит, плохо всем? — горько спросил он. — И лучше бы мне там, вчера, не цепляться за кустики, не выползать? И всем сразу стало бы легче жить?..

Он рванулся из палатки, быстро пошел куда-то в сторону по веселой, крапчатой, желто-сине-зеленой травке и долго так шел, пытаясь успокоить колотящуюся в горьком ознобе душу.

Потом увидел далеко внизу петлю дороги, по кото-

рой божьей коровкой ползла красная легковушка, и
вдруг, решив все для себя разом, стал спускаться...

Через час он уже сидел на остановке, возле придо-
рожного магазинчика-стекляшки, ждал попутки или
автобуса, который ходил здесь редко, раз в два-три
часа.

Из магазина вышли двое: девчушка-альпинистка и
верный ее «анарак». Он тащил сумку, доверху гружен-
ную ржаными буханками с крутой обугленной коркой.

Увидев его, «анарак» приветственно вскинул ручищу:

— Салют каскадерам! Давно не видались.

— Здорово, — бормотнул он.

— А мы вот за хлебом спустились, — объяснила
девчушка. При ярком свете дня она оказалась еще и
конопатенькой. «Анарак», наоборот, был парнем вид-
ным, розовощеким, русоволосым, шапочка с бомбоном
сидела на нем игриво и ненужно, как на утесе.

Виктор достал пачку сигарет, и «анарак» вытянул
одну аккуратно большими, загрубевшими от возни с
костром пальцами. Закурили.

— А ты что, уезжаешь? — спросил «анарак».

— Да, нужно в город, — обронил он. — Твоя
куртка в палатке осталась, у друга. Он будет возвращаться — занесет.

— Да ладно, — улыбнулась девчушка. — Я эти
анараки для всей группы настрочила. В день по штуке.
Можете себе оставить, на память. А Сашке я другой
сошью.

— Ну, спасибо, — пробормотал он.

— Бывай. Удачи! — Парень хлопнул ручищей по

его протянутой ладони, и вдвоем с девушкой они пошли через дорогу, к холмам. Но «анарак» вдруг обернулся и спросил: — Слушай, ты собаку здесь не встречал? Белая такая, в черных пятнах, одно ухо обрублено... Ласковая такая, одна здесь в пещерке живет. Ко всем идет, всех любит...

— Пропала куда-то, — пояснила девчушка. Солнце било ей в глаза, и она трогательно жмурилась. — Мы ее подкармливали... Жалко...

— Нет, — мотнул он головой, хмурясь и глядя мимо ребят, на холмы. — Нет, не встречал...

Они долго взбирались на гору, оживленно переговариваясь, потом скрылись из виду.

...Он сидел один на пустынном шоссе. Отсюда, с деревянной лавочки, просматривался только виток дороги, до ближайшей горки. Ему вдруг пришло в голову, что это похоже на его жизнь: виден и понятен только кусочек ее, один виток — сегодняшний день...

Он сидел один на один со своим сегодняшним днем и убеждал себя, что все не зря, и даже эта нелепая поездка в горы, и эта страшная ночь были необходимы для него, потому что теперь уж он знает, что делать и как жить. Ему бы только доехать сейчас, дойти, доползти сейчас до нее, до Ирины. Доволочиться до ее двери, обитой коричневым дерматином. Только нажать на кнопку звонка...

...Время от времени он приходил к ней — навсегда.

1981

ДОМ
ЗА ЗЕЛЕНОЙ КАЛИТКОЙ

До сих пор не могу понять, что же заставило меня эти дурацкие штучки взять... Забрать... Да что там церемониться! — украсть.

Да-да, налицо была кража. Пусть ерундовая, пусть совершенная восьмилетней девчонкой, но все же кража. Было бы понятно, если б я использовала их по назначению. Все знают, какой интерес проявляют даже маленькие девчонки ко всякой косметической чепухе. Так ведь нет! Я вытряхивала вязкий яркий брусочек губной помады сразу же, выйдя за калитку, — наивная неосмотрительность! И тут же, прополоскав блестящий патрон в прозрачной воде арыка, мчалась домой, ужасно довольная приобретением.

Смешно сказать! Меня волновал прекрасный, как мне казалось, женский профиль, выбитый на крышке патрона. Четкий античный профиль с малюсенькими пластмассовыми кудряшками. И забавлял стаканчик, действовавший в патроне как микроскопический лифт. Он подавал вверх оранжевый столбик помады к толстым морщинистым губам учительницы.

Она это делала с аппетитом. Когда мое и без того немощное внимание совершенно оскудевало и моя кофта, покрытые цыпками руки с обгрызенными ногтями, нос и язык начинали интересовать меня явно больше, чем клавиатура и нотная грамота, учительница вздыхала, протягивала к окну белую ватную руку и, достав из-за решетки патрон с губной помадой, приступала.

— Ну, навай... навай... — лениво бормотала она, глядя в маленькое зеркальце и священнодействуя над губами — то округляла их бубликом, закрашивая углы рта, то сочленяла, старательно вымазывая верхнюю губу о нижнюю. — Четвертым и пятым пальцами попеременно... Они никуда не годятся... Раз-и, два-и... Считай вслух!

Я ненавидела свои четвертый и пятый пальцы.

Они были не только отвратительны сами по себе — слабые, путающиеся между черными клавишами, они еще были предателями и притворщиками. В обыденной жизни эти пальцы ничем не давали знать о себе, не выпячивались, не лезли не в свое дело.

Стоило же только им завидеть клавиатуру — наглей и противнее четвертого и пятого пальцев на свете ничего не было. Они нажимали не ту ноту, а если и попадали, то слишком слабо. Быстро играть они не могли, а если требовалось, то за компанию прихватывали с собой массу ненужных звуков. Даже если у них не было своего дела в данный момент, они просто нахально торчали в разные стороны, как сломанные велосипедные спицы.

И вообще я прекрасно сознавала, что мне в жизни не подняться до таких высот, как «Элизе».

Учительница изредка присаживалась к инструменту и каждый раз играла одно и то же — прекрасную и труднейшую, как мне казалось, пьесу Бетховена «Элизе». Лицо ее в эти моменты выражало лень и спокойствие, она как бы говорила: «Видишь, бестолочь, как можно играть!» И действительно, играла хорошо, хотя было совершенно непонятно, как умещались ее толстые пальцы на клавишах.

Нельзя сказать, что я ненавидела занятия музыкой или не любила учительницу. Мое отношение к этому делу можно было бы назвать чувством обреченности. Так было нужно — заниматься музыкой, как мыть руки перед едой, а ноги перед сном. Уж очень мама хотела этого. К тому же мы успели купить инструмент, а бросить занятия при стоящем в доме инструменте было кощунством. Мне передавался мамин священный ужас перед торчащим без дела инструментом, словно он мог служить укором не только маме, но и мне, и даже когда-нибудь моим детям. Таким образом, моя музыка убивала двух зайцев — оправдывала покупку пианино и, по выражению папы, сокращала мое «арычное» время.

Дом учительницы находился в нескольких трамвайных остановках от нас. А поскольку я из дома выпускалась мамой с космической точностью, то почти всегда попадала на один и тот же трамвай с веселым кондуктором. То есть он не был веселым, он был *как бы веселым*. И покрикивал всегда одно и то же:

— А ну, кто храбрее, кто смелее? — и зорко поглядывал на пассажиров. — Кто билетики возьмет?

Пассажиры смеялись и брали билетики. И никто, казалось, никто, кроме самого кондуктора да еще меня, не замечал эту подлую, низкую игру, это издевательство над людьми и презрение к ним. А между тем было совершенно очевидно, что подразумевалось под веселым покрикиванием.

«Это как будто я с вами шучу так, канальи... — подразумевалось. — Но ведь и вы, и я понимаем, что все вы ба-альшие мерзавцы и норовите проехать бесплатно, пока вас не прижмешь».

Подразумевалось еще много другого, чего я выразить и объяснить самой себе не могла, но остро чувствовала.

Вообще в то время я очень остро чувствовала не только всяческую ложь и натянутость в отношениях между людьми, а даже весьма критически относилась к некоторым общепринятым между взрослыми словам. Многое меня коробило и приводило в сильнейшее недоумение. Так, например, когда однажды папа, рассердившись на моего дядю, крикнул: «Ноги моей не будет в этом доме!» — я, помню, сильно удивилась и долго размышляла над тем, почему мой честный и в общем-то толковый папа несет такую дикую чушь. Ведь можно сказать просто: «Больше я туда не приду». По этому поводу я представляла почему-то, как папину ногу осторожно и бережно отделяют от него и торжественно несут куда-то, а папа, обнаружив ошибочность маршрута, отчаянно машет руками и кричит: «Нет-нет! Не туда! В этом доме ноги моей больше не будет!»

Маленький, в две комнаты, с застекленной терраской дом, в котором жила учительница с мужем, завершал собой тихий тупичок.

Толкнув изумрудно-зеленую калитку, я попадала во двор, который нес на себе отпечаток некой тайны. Здесь даже в самые знойные дни было прохладно и тенисто. Весь двор поверху перекрывали густо разросшиеся виноградные лозы. Они карабкались по специально врытым для них деревянным кольям, стелились сверху по перекрытиям, свешивая, словно в изнеможении, щедрые райские кисти. Жемчужно-зеленоватые «дамские пальчики»; круглый, лиловый, с прожилками «крымский»; черный «бескосточный»...

Кажется, виноградные лозы забирались даже на крышу и там продолжали свое греховное пиршество с упоительно знойным солнцем.

Вспугнутые ветерком листья о чем-то суетливо лопотали, тщетно пытаясь спрятать редкие солнечные блики. Ослепительные белые блики плясали по рыжему кирпичу дорожки, по моей неприкрытой макушке, по нотной папке.

К деревянным перекрытиям всегда была прислонена грубо сколоченная лестница. На ней неизменно стоял муж моей учительницы — грузный, плохо выбритый пожилой человек в синих бриджах и голубой майке. Он все время возился с виноградом — срезал спелые гроздья, подвязывал лозы. Иногда я видела его на крыше.

Наверное, он и там контролировал тайную виноградную жизнь.

Муж моей учительницы был удивительным субъектом. Он никогда не замечал меня, не отвечал на мои неизменно вежливые приветствия, продолжая свою нескончаемую возню с виноградом. Но когда, отсидев положенную дозу за инструментом, я направлялась к калитке, каждый раз происходило одно и то же.

Муж моей учительницы, почему-то вороватo оглянувшись на зарешеченное окно комнаты, молча хватал меня за руку и совал большую виноградную кисть. Лицо при этом ничего не выражало и было скорее сердитым, чем добрым.

Всучив виноградную кисть, он, так же вороватo поглядывая на окно, подталкивал меня к калитке, мол: иди, иди, знай свое дело...

Пролепетав «спасибо», я выскакивала за калитку и несколько метров мчалась по инерции. Затем тормозила и шла медленно, неторопливо отрывая от кисти и отправляя в рот по ягодке.

Скоро я настолько привыкла к виноградному подношению, что, проходя мимо мужа моей учительницы, чуть-чуть замедляла шаги, опасаясь, что он не успеет схватить меня за руку.

Помнится, довольно длительное время муж учительницы служил мне объектом для размышлений. Мне казалась удивительной пропасть между самим фактом дарения винограда и тем выражением лица, которое сопровождало этот факт дарения. Я размышляла: кто он — злой человек, которого неведомая сила заставляет угощать меня виноградом, или, наоборот, очень добрый человек, которого опять-таки неведомая, на этот случай уже злая сила, нарядив в дурацкие бриджи и майку, заставляет хранить молчание и угрюмость на небритом лице.

Я была довольно занудной ученицей, поэтому весьма извинительно, что время от времени моей учительнице осточертевало возиться со мной.

— Этот такт повторить двадцать раз, — говорила она и выходила из комнаты. Мне казалось, что выходит она в тенистый виноградный дворик для того, чтобы зарядиться спокойным теплом летнего дня, насладиться зрелищем виноградного изобилия и успокоить себя, что занятия с бездарной ученицей дело преходящее.

Я же равнодушно повторяла нужный такт ровно столько, сколько требовалось, при этом блуждая взглядом по стенам, глядя в окно.

И вот так-то однажды я и обнаружила между решеткой и оконной рамой то, чему раньше совершенно не придавала значения. Патроны с губной помадой — красные, блестящие желтые, белые — лежали, казалось, никому не нужные и даже слегка запыленные. Но поразила меня не столько их кажущаяся ненужность — нет, я знала, что учительница тщательно ухаживает за своими губами, — а их количество. Зачем столько помады для одного рта?

Доиграв такт ровно столько, сколько полагалось, я встала из-за пианино и, ощущая некоторое деловое нетерпение, стала осматривать все это богатство.

В какой момент мелькнула у меня мысль о том, что

недурно бы иметь хотя бы одну такую вещичку? Каков был ход моих рассуждений? И вообще, знала ли я тогда, что взять чужую вещь — это значит украсть?

Да, конечно, я знала, что не следует брать чужого. Без спроса. Но о каком спросе могла идти речь при таком количестве одинаковых губных помад? Ведь их было так много! Чуть ли не семь-восемь... Словом, я выбрала для себя самый, на мой взгляд, скромный — белый патрон и сунула его в карман платья.

В нашем огромном дворе, кишащем ребятней всех возрастов, мое имущество имело огромный успех. Я и сейчас отлично помню, что провела блестящую коммерческую операцию, выменяв на патрон две Колькины пуговицы. Эти пуговицы — большие, покрытые сверкающей желтой краской — особенно ценились у нас, даже играли роль денег. Имея несколько таких пуговиц, Колька мог даже заполучить на время у Жирного кожаный мяч. Словом, человек, обладающий двумя-тремя такими пуговицами, был в нашем дворе влиятельной личностью.

Гораздо позже, изучая в консерватории политэкономию, главу «Деньги, их происхождение», я поняла, в чем заключалась сила Колькиных пуговиц и почему они у нас выполняли функцию денежных единиц. Ведь их не каждый мог иметь, а уж доставать — только сам Колька, который срезал роскошные пуговицы с материного пальто. Делал он это время от времени и, по-моему, по той же причине, по которой я брала патрончики с помадой. Пуговиц, на Колькин взгляд, тоже было много. Чуть ли не девять-десять.

В другой раз у учительницы я уже не затруднялась рассуждениями, а просто выбрала патрон покрасивее, считая себя компаньоном по владению этими штучками. Я думаю даже, что рассуждала весьма логично, ведь у учительницы их было все еще много, а у меня только одна.

А в следующий раз я просто решила, что будет справедливо, если красивых тюбиков с губной помадой у нас с учительницей станет поровну. Коричневый пластмассовый патрон проследовал в мой карман.

В это время со двора возвратилась учительница. Я очень спокойно сидела на крутящемся черном табурете, положив руки на клавиатуру. Учительница села на свой стул рядом и помолчала.

— В последнее время, — мягко и лениво, как всегда, проговорила она, — у меня стала пропадать губная помада... Ты не знаешь, кто ее крадет?

Что удержало меня от признания? Страшное слово, которое она употребила для обозначения пропажи и которое никогда не приходило мне в голову применительно к моим действиям? Или нечто другое?.. Моя учительница, говорящая и двигающаяся всегда лениво и мягко, как сытая кошка, и на этот раз была так же мягка и ленива. Но совсем по-другому. Ее мягкость была затаенной готовностью рыси к прыжку.

Но в тот момент я ничего не могла объяснить себе, только чувствовала, что начинает происходить что-то очень тяжкое и неприятное. Это и заставило меня молча мотнуть головой, успокоив себя, правда, тем, что потом я все улажу.

— Не знаешь... А это что? — И она молниенос-
ным, но в то же время очень мягким движением сунула
руку в мой карман и вытащила патрон с губной помадой.

Я молчала. Самое интересное заключалось в том,
что мне было стыдно не столько потому, что меня
уличили в краже, сколько потому, что я врала. Противная, очень противная штука вранье! Все мои мысли в
этот момент были заняты не преступностью кражи, а
преступностью вранья. Моей же учительнице было на-
плевать на вранье, она словно и не сомневалась, что так
и будет. Ее возмущение было сфокусировано на факте
кражи. Вот так мы и сидели несколько минут, не зная,
с какого конца подойти друг к другу.

— Это кошмар... воровать! — наконец сказала
она. — Куда смотрят твои родители... Ты ведь, наверное, везде воруешь?

— Нет! — простодушно возразила я, удивляясь
про себя, что вот далась же ей эта кража, в то время
как я ужасно наврала! И так же простодушно добавила: — Я их вам назад принесу, они мне больше не
нужны. Заберу у Кольки и принесу...

— У какого Кольки?! — негодующе и брезгливо
спросила она.

— С нашего двора. У него отец с одной рукой, —
охотно объяснила я.

— Что за чушь! — Она оскорбилась, по-моему, за
то, что я никак не хотела проникнуться всем ужасом
своего порока.

— Он на фронте был, в танке горел! — сказала я,
в свою очередь оскорбляясь за Колькиного отца.

— А раньше тебя никогда не ловили с поличным? — с интересом спросила она.

— Нет! — поспешно ответила я, наивно полагая, что мой ответ разуверит ее в предположениях касательно моего прошлого. Кроме того, мне активно не понравилось слово «с поличным». Я как будто интуитивно чувствовала, что оно не имеет ко мне никакого отношения, и, наверное, поэтому так поспешила отмежеваться от него.

— В тебе вообще есть много такого... неприятного... — строго и вместе с тем лениво продолжала она. — Я бы даже сказала... авантюрного! Вот, например, я уже несколько раз наблюдала из окна, как ты выпрашиваешь виноград у Петра Матвеича. А это очень, очень некрасиво! Неужели твоя мама не покупает виноград?

— У какого Петра Матвеича? — тупо переспросила я на всякий случай, хотя уже догадалась, что она имеет в виду своего мужа. Но на это оскорбительное обвинение промолчала, удерживаемая, по всей видимости, чисто детской порядочностью и еще каким-то смутным чувством сообщничества с ее мужем.

Через несколько минут ее возмущение и брезгливость сменились озабоченностью моей дальнейшей судьбой.

— Это ужасно... ужасно... — повторила она, пригорюнившись, машинально ковыряя карандашиком между клавишами. Я смирно сидела рядом, напряженно вытянув спину, уже не веря, что где-то есть пыльные улицы со свободными людьми, что где-то есть наш двор и наша квартира. — Да, ужасно... Что же с тобой будет? Послушай, девочка, а ты не больна?

— Нет! — удивившись, ответила я. — Почему больна?

— Есть такая болезнь — клептомания. Когда человек и рад бы не воровать, да не может. Болезнь, понимаешь?

Нет, я такого не понимала. Болезнь — это дело вполне определенное. Это когда опухают гланды и я не иду в школу. Или когда у мамы бывает сердечный приступ и она вызывает врача, чтобы он дал ей «бюллетень» — синюю бумагу, в которой написано, что мама действительно болела, а не валяла дурака.

— Это очень серьезная болезнь, — продолжала моя учительница, вроде бы даже увлекаясь. — Ею один граф болел. Богатый был, имениями владел, а вот у приятеля нет-нет да что-то стянет. Хоть коробок спичек, а стянет!

Я подумала, что граф был порядочный дурак и что интересно, если человек украдет, скажем, велосипед, даст ли врач ему бюллетень? Ведь если это болезнь?..

Но чем дольше я об этом думала, тем хуже мне становилось. Я со страхом стала прислушиваться к себе — не хочется ли мне еще что-нибудь украсть у моей учительницы? Но красть больше ничего не хотелось, а хотелось только скорей убежать отсюда и никогда больше не возвращаться.

Вскоре пришел следующий ученик, но учительница так увлеклась моим воспитанием, что, не обращая на него внимания, продолжала, то с ужасом раскрывая глаза, то зажмуривая их, что-то говорить.

Впрочем, я уже не слушала ее. Все больше напрягаясь, уже не на шутку прислушиваясь к своим ощущениям и желаниям, я молча стала собирать ноты в папку.

— Да, так вот, — сказала она, — помада стоила, — она задумалась, — впрочем, я ее почти использовала. В общем, передай маме, чтобы прислала с тобой три рубля. Или нет, я напишу ей записку, а то ты не передашь.

Выйдя на террасу, я тут же развернула записку. Там было написано: «Уважаемая такая-то! Ваша дочь ворует. У меня она украла три шт. губной пом. Прошу возместить три руб. И заняться воспитанием своего реб.».

Свернув вчетверо записку и сунув ее в папку, я медленно пошла к калитке.

Когда я поравнялась с мужем учительницы и он, как всегда, стал совать в мою руку теплую от зноя кисть винограда, я, словно проснувшись, с отвращением оттолкнула его и помчалась по дорожке к калитке.

Тогда я не оглянулась на него. А сейчас, много лет спустя, я думаю: если бы оглянулась, что увидела бы на его лице? Недоумение, досаду? А может быть, боль и тоску бездетности? И еще многое, многое другое?

Нет, конечно, нет. Все это только мое воображение. Скорее всего, он просто рассердился на глупую невоспитанную девчонку.

Свой путь домой я помню до сих пор. Я даже помню, о чем думала. Мне было так плохо, что я даже не плакала. На трамвае я не поехала, а пошла пешком кружным путем, через базарчик, чтобы не так скоро прийти домой. На базарчике я останавливалась перед горками золотисто-оранжевой кураги, черного кишмиша, крупных орехов и с тайным страхом и тоской спрашивала себя: что из этого мне хочется украсть?

Перед деревянной скамьей с аккуратной, нарезанной большими кубами сушеной дыней я стояла так долго, что молодой веселый узбек в черно-белой тюбетейке отрезал ножом кусок и протянул мне: «Эй, кизимка!» — на что я, в ужасе замотав головой, попятилась и побежала через базарчик.

— Что так долго! — спросила мама, открыв дверь. — Зазанималась?

«Бедная мамочка...» — подумала я, почему-то очень жалея ее. Мы пообедали без папы, который в тот день задержался на работе, и я стала молча собирать со стола.

Видя, что я иду мыть посуду, мама, как всегда, на всякий случай сказала: «Вымой посуду...» — и я совсем не разозлилась. По-видимому, на мытье посуды у меня ушла львиная доля энергии, потому что я вдруг почувствовала, что больше не могу.

Я зашла в комнату, где мама проверяла ученические контрольные, и как-то очень опущенно, вяло, на выдохе сказала:

— Мам, я воровка...

— Чего-чего? — спросила мама, подняв от тетрадей голову и засмеявшись. «Бедная мамочка!» — опять подумала я и повторила:

— Я украла губную помаду. Вот, — и положила на стол записку.

По мере того как мама читала записку, лицо ее все больше вытягивалось, и мне становилось все жальче и жальче ее, а заодно и себя тоже.

— Три шт. губной пом., возместить три руб. воспитанием реб., — как-то странно сказала мама. — Чудесно...

Потом в комнате наступила очень тихая тишина, и мне стало так плохо, что я не могла на маму смотреть.

— Отцу будем говорить? — спросила мама.

С таким же успехом можно было спросить у преступника, сажать его на электрический стул или, может быть, не надо... С отцом были шутки плохи. Отец и уши мог надрать, чего доброго. Но я пожала плечами и ничего не сказала.

— Слушай, а зачем тебе эта ерунда была нужна? — недоуменно спросила мама.

— Не знаю... — сдавленно прошептала я и заплакала. Теперь я и в самом деле не знала, зачем мне нужны были те штучки.

— Ну да, — растерянно сказала мама, — понимаю. Я ведь не крашу губы, тебе это было в диковинку...

Беседы о вреде воровства у нас так и не получилось. Кажется, мама все-таки рассказала отцу эту историю, уже не помню, не это главное.

Главным было то, что много лет подряд после этого случая, даже в юности, я продолжала носить в себе страшную тайну своей порочности. И когда при мне кто-нибудь рассказывал, что где-то кого-то обокрали и унесли ценностей на три тысячи, я каждый раз внутренне вздрагивала и думала: «А ведь я тоже... такая...» И боялась, когда меня оставляли одну в чужой квартире хотя бы на минуту. Я боялась, что во мне проснется таинственная графская болезнь.

Такой страшной силы заряд презрения к себе сообщила мне мягкая ленивая женщина, превосходно игравшая изящную пьесу Бетховена «Элизе».

Само собой разумеется, что после этого случая я перестала брать уроки музыки в маленьком доме за зеленой калиткой. Впрочем, для жертвоприношений музыкальному идолу у нас в семье мамой было придумано кое-что иное. Но это уже совсем, совсем другая история.

1979

«ВСЕ ТОТ ЖЕ СОН!..»

Моя никчемность стала очевидной годам уже к тринадцати. С точными науками к тому времени я отношения выяснила, а высокие помыслы и сердечный пыл, круто замешанные на любви к литературе, тщетно пыталась приспособить к какому-нибудь делу. Вообще в отрочестве меня одолевал зуд благородной деятельности.

Например, в восьмом классе я влезла в школьный драмкружок и ухитрилась сыграть роль Григория Отрепьева в трагедии Пушкина «Борис Годунов».

Мы собирались ставить две сцены — «В келье» и «У фонтана». Теперь необходимо представить меня: бледное дитя подросткового периода. Очки в детской оправе, сутулость и бестолковые руки. Вегетососудистая дистония и конечно же мальчишеская стрижка, я же современная девочка.

Разумеется, я претендовала на роль красавицы Марины Мнишек. Но наша классная руководительница Баба Лиза распределяла роли, руководствуясь соображениями педагогического характера.

— А тебе мы поручаем играть Самозванца, — сказала она.

Баба Лиза преподавала нам литературу. Это была пожилая гипертоничка, тянущая, как запряженный вол, две ставки и общественную нагрузку — школьный драмкружок. Думаю, она мечтала о пенсии, но боялась, что дети повесят на нее гроздь внуков. Из-за страшной занятости Баба Лиза уже лет двадцать не могла выкроить минутку, чтобы взглянуть на себя в зеркало и убедиться, что время, увы, не стоит на месте. Только этим можно было объяснить пунцовый маникюр на ее дутых старческих пальчиках и глубокие вырезы на платьях. Ее пухлая шея перетекала в мощно отлитый бюст, который, в свою очередь, плавно переходил в колени. В углублении выреза, ущемленное бюстом, неизменно выглядывало поросячье ушко носового платка. Но самым примечательным был ее голос. Баба Лиза булькала, как суп в кастрюле на тихом огне.

— Лизветсеменна, а почему мне — Самозванец? — канючила я. — Он отрицательный, он из меня не получится...

Баба Лиза вытянула из выреза платок за поросячье ухо, обстоятельно высморкалась.

— Хватит придуриваться, — посоветовала она доброжелательно и затолкнула платок обратно. — Посмотри в свой дневник: алгебра — два, два, три, физика — три, три, два. Нормальный из тебя Самозванец.

Роль монаха Пимена досталась моему однокласснику, шпане большого полета Сеньке Плоткину. Сколько помнила я Сеньку, чуть ли не с первого класса он, как боевой самолет, всегда был «на вылете». Едва успокаивался один скандал, вызванный Сенькиной проделкой, как тут же вспыхивал другой. На недавнем комсомольском собрании решено было на Плоткина влиять, и при распределении ролей сочли, что лучше Пушкина вряд ли кто сможет повлиять на Сеньку.

— Плоткин, ты у нас будешь Пименом, — деловито сообщила Сеньке Баба Лиза. — Или пеняй на себя.

Тот задохнулся от возмущения.

— Я ж спортивный сектор! — завопил он. — Все на одного валить, да?!

— Плоткин, ты свои обстоятельства знаешь, — невозмутимо напомнила Баба Лиза. — Ты на вылете.

Словом, Сенька был приперт к стене. Ему, как мне, ничего не оставалось делать, как сунуть голову в хомут постылой роли. С той только разницей, что во мне все-таки бушевала любовь к литературе, а в Сеньке — совсем иные силы.

...На первой читке, взглянув в столбцы убористых строк, Сенька обезумел от горя.

— На фиг!! — орал он дурным голосом. — Я такого за сто лет не выучу! Здесь все слова непонятные!

— А про детскую комнату милиции тебе все понятно, Плоткин? — холодно осведомилась Баба Лиза. — Или забыл, что ты на вылете?

Итак, в гулком актовом зале, под стенгазетой «Заботливая женская рука», оставшейся висеть еще с восьмимартовского праздника, мы начали репетиции. Сенька был демонстративно безразличен и туп.

Он делал бычий взгляд; прежде чем прочесть реплику, отваливал нижнюю челюсть, и без того, надо сказать, тупую и тяжелую, мычал и намеренно путал текст.

— Э... э... э... и пыль веков... мм... мм... от хари отряхнув...

— «От хартий», Плоткин, «от хартий»! — булькала Баба Лиза. — Читай внимательно: «И пыль веков от хартий отряхнув».

Мне тоже не нравилась моя роль, я не знала, как подступиться к Григорию Самозванцу. Вот с Мариной Мнишек все было ясно, тем более что дня два я репетировала Марину дома, перед зеркалом: высокомерно изгибала бровь, вздергивала подбородок и прикрывала лицо веером — признак коварства... А Самозванец? Ну как прикажете играть человека, если «ростом он мал, грудь широкая, одна рука короче другой, глаза голубые, волоса рыжие, на щеке бородавка, на лбу другая»?!!

Но, в отличие от Сеньки, и — повторюсь — из любви к литературе, текст я проговаривала четко, с некоторой затаенной злобностью, чтобы дать намек на далеко идущие планы Григория.

Так мы репетировали в пустом актовом зале — запинающийся туповатый Пимен и злобный Самозванец. Мною Баба Лиза была очень довольна, когда же вступал Сенька — морщилась, вытягивала из выреза платок и прочищала нос.

Наконец Сенька дополз до заключительных слов Пимена: «Подай костыль, Григорий...»

Он заржал и, подняв голову, заинтересованно спросил:

— А где костыль-то?

— Какой костыль? — Баба Лиза вздремнула, возглас Сеньки ее пробудил.

— Ну вот написано: «Подай костыль, Григорий», — значит, она мне должна костыль подать и я похромаю отсюда.

— Обойдешься без костыля.

— Почему? — неожиданно возмутился Сенька. — Если Пушкин про костыль написал...

— Ну швабру возьмешь, — примирительно посоветовала я Сеньке.

— Еще чего — швабру! А они, в зале, что — дурные? Швабру от костыля не отличат?

Сенька очень воодушевился. На переменках подбегал ко мне и повторял на разные лады: «Подай костыль, Григорий!» — то грозно, то устало-дружелюбно, то слезно-умоляюще... За весь день он так осточертел мне с этим костылем, что, когда на алгебре больно ткнул ручкой мне между лопаток, прошипев восторженно: «Подай костыль, Григорий», — я взвыла и, крикнув: «На!» — стукнула Сеньку портфелем по башке.

На другой день, подходя к школе, я увидела Плоткина. Он стоял перед входными дверьми, навалясь на костыль и подогнув ногу, а увидев меня, сорвал с головы кепку и протянул ее с радостным воплем: «Подай, Григорий!!!»

— У дедки выпросил! — счастливо сообщил он. —
Дед у меня пять лет назад ногу ломал, целых два месяца,
как кузнечик, на костыле скакал. А я вчера в сарай
полез, гляжу — лежит костылик, родимый! Еле у дедки
выпросил его!

Репетировал Сенька в этот день совсем по-другому.
Правда, на протяжении всей сцены он несколько томился в ожидании заветной реплики, но зато уж ее
выдал как следует — кряхтя, с хрипотцой, со вздохом.
В нужный момент я подала Сеньке костыль, и он пошел
прочь, тяжело наваливаясь на него всем телом.

После репетиции мы побежали относить костыль на
третий этаж, в учительскую, где велела хранить его
Баба Лиза. Сенька упорно скакал на одной ноге, опираясь на костыль, охая и заваливаясь набок. При этом
он чуть не сбил с ног Захара Львовича, нашего завуча.

— Плоткин, что за вид? — устало спросил завуч.

— Захар Львович, я репетирую! — радостно вы-
палил Сенька. — Я монах! Еще одно, последнее сказанье!

— Плоткин, предупреждаю: еще одно, последнее
сказанье, и летопись окончена твоя, — сказал на это
Захар Львович. — Ты и так давно на вылете.

...Текст Сенька учил тяжело, медленно, многих слов
не понимал. Зато когда наконец выучил наизусть роль
Пимена, стали происходить с Сенькой странные вещи.

После одной из репетиций он позвонил мне домой.

— Слышь, Григорий, — сказал Сенька, — я тебе
вот что хотел сказать — ты, это... когда просыпаешься,
не вопи...

— Когда просыпаюсь? — оторопело переспросила я. Сенькин звонок оторвал меня от «Клуба кинопутешественников».

— Ну, когда в келье просыпаешься и начинаешь: «Все тот же сон!» — ты это... не ори, не надо.

— Я не ору, — обиделась я. — Просто я хорошо артикулирую.

Сенька замешкался с ответом, видно, не знал слова «артикулирую». Потом сказал:

— Нет, правда, Григорий. Ты же проснулась. Ты со сна еще не понимаешь — где сон, где жизнь, где ты лежишь... Ты, это... бормотать должна...

— Это ты все бормочешь, дурак! — вспылила я. — Потому что двух слов связать не можешь! И не лезь в мою роль! Костыль несчастный!

Я бросила трубку и пошла досматривать «Клуб кинопутешественников». Но Сенькина наглость не давала мне сосредоточиться. Он позвонил минут через двадцать.

— Григорий, не пыли, а?.. — дружески попросил он. — Я посоветоваться только хотел... Это... Как ты думаешь, Пимен — псих или не псих?

— Здрасьте, Плоткин! Ты сам, кажется, псих. Григорий же ясно говорит: «Как я люблю его спокойный вид, когда, душой в минувшем погруженный, он летопись свою ведет...»

— Ну и что... Ненормальный — это ж не обязательно, чтобы на людей бросаться. Он, может быть, тихо помешанный.

— Плоткин, — расстроилась я, — не понимаю, чего ты добиваешься!

Он помолчал и сказал:

— Выдь к хозтоварам на минутку.

— Ты в своем уме — одиннадцатый час!

— Ну выдь, слышь, Григорий. Меня мысли мучают...

...Сенька слонялся вдоль голубоватых светящихся витрин хозтоваров, вдоль выставленных щеток, кухонных досок, стиральных машин и бледных эмалированных мисок.

Холодный ветер врывался в темные переулки, шебаршил по тротуарам сухими листьями, рылся в куче сора, сметенного дворником. Было зябко, сыро, страшновато.

— Ну?! — спросила я, подбежав к витринам. — Быстро говори, в чем дело, меня на пять минут выпустили.

Сенька покусал нижнюю губу, оглянулся в переулок и сказал:

— Вот что происходит: этот сон твой, Григорий, не простой.

— А какой? — не поняла я.

— Это же вещий сон, понимаешь? Все так и было с ним. Потом. Он из окна башни прыгнул.

— С чего ты взял?

— Я читал. Я все воскресенье в библиотеке просидел. И еще пойду. — Сенька сглотнул и подвинулся ближе. Свет витрин синевато-холодными бликами играл на его скулах. — Плохо дело, Григорий. Оказывается, Годунов не убивал царевича Димитрия.

— Ну и что? — опасливо косясь на Сенькины сведенные брови, спросила я. — Пушкин-то про это не
знал.

— Но я-то знаю! — выкрикнул бледный Плоткин. — Значит, Пимен этот либо врет, либо помешанный и верит в то, что говорит.

— Тогда все верили, — строго возразила я. — И
потом, какая разница? Тебе-то что? Текст ты выучил,
играешь хорошо...

— А ты — плохо, — упавшим голосом проговорил
вдруг Сенька и, пряча глаза, заторопился: — Ты не
обижайся, Григорий, но правда — я старика так любить
начал в последнее время, прямо как себя. Особенно
когда говорю: «А прочее погибло безвозвратно. Но
близок день, лампада догорает — еще одно, последнее
сказанье...» — мне, знаешь, прям вот верится, что я
старый-старый, как дедка мой, и недолго жить осталось,
и лампада счас потухнет, и вот... прям грустно так
помирать... И тебя жалко, что ты такой одинокий на
лавке спишь, что у тебя судьба такая... окаянная. И
даже, — он покосился на витрины и понизил голос, —
в Бога верить начинаю... Правда! — Он перевел дыхание. — А тут ты как рявкнешь: «Все тот же сон!» —
так у меня настроение обрывается и хочется костылем
в тебя пустить... — Сенька заглянул мне в лицо и
пояснил виновато: — Мешаешь, Григорий...

— Что же делать? — Я была уязвлена в лучших
своих чувствах, растеряна. Сенька — Пимен наступал
своим костылем на мою незыблемую любовь к литературе. А ведь я знала наизусть всю сцену и таким ясным,

звучным голосом декламировала роль Самозванца, намекая на его коварные планы. И Баба Лиза была мною довольна...

Но присутствовала в Сенькиных словах правда, не признать которую я не могла — опять-таки из любви к литературе. И я признала ее.

— Что же делать? — потерянно повторила я. Сенька оживился.

— А ты представь, что ты сирота, — предложил он.

Я напряглась, представила себе нашу квартиру без отца и мамы... Получалось, что они в санаторий уехали.

— Не верится... — призналась я.

— Пошли в темноту, — решительно сказал Сенька. — Здесь витрины наглые.

Он взял меня за руку, и мы побрели в сторону темных пустых дворов.

— Ты сирота, — говорил Сенька проникновенным полушепотом. — С малых лет по монастырям шатаешься. Думаешь, сладко? Спишь где попало, месяцами не моешься... Дадут поесть — поешь, не дадут — голодный. А ты такой молодой, Григорий, так жить тебе охота... И сон проклятый один и тот же снится, снится; проснешься — сердце от него колотится: что за сон? К чему он? Он не знает, какая дикая и страшная судьба его ждет, но ты-то знаешь — значит, должна играть, вроде он предчувствует и бросается в эту судьбу, как с башни потом бросился...

— А тебе его жалко?

— Не знаю, — подумав, сказал Сенька. — Лично мне — не очень. Он, конечно, был аферист и самозванец. Но с другой стороны — он ведь не знал, что Годунов не убивал. И Марину так любил... И кричал в бою: «Довольно: щадите русскую кровь. Отбой!»

...Где-то в глубокой промозглой тьме высоко над нашими разгоряченными лбами испуганно шуршала сухими листьями чинара. Дождик принимался накрапывать и снова запинался, обмирая... Мы дрожали от ночного рваного ветра и пытались разобраться сразу во всем — в правде и лжи, в добре и зле, в жизни, в литературе, в Пушкине, в театре. Мы перебивали друг друга, ругались, горестно вдруг умолкали оба.

Сенька бормотал сбивчиво, все пытался объяснить мне, что мучает его:

— Как, как, Григорий, как мне его играть? Вот он сидит и пишет, но я-то знаю, что он вранье пишет. Может, от его вранья люди столько веков Борису Годунову это мокрое дело шили.

— Дурак, Сенька! — горячилась я. — Его же не существовало! Его же Пушкин придумал, этого Пимена!

— Выходит, Пушкин врал?

— Да нет, Пушкин верил тем историческим сведениям!

— Но мы-то не верим! Значит, что же — я знаю, что человек не убивал, и я же в этой дурацкой привязанной бороде сижу и долдоню: «Владыкою себе цареубийцу мы нарекли!»

— Сень-ка! Это нельзя всерьез принимать, это же искусство! Ли-те-ра-ту-ра!

— Плевал я на твою литературу! — крикнул он измученно. — Вот откажусь играть, и все!

— Сумасшедший, ты ж и так на вылете!

— Плевал я на все! — Он повернулся и пошел прочь по темному двору, но вдруг вернулся, подбежал ко мне: — Вот как хочешь, а Пимена можно только тронутым играть. Вроде он слегка тронулся от долгого сидения в монастыре, и эта фигня с убиенным Димитрием ему в воспаленных мозгах привиделась. Только так! — и добавил отчаянно: — Или пусть меня из школы выгоняют!

Осенний дождь долго приготовлял свои ударные инструменты: вначале, робко запинаясь, шуршали метелки, пробормотал что-то маленький барабан, потом заторопился, зачастил и ухнул наконец ливень, гулко ударившись о крыши, о листья чинар... Грохнули где-то литавры осени, запели водосточные трубы, ветер разом стих, и темные дворы, одетые певучим дождем, вздохнули мокрою землей... Под фарой машины на углу вспыхнула лужа. Мимо нас протрусила болонка, растрепанная, как хризантема...

Сенька метался под деревом, мокрыми ладонями стирая капли с лица, и говорил без умолку. Я слушала.

Не знаю, понимала ли я тогда, что присутствую при пробуждении таланта, но я была подавлена тем, как близко к сердцу Сенька принял вымысел, химеру. Пусть даже и пушкинский вымысел.

Это не Сенька — шпана и неуч, книгу в руки не бравший, — протестовал против исторической несправедливости, это талант его пробудился и требовал правды. Собственно, в этом и была разница между талантом и бесталанностью — Сенька в вымысле жить желал

подлинной жизнью, а реальность собственного существования — двойки, замечания, угроза вылететь из
школы — волновала его куда меньше. Я же хорошо
артикулировала. Вот и все...

...Я поднялась по лестнице и позвонила в нашу
квартиру. Дверь рванули, передо мной стоял отец в
мокром плаще, в туфлях.

— Папа... мы... насчет Пушкина... насчет Годунова... — бормотала я, пытаясь поймать ногами пол.
Трудно оправдываться, когда тебя волокут за шиворот
и по пути методично поддают коленом.

Наконец отец устал и на полдороге к маме бросил
меня в крутящееся кресло, куда мне обычно не разре-
шалось садиться и крутиться, считалось, что этим я его
ломаю. Тут я шлепнулась в него и вертелась, как кос-
монавт в центрифуге. Отец остановил вращение.

— Где ты была? — спросил он, тяжело дыша. —
Только не лги! Я обегал весь квартал.

— Папа... — пробормотала я.

Над отцовским плечом, как бледная луна, всплыло
мамино лицо — залитое слезами, словно не отец, а она
искала меня под дождем.

— Не смотри на нас чистыми глазами!! — истери-
чески выкрикнула мама и зарыдала. — Мы имеем
право знать правду!

— Я правду... Мы о Пушкине... Полчасика...

— О господи! — простонала мама. — Без четвер-
ти три!

Что, что я могла им рассказать, когда во мне роилось
столько смутных разрозненных слов и я была бессильна

перед их полчищем? Я и сейчас порой прихожу в отчаяние, когда туча слов, словно рой пчел, налетает на меня и я должна выбрать несколько, сложить их в порядок, вывести на бумаге — приблизительный подстрочник страстно мычащей души...

Я лежала в постели, смотрела в пепельный сумрак окна и слышала обрывки нервного разговора родителей за стеною:

— Чем она отбрехивалась?

— Не знаю, что-то про Пушкина... Как всегда, неудачно...

Да, горько думала я, да, сейчас там из паники, из домыслов, из перепуганного воображения рождается химера моей порочности. Не так ли возникла легенда об убийстве царевича Димитрия — другие масштабы, конечно, но механизм тот же...

...Пролетела за окном птичка майна — афганский скворец, уселась на ветку ближнего дерева и проговорила что-то бойко и убедительно. Она, как и я, хорошо артикулировала...

С этого дня я как-то сникла, охладела к репетициям и роль постылого Самозванца волочила халатно — так грузчик мебельного магазина тащит чужое пианино, нимало не заботясь о том, что угол инструмента поцарапается о дверной косяк.

А между тем, по запросу директора школы, нам со склада городского оперного театра выдали под расписку две монашеские рясы — ветхие, пыльные и необъятные. Одну мы ушили для меня, другую для Сеньки. Кроме того, выдали для Пимена седой лохматый парик коверного и трухлявую бороду, которая тихо облетала в особо патетических местах Сенькиных монологов.

Сенька расцветал день ото дня. Он приволок из того же сарая во дворе старую керосиновую лампу с прокопченным стеклом, две какие-то толстенные, изъеденные мышами и пылью книжищи без начала и конца с «ятями» и во время репетиций раздражал Бабу Лизу различными манипуляциями с этими предметами.

— Плоткин! — булькала она. — Прекрати вскакивать и размахивать руками и не бормочи, тебя не слышно! Не трепи бороду, она казенная! Сядь за стол и говори четко, в сторону зала.

Наконец настал он, день Сенькиного триумфа. В актовом зале набилось публики самой разной — родители, учителя, представители районо. В третьем ряду слева сидел благостный старичок в мешковатом пиджаке, в галстуке. Это Сенькин дед пришел полюбоваться то ли на внука, то ли на свой костыль...

Выступали сначала выстроенные рядком пионеры, они звонко выкрикивали четверостишия к праздничной дате — все это называлось почему-то технически — монтаж. Потом девочки из шестого класса танцевали украинскую свистопляску с гиканьем, развевающимися лентами...

Облачившись в оперные рясы, мы с Сенькой томились в комнатке за сценой, которая называлась неловким словом «уборная». Сенька сидел, расставив локти, упираясь ладонями в острые под рясой колени, и смотрел в стену перед собой тяжелым взглядом. Я пробовала заговорить с ним, он оборвал меня досадливо:

— Не мешай!

Вот-вот должны были объявить наш выход. В комнатку вдвинулась бюстом Баба Лиза, оглядела нас по-хозяйски:

— Плоткин, где твоя борода? Немедленно прицепи.

— Она мне мешает, — хмуро возразил Сенька.

— Плоткин, не устраивай сюрпризов. Немедленно привяжи к ушам бороду! — Уголок носового платка выглядывал из выреза, словно за пазухой сидел и дрожал маленький испуганный поросенок.

— Борода мне мешает, — упрямо повторил Сенька, — лицо чешется, я сосредоточиться не могу. Не надо бороду, я ее сыграю.

— Что?! — булькнула Баба Лиза, но тут в дверь заглянула рыхлая пионервожатая с красным потным лицом и крикнула, отдуваясь:

— Кто с Пушкиным? Пошли!

Сенька побелел, взял керосиновую лампу, книги под мышку и, почему-то сгорбившись, шаркая, пошел. Я — за ним.

Едва мы успели расположиться — Пимен за столом, с лампадой и книгами, я — ничком на деревянной лавке из спортзала, — как занавес раздвинулся. Приглушенный шумок в зале стих. Я зажмурилась от света, от множества лиц. Я чувствовала на себе сотни заинтересованных взглядов, и это было мучительно и страшно. Хотелось подтянуть ноги к животу, свернуться калачиком и защитить голову руками. И в этот момент, лежа ничком и деревенея от сознания, что сейчас мне придется выговорить слово, и не одно, — в этот момент я вдруг поняла, что забыла костыль в учительской. Жизнь во мне оборвалась, сердце остановилось, разум померк. Потом вдруг все встрепенулось, забилось, задергалось — ведь надо было как-то дать Сеньке знать о надвигающейся катастрофе!

Между тем Пимен начал сцену. Он начал негромко, устало:

> Еще одно, последнее сказанье —
> И летопись окончена моя...

Зал вдруг куда-то сгинул. Приоткрыв глаз, я смотрела на Пимена. А он — не Сенька вовсе, а старый старик, больной, хромой — не торопился. Он никуда не торопился, потому что не было никакого зала, никаких зрителей. Старик жил в своей келье, писал свой труд — куда ему было торопиться?

Баба Лиза, решив, очевидно, что Сенька забыл текст, шипела из-за кулис: «Исполнен долг!.. Исполнен долг!»

А Пимен потер ладонями лицо, уставшее лицо человека, всю ночь не сомкнувшего глаз, погладил несуществующую бороду, прикрутил фитиль в лампаде и тихо положил обе ладони на толстую книгу.

> Исполнен долг, завещанный от Бога
> Мне, грешному... —

задумчиво проговорил он.

С трусливо колотящимся сердцем я ждала своей очереди. Катастрофа надвигалась. Костыль был занесен над моею головой, как Божья кара. Мысленно перебирая пушкинские строки, я старалась сообразить, где удобнее ввернуть словцо про беду с костылем.

Между тем надвигалась секунда, когда мне следовало вступить: «Все тот же сон!» И я вступила!!! Для этого мне потребовалось усилие, не меньшее, чем если бы я, с парашютом за спиною, шагнула в тошнотворную бездну.

Продираясь сквозь райские кущи пушкинских строк, я понимала, что мы гибнем. Голос мой, всегда ясный и звучный — моя гордость и услада Бабы Лизы, — звучал сейчас козлиным тенорком.

Пимен обернулся ко мне и спросил добродушно:

— Проснулся, брат?

Я почувствовала, что момент наступил. Сейчас или никогда.

— Благослови меня, — промычала я пластилиновыми губами. — Костыль в учительской забыла...

Сенька вздрогнул, ужас осветил его величавое чело, он замешкался на мгновение, потом выдал привычной скороговоркой:

Благослови Господь тебя и
днесь, и присно, и вовеки.

Я перевела дух. Теперь все было в порядке. Я, как все тот же нерадивый грузчик, свалила свою ношу на Сенькины плечи. Теперь Сенька должен был выкручиваться из ситуации. В конце концов, пусть молчит про костыль — подумаешь, важная мысль гениального поэта!

> Ты все писал и сном не позабылся, —

с облегчением зачастила я... Словом, сцена покатилась
дальше. Но странное дело: она катилась легко только
на моих репликах и монологах, скакала, как речушка по
камням. Когда в диалог вступал Пимен, на речушке
словно плотины ставили — она делалась глубже, пол-
новоднее, огромные валуны ворочались силами подвод-
ных течений, целая жизнь происходила там, на дне слов
и фраз. Кроме того, что-то происходило и с самим
Пименом. Он постепенно преображался — ушли куда-
то смирение и величавая неспешность. Монолог стал
рваным, нервным, Пимен то умолкал, то вновь продолжал громко, с вызовом:

> Так говорил державный государь,
> И сладко речь из уст его лилася.
> И плакал он. А мы в слезах молились,
> Да ниспошлет Господь любовь и мир
> Его душе страдающей и бурной.
> А сын его Феодор? На престоле
> Он воздыхал о мирном житие
> Молчальника...

Нет, ошибся Григорий — совсем не смиренным становился Пимен, когда речь заходила о царях, о при-
дворных бурях — словом, о политике! Взгляд его бегал,
он трепал и почесывал свою несуществующую бороду,
нервно потирал руки. Словом, Пимен был неслыханно
возбужден. Сенька никогда не играл его таким на репетициях. Сейчас Пимен был на грани нервного припадка. Последние слова перед моей репликой он выкрикнул как проклятие:

> О страшное, невиданное горе!
> Прогневали мы Бога, согрешили:
> Владыкою себе цареубийцу
> Мы нарекли!!

Я была несколько смущена таким поворотом дела. И дальше продолжала робко, почти испуганно поглядывая на Сеньку:

> Давно, честный отец,
> Хотелось мне тебя спросить о смерти
> Димитрия-царевича; в то время
> Ты, говорят, был в Угличе.

Что наступило вслед за этими словами, я буду помнить всю жизнь. Сенька отскочил в сторону, словно только и ждал этого вопроса, ткнул в меня костлявым пальцем и вкрадчиво, с придыханием начал:

> Ох, помню!
> Привел меня Бог видеть злое дело,
> Кровавый грех...

Он вился вокруг меня, Григория, как хромой шаман, он закручивал неслыханную пружину — голос его взлетал в исступленной ненависти, взвизгивал, глаза налились кровью. На словах: «*Вот, вот злодей! — раздался общий вопль*», — Пимен замолотил кулаком по столу. Было совершенно очевидным, что старик на этой истории спятил, она его давний пунктик, и — кто знает! — может, он сам ее выдумал. Он задыхался, закатывал глаза, выкрикивал:

> И чудо — вдруг мертвец затрепетал, —
> «Покайтеся!» — народ им завопил:
> И в ужасе под топором злодеи
> Покаялись — и назвали Бориса.

Монолог кончился.

Пимен рухнул на стул и уронил голову на руки. Он обессилел после припадка... Я же была испугана по-настоящему. Мне показалось, что Сенька сам сошел с ума. Рехнулся на почве театральных переживаний. Но дело надо было доводить до конца. Дрожащим тенором я спросила:

Каких был лет царевич убиенный?

Пимен молчал. Я уже хотела повторить вопрос, но он поднял голову, уставился на меня тусклым оловянным зрачком. Такие глаза бывали у нашей больной соседки после эпилептического приступа.

«*Да лет семи, — проборматал Сенька, — ему бы ныне было // (Тому прошло уж десять лет... нет, больше: // Двенадцать лет)...*»

Наступила огромная ватная пауза, в течение которой произошло вот что: тусклый глаз Пимена зажегся странной мыслью, все лицо озарила дикая тонкая улыбка, он повернулся к залу, обвел чуть ли не каждого горящими глазами, обернулся ко мне и проговорил негромко, внятно, словно вбивая каждое слово в мою тугодумную башку:

...он был бы твой ровесник и цар-ство-вал;
но Бог судил иное...

И замолчал, вглядываясь в мое лицо, словно проверяя, понял ли Григорий все, что следовало ему понять.

И дальше уже продолжал успокоенно, величаво, так, как начинал сцену. Он подбирался к злополучной строчке с костылем, но я была спокойна — ведь я просигналила Сеньке об опасности, он обязан был выкрутиться. Но, как выяснилось, я недооценила Сенькину способность вживаться в роль. Сейчас он был настолько Пименом, и никем больше, что ему просто не было до моих проблем никакого дела. Близилась развязка:

> А мне пора, пора уж отдохнуть, —

устало покашливая, продолжал Пимен. —

> И погасить лампаду... Но звонят
> К заутрене... благослови, Господь,
> Своих рабов!.. подай костыль, Григорий.

Я оцепенела, сердце мое остановилось во второй раз. Вытаращив глаза на Сеньку, я не двигалась.

> Подай костыль, Григорий, —

повторил Сенька слегка раздраженно.

И мне ничего не оставалось делать, как идти искать костыль. Я долго болталась по сцене под гробовое молчание зала. Заглядывала под скамейки, дважды залезала под стол... Наконец я поняла, что Сенька мне на помощь не придет, так как сидит в образе по самую макушку, как гвоздь, вбитый по самую шляпку. Я вылезла из-под стола, отряхнула пыльную рясу и виновато развела руками:

> Увы, Пимен, его здесь нет... —

выдавила я. Вдруг из зала послышался старческий голос:

— Вот те на! Куды ж он девался?

В зале прыснули и насторожились.

Должно, монахи сперли, —
предположила я извиняющимся тоном. Неожиданный диалог с залом несколько приободрил меня. Сенька же смотрел на меня с ненавистью.

Тогда я так пойду... —
хрипло и угрожающе обронил он.

Иди, —
разрешила я упавшим голосом.

И Пимен похромал за кулисы. У меня хватило мужества закончить сцену заключительными словами Григория, и я понуро удалилась под треснувшие мне в спину аплодисменты.

Нас дважды вызывали. Мы с Сенькой кланялись, не глядя друг на друга. В третьем ряду слева сидел Сенькин дед и хлопал с обескураженным видом — он так и не понял, зачем внук утащил из сарая костыль. Галстук у него был толстый, серый, в полосочку...

Когда же мы вернулись в уборную, Пимен, не обращая внимания на возмущенно булькающую Бабу Лизу («Плоткин, тебе твои хулиганские штучки даром не...»), схватил книжищу с «ятями» и молча остервенело опустил мне на голову со всею страстностью монаха-отшельника. Я не защищалась, а Сенька, судя по всему, собрался бить меня справедливо и подробно, тем более что Баба Лиза от ужаса булькнула и умолкла, словно утонула.

Но тут кто-то сзади сказал звучно, с хохотком:

— Н-ну, братья монахи, где ваше смирение?

В дверях комнатки стоял человек — молодой, курчавый, небольшого роста.

— К тому же даму бить некрасиво, даже если она провалила ваш дебют. Ведь, по крайней мере, она четко подавала текст...

Курчавый человек сунул Сеньке крепкую маленькую руку и сказал:

— Александр Сергеевич.

Сенька отвалил челюсть и спросил:

— В каком смысле?

— В том смысле, что это мои имя-отчество. Такая вот неприятность. Я — руководитель молодежного театра-студии на базе университета. Сегодня совершенно случайно оказался на вашем торжестве и совсем не жалею. Сколько вам, молодой человек? Шестнадцать?

— Пятнадцать, — буркнул Сенька, приобретая бурый колер.

— Приходите к нам. Вам нужно заниматься всерьез. Приходите. Каждую среду и субботу в пять вечера. Аудитория тридцать девять. Вахтеру скажете, что я пригласил, он пропустит. Договорились?

— Спасибо, — пробормотал Сенька с совершенно температурным видом.

Курчавый Александр Сергеевич вышел было, но вдруг вернулся.

— Кстати, — сказал он весело. — Это ваша версия с Пименом? Вы действительно считаете его чуть ли не рычагом всей драмы? И сошедшим с ума политиканом?

Сенька совсем оробел, поскольку ничего не понял, и только честно пожал плечами.

— Нет-нет, это интересно, — сказал курчавый. — Это смело. Хотя, думаю, ошибочно... Ну, приходите, поспорим...

С Сенькой мы не разговаривали до конца десятого класса. На выпускном вечере он попробовал растопить лед нашей ссоры идиотским приглашением на танец. Подошел и спросил, криво ухмыляясь:

— Спляшем, Григорий?

А на мне платье было белое, колоколом, совершенно прекрасное, прическа была из отросших волос, и даже губы я тронула маминой помадой. Спляшем, говорит, Григорий?..

Я сказала:

— Хромай отсюда. Костыль!

Вот так...

Наши судьбы, сведенные однажды промозглой ночью под испуганно шелестящей чинарой, разлетелись врозь, каждая в своем направлении. До меня, конечно, долетали обрывки слухов — что Сенька закончил театральный институт, но не актерский, а режиссерский факультет, потом попалась однажды на глаза заметка, в которой ругали спектакль, им поставленный, за бездоказательно новую трактовку какой-то исторической пьесы. Заметка, надо сказать, тоже была достаточно бездоказательна.

Лет через пятнадцать я оказалась в родном городе. Перезвонилась с одноклассниками, узнала новости — кто кем стал, кто с кем разошелся, у кого сколько детей.

— Про Плоткина слышно там, в столице? — спросила одноклассница. — Он же у нас режиссер, знаменитость. Говорят, кошмарно талантливый. Вроде его в Москву приглашали даже, обещали постановку в каком-то театре... Ты встреться с ним, он совсем не зазнался. Телефон дать?

...Я не стала звонить Сеньке. Просто пришла на репетицию в наш старый драмтеатр, где Семен Плоткин числился очередным режиссером. Мы с ним столкнулись в пустом фойе. Он оторопел, удивился, обрадовался, обнял меня:

— Какими судьбами, Григорий?

— Мог бы изречь что-нибудь потеатральней, — заметила я. — Ты ж, говорят, молодой талант.

— Я старый хрен, — возразил Сенька. — Смотри, половины зубов нет. Скоро буду булькать, как Баба Лиза... Знаешь, я ее иногда приглашаю на спектакль. Жалко, старенькая... булькает...

Мы зашли в буфет, взяли по чашечке кофе.

— А ты как, Григорий? — спросил он. — Пишешь, говорят?.. Не читал, прости. Времени не хватает.

— Не беда, — простила я. — Главное, чтоб на Пушкина хватало. Помнишь сцену «В келье»? «Еще одно, последнее сказанье...» Помнишь?

— А как же! Я был тогда очень талантливый и мог перевернуть театр. Я запросто мог сыграть Гамлета.

— Тогда ты про Гамлета ничего не знал, — возразила я. — Ты был шпаной и разгильдяем... Ты всегда был на вылете.

— Я и сейчас на вылете, — усмехнулся он, — у меня напряженные отношения с главным.

Мы еще поболтали о том о сем, допили свой кофе с каучуковыми булочками из театрального буфета, и Сенька вышел проводить меня до троллейбуса. Он шел, подняв воротник плаща, и, энергично жестикулируя, рассказывал, как задумал поставить «Макбета», — совершенно по-новому, опрокидывая все традиционные взгляды на Шекспира.

— Где ты будешь ставить?

— Пока нигде... — сказал он, поеживаясь от зябкого ветра. — Пока — так... в воображении...

— Ты хоть помнишь, как мы дрожали под дождем всю ночь — решали проблемы жизни, театра?

— Дураки, — усмехнулся Сенька. — Лучше бы целовались.

— Ну, целоваться-то рановато было, — возразила я.

— В пятнадцать лет? Брось. В самый раз. — Он помолчал и сказал вдруг: — Ты ни о чем не жалеешь? В смысле выбора... Вот ты да я — черт-те чем заняты — химерой, вымыслом. Иногда по ночам думаю: здоровый мужик — на что жизнь кладу? Нужно ли это кому-нибудь, или только нам? А, Григорий? — Он смотрел на меня, и в его лице было что-то от того Сеньки, который слонялся под деревом ночью, мучаясь неразрешимыми вопросами.

Подвалил мой шестнадцатый.

Перед тем как я поднялась в троллейбус, Сенька вдруг поцеловал мне на прощание руку.

— Галантным заделался, — грустно усмехнулась
я, — все равно помню, как ты дореволюционной книгой
меня по башке треснул.

— Я был влюблен в тебя, — сказал он. — Ради
тебя я согласился играть Пимена.

Двери сошлись, троллейбус качнулся.

— Что ж ты молчал, костыль несчастный? — воскликнула я, но Сенька меня уже не слышал. Он стоял,
улыбаясь вслед троллейбусу — руки в карманах, —
шпана неотесанная...

1985

АСТРАЛЬНЫЙ
ПОЛЕТ ДУШИ
НА УРОКЕ ФИЗИКИ

В девятом классе, на уроке физики, я каким-то образом вылетела из окна и совершила два плавных круга над школьной спортплощадкой.

Но прежде надо кое-что объяснить...

В школе, где-то классе в четвертом, на одном из уроков я отвлеклась от учебного процесса на книгу Конан Дойла, которую не дочитала дома. Я благополучно проглотила ее за два урока, держа на коленях и осторожно перелистывая под партой страницы.

С этого дня я поняла, какая бездна свободного для чтения времени пропадает у меня даром. Я прозрела. Так иногда человек поднимает голову от исписанного листа и бросает взгляд в окно, где в акварельно размытом небе видит дрожащую нежную веточку, и замирает, и уже не в силах отвести усталого взора от этой простейшей весенней картинки.

Итак, я отвлеклась от учебного процесса и с того дня как бы отделилась от него. Мы мирно расстались. Учебный процесс существовал сам по себе, я же унеслась в иные пространства и болталась там без призору.

Весь класс натруженным маршем шагал по асфальтированному шоссе школьной программы, я сбежала на обочину, под откос, где в траве белеют кашки и желтеют одуванчики, да так и осталась там навсегда.

Успеваемость моя резко упала, и приблизительно с этого же времени мой хилый интеллект стал крепнуть. Я запоем читала на уроках. Ежедневно, с половины девятого до двух, я жила полнокровной жизнью — странствовала, спасалась от погони, трепетала от любовных объяснений и умирала от ножевой раны в груди.

Словом, школьную программу я запустила настолько, что даже и не пыталась решить что-то самостоятельно. На подсказках и списывании я медленно плыла к десятому классу, судорожно подгребая одной рукой, а другой держась за полупотопленное бревно дружеской помощи моих соучеников.

Жужжали, как пули, над ухом опросы. Где-то грохотала канонада четвертных и годовых контрольных... Я старалась списать побыстрее, чтобы открыть под партой очередную книгу, оставленную на сто сорок шестой странице... Это было бесстрашие идиота... Думаю, если б в то время мной заинтересовался один из тех, ныне многочисленных аспирантов, которые пишут диссертации по поводу восприятия школьниками учебной программы, то я бы представляла для него несомненный научный интерес. Полагаю, что изучение природы моего физико-математического кретинизма могло бы принести молодому ученому громкую славу.

Итак, в девятом классе на уроке физики я читала книгу немецкого профессора. Не хотелось бы уточнять ее название, дабы не бросать тень на мои чистые и светлые в ту пору устремления. Наоборот, хотелось бы связать то необычное, что произошло на этом уроке, с возвышенным и прекрасным, например с поэзией Баратынского, томик стихов которого, честное слово, лежал в это время в портфеле... Но, увы... Придется все-таки сказать, что книжка называлась «О половой жизни в семье». Книгу мне дала на два дня знакомая десятиклассница, которая, в свою очередь, взяла ее на неделю у одного знакомого студента.

Надо сказать, книга мне не нравилась. Даже в названии было что-то лицемерное. Старый немецкий профессор как бы подмигивал читателю и намекал, ухмыляясь: «Это, братцы... в семье! — а что бывает вне семьи, я вам как-нибудь в другой раз расскажу, когда здесь не будет любознательных девятиклассниц...»

И вообще вся эта самая жизнь в семье выглядела очень благообразной и пристойной. Позже я поняла, чем отталкивала полезная книжка — в ней почти не говорилось о любви. Речь шла о чистоплотности и воспитанности... Впрочем, я, конечно, не стану пересказывать содержание книжки, это попросту неинтересно.

Я с умеренным любопытством просматривала страницу за страницей, где, кстати, и картинки попадались — тоже неинтересные, медицинские, — пока не наткнулась на одну фразу. Я остановилась, потому что в этой фразе скрыто было некое противоречие: «Стройная девушка должна быть довольна своим бюстом».

Нет, давайте разберемся, подумала я. Этим вопросом я живо заинтересовалась, потому что совершенно искренне считала себя стройной девушкой, а говоря иными словами, была в ту пору тощим сутулым подростком. Этакая оглобля в очках.

Нет, давайте разберемся, подумала я... Значит, прежде всего ставится под сомнение бюст стройной девушки. Ставится под сомнение вообще факт его существования. Подразумевается следующее: «Уж если ты, бедняга, уродилась такая... стройная и с бюстом у тебя не все в порядке, то помалкивай, хуже бывает. Люди и горбатыми, и хромыми родятся... Будь довольна тем, что имеешь».

Кроме всего прочего, слышалось в этой фразе что-то... фюрерское, что ли, вроде того, как «каждый немец должен быть доволен своим обедом».

Я представила себе колонну стройных девушек, шагающих под транспарантом: «Я довольна своим бюстом!» Или так: они идут стройными рядами, и у каждой на груди, которой она, в сущности, довольна, висит плакат: «Я довольна своим бюстом!» А может быть, и так: мирная демонстрация стройных девушек у здания бундестага, и они дружно скандируют: «Мы! До! Воль! Ны!» — так далее...

Это уже становилось забавным. Увлеченная собственным воображением, я сидела, подперев ладонью щеку и, рассеянно улыбаясь, смотрела на нашего физика.

Собственно, смотрела я не на него, а в пространство. С таким же успехом я могла обласкивать своей улыбкой школьную доску или учебные пособия, потому что перед мысленным моим взором продолжали вышагивать колонны стройных девушек, поголовно довольных своим бюстом. Они маршировали, как солдаты, и было что-то завораживающее в их мерном шаге. Под ними железно цокала булыжная мостовая. Где-то я уже видела такую булыжную мостовую и шпили, вонзающиеся в застекленное мутное небо... Они проступали сквозь дымку все явственней, и все же хотелось рассмотреть их поближе и как бы... сверху. Увидеть картину всю, целиком. Узнать место действия...

Думаю, в эти минуты у меня и началось погружение в состояние того самого астрального полета души.

Но моя потусторонняя улыбка, уже оторванная от смысла бренной жизни и по случайной траектории направленная в нашего физика, не могла остаться незамеченной. Во всяком случае, моя душа, уже готовая к отлету, была задержана в теле грозным окриком: «А? Я спрашиваю. Чем ты так довольна?»

Потом ребята рассказывали, что физик, по крайней мере трижды, поинтересовался, чем это я так довольна, прежде чем моя почти отлетевшая душа приподняла из-за парты мое почти бесчувственное тело. Все-таки я успела деревянной коленкой подтолкнуть раскрытую книгу внутрь парты, но она поползла назад, так что мне пришлось стоять на одной ноге, приподняв под партой другую и поддерживая коленом проклятую книгу.

— А?! — ядовито переспросил физик. — Чем? Чем ты так довольна?

Нашего физика эвали Аркадий Турсунбаевич, или просто — Турсунбаич, был он смугл, молод, плечист, и, кажется, этим исчерпывались его достоинства. В юности Турсунбаич занимался греблей на каноэ, ездил на соревнования, завоевывал призы родному физтеху. Неизвестно, каким шалым ветром занесло его в педагогику. Похоже, он и сам этого не знал, но физику преподавал, словно греб на каноэ, против течения греб, преодолевая свое отвращение к предмету, к ежедневным урокам, к шкодливым физиономиям своих юных учеников.

Турсунбаич отделился от доски, у которой объяснял новый материал, и, красиво жонглируя указкой, стал приближаться к моей парте. При этом моя душа, замершая в состоянии полуотлета приблизительно на том уровне, на котором живописцы рисуют нимбы у святых, рухнула вниз, как мне показалось, с сокрушительным грохотом. Во всяком случае, свою коленку, поддерживающую в парте неприличную книгу, я ощутила уже не деревянной, а свинцовой.

Сейчас должен был разразиться страшный скандал, и его позорные круги достигли бы учительской, комсомольского собрания, родителей. Матери еще можно было бы что-то объяснить. Но мой бедный папа... Он всегда был слишком высокого мнения о своей дочери...

Самое ужасное заключалось в том, что к моим побелевшим от страха устам прикипела дурацкая улыбка, а перед глазами продолжали маршировать стройные фантомы под скабрезным транспарантом.

Наверное, это и послужило причиной того, что стряслось в следующую минуту.

Турсунбаич остановился в трех шагах от моей парты, играючи проделал несколько движений указкой, подобно тому как церемониймейстер манипулирует своим жезлом, и воскликнул:

— Не слышу. А?! Ответа на вопрос не слышу. Что за улыбочка? Чем ты так довольна?

Тогда я, завороженно глядя на летающую в его руках указку, проговорила внятно и даже слегка раздельно, как чтец в филармонии:

— Я довольна своим бюстом...

И вот тут-то, после этого, и случилось, и произошло! Моя бедная душа, ужаснувшись сказанному, оторвалась наконец от тела и с колокольным звоном полетела в — как это теперь называют? — астральный полет. Да-да, я не шучу и не выдумываю. Я даже не могу допустить, что это был обморок, потому что, по свидетельству одноклассников, мое тело продолжало стоять и довольно доброжелательно смотреть на онемевшего Турсунбаича.

А душа моя вылетела в простор сырого весеннего воздуха, совершила два плавных разворота над школьной спортплощадкой с распростертыми на ней лакированными лужами, поднялась повыше и засмеялась: по карнизу окна учительской гулял упитанный сизарь, похожий на нашего завуча, а в сером весеннем небе лежали длинные пышные облака...

Больше ничего не было, потому что я вдруг очнулась и обнаружила, что продолжаю стоять за партой, левой коленкой придерживая книгу, готовую сползти на пол.

В классе висела обморочная тишина, тяжелая, как

застойный воздух. Физик по-прежнему стоял в трех
шагах, оцепенело на меня уставившись, из чего я предположила, что, может быть, они видели, как я вылетела
в окно и сделала два круга над школьным двором...

А главное, я почувствовала такую дикую усталость
и такую испарину, что молча, равнодушно, ни на кого
не глядя, собрала в портфель свои пожитки и пошла к
дверям. Меня не остановили. Мне было все равно...

Во дворе я села на скамеечку, потому что дрожащие
ноги меня не держали, и подняла глаза: на третьем
этаже, по карнизу окна учительской, все еще разгуливал
сизарь. Я не могла видеть его из окна физкабинета. Он
действительно был похож на нашего завуча.

«Значит, так оно и есть», — отупело подумала я.
Почему-то мне не было страшно. Я чувствовала только,
как сырой весенний воздух холодит потный лоб, и в
этом было что-то неприятное, словно я прикасалась
лбом к зеркальной глуби космического пространства...

...Разумеется, о своем дивном леденящем полете я
никому не рассказала, и в классе еще долго восхищались
тем, как я «шикарно отбрила Турсунбаича».

...Недели через две Турсунбаич остановил меня
после уроков возле школы. На плече у него висела
спортивная сумка на длинном ремне, и он машинально
крутил ее, но, конечно, так ловко, как с указкой, с
сумкой у него не получалось.

— Послушай... — сказал он нерешительно. — Я

хотел поговорить с тобой... насчет того случая, на уроке...

— Извините, пожалуйста, Аркадий Турсунбаевич, — пробормотала я. — Это случайно получилось...

Он не смотрел на меня, выражение лица его было брезгливым, оскорбленным. Такое лицо я видела однажды у прилично одетого прохожего, к которому цеплялся алкаш.

— Ты обратила внимание, что я не дал хода этому делу...

— Спасибо, Аркадий Турсунбаевич...

— Потому что это было бы непедагогично... — На слове «непедагогично» его голос окреп. — Но я хотел лично с тобой поговорить... Выяснить для себя... Что ты за человек... Зачем ты... за что это... этот демарш! — На слове «демарш» его окрепший голос зазвенел. Он крутанул сумку на ремне, та быстро завертелась, ремень скрутился спиралью, дошел до определенной точки равновесия и стал медленно раскручиваться... Мы оба смотрели на этот процесс, и я подумала, что, вероятно, это происходит в согласии с каким-нибудь законом физики, которого я конечно же не знаю...

— Извините, пожалуйста, Аркадий Турсунбаевич, — повторила я, чтобы поскорей от Турсунбаича отделаться. — Это случайно получилось...

— Да какое там «случайно»! — воскликнул он. — Ты же нарочно весь урок сидела с пошлой улыбочкой, ждала, когда я внимание обращу. Да вы все, весь класс!.. Вы просто издевательски ко мне относитесь!

Что я, не знаю? И ты, и Стрехов, и Корбутина, и...
Горшкевич... Да вы это разыграли как по нотам!

— Что вы, Аркадий Турсунбаевич!

— Разыграли, чтоб представить меня идиотом!

Он так расстроился, что светлые его глаза повлаж-
нели и резче выступили скулы.

— Я знаю, вы считаете, что я не педагог, материал
плохо объясняю, уроки плохо провожу... А вы? Ну
вы-то кто такие, а?! Откуда в вас столько наглой жестокости? Откуда вы знаете, что из вас-то выйдет? Как
вы уверены в своих будущих достижениях — просто
завидки берут... Впрочем, в ваши годы я тоже весело
греб по жизни, — он грустно усмехнулся, и я впервые
подумала, что Турсунбаич не так и глуп, как на уроках
кажется.

— Вот ты со своей улыбочкой... Ты знаешь, что
такое двойняшки? — вдруг спросил он. — А?! Это
сорок пеленок в день постирай-погладь, на молочную
кухню сбегай, ночью как ванька-встанька!..

Он отвернулся, крутанул еще раз сумку, но не дал
ей раскрутиться, закинул на плечо.

— А у жены мастит, — хмуро добавил он, — температура под сорок... А я должен на уроках ваши улы-
бочки рассматривать и хамство ваше выслушивать...

— А вы... чем лечите? — робко спросила я.

— Да чем только не лечим! — махнул он рукой.

— А мед с мукой пробовали?

— Как? Мед с мукой? — Он недоверчиво взглянул
на меня.

— Ну да, это народное средство, — заторопилась

я. — Здорово помогает... Берем ложку меда и ложку муки, смешиваем...

— Подожди! — строго сказал он. — Я запишу. — И достал записную книжку. — Значит, ложку меда...

Турсунбаич подробно записал рецепт, переспрашивая меня, уточняя детали. Нет, ей-богу, он был вполне приличный мужик.

— Сегодня же попробуем. Помогает, говоришь?

— Как рукой! — твердо пообещала я. — Аркадий Турсунбаевич... Может, надо прийти помочь? Я умею с детьми... И постирать могу.

— Ну что ты... — смутился он.

— Нет, правда!

— Правда, спасибо, — сказал он и дружески потрепал вдруг меня по плечу. — Завтра к нам бабушка из Ростова приезжает, и соседка помогает... Ну, ладно! — Он спохватился, посмотрел на часы. — Побегу. Мне еще на молочную кухню.

Отойдя на несколько шагов, он обернулся и крикнул:

— Выучи девяносто шестой параграф, я тебя завтра вызову!

— Спасибо, — сказала я, глядя ему вслед.

...Я выучила этот самый девяносто шестой параграф. И поскольку не понимала в нем ни слова, то просто заучила наизусть эти полторы страницы, зазубрила, как зубрят иностранный текст, — у меня всегда была хорошая память... Параграф назывался «Модуль вектора магнитной индукции». Я помню его до сих пор. Не-

счастный модуль вектора торчит в моей цепкой памяти
одиноким обломком. Неуютно ему там, в моей памяти,
невесело, как приблудному сироте в чужом доме...

— Спасибо, — пробормотала я, глядя вслед наше-
му физику. Понимала ли я тогда, что мы с ним одного
поля ягоды, или просто чувствовала некую сообщность
душевно неприкаянных? Конечно, тогда я не могла еще
в полной мере ощутить горький вкус нелюбимого дела,
эту вязкую оскомину. Позже, гораздо позже я вспоминала иногда Турсунбаича и жалела его от души. В тот
же миг я просто сочувствовала ему в его житейских
трудностях.

А он? Он хотел поддержать меня, хотел подать знак
своего прощения и расположения. Он подал этот знак.
Как умел.

...И больше я не летала. Хотя в жизни моей, ей-
богу, были для этого поводы, и не такие нелепые, как
на злополучном уроке физики. Но больше я не летала.
Наверное, потому, что с годами стала умнее и печаль-
нее. Я, конечно, не хочу сказать, что ум и печаль —
это гири, которые не позволяют нам воспарить над
нашей жизнью. Но, видно, это тяжелое, как ртуть,
вещество с годами заполняет пустоты в памяти и в душе.

Те самые пустоты, которые, наполнившись теплой
струей воображения, могли бы, подобно воздушному
шару, унести нас в просторы холодного весеннего ветра.

1986

КОНЦЕРТ ПО ПУТЕВКЕ «ОБЩЕСТВА КНИГОЛЮБОВ»

В юности меня пригрела слава. Точнее сказать — огрела. Окатила ливнем всегородской известности, заливаясь за шиворот, забиваясь в уши и (если уж доводить образ до конца) слегка подмочив мозги, в ту пору и без того пребывавшие в довольно скорбном состоянии.

Началось с того, что, учась в девятом классе музыкальной школы при консерватории, я послала в популярный московский журнал один из многих своих рассказов, которые строчила подпольно, кажется, с ясельного возраста. Что мною двигало? Наивная провинциальная наглость.

В рассказике, довольно смешном, фигурировали некоторые наши учителя, под своими почти именами и со своими физиономиями, воссозданными мною с антропологической точностью. Но самым смешным было то, что рассказ напечатали.

Общественность содрогнулась. Из шестнадцатилетней балбески, хронически не успевающей по точным предметам, я разом превратилась в облеченного пером обличителя нравов. Я послала второй рассказ — его напечатали! Послала третий — напечатали! А выпороть и усадить меня за алгебру было совершенно некому, потому что на родителей вид моей шкодливой физиономии на страницах центральной печати действовал парализующе.

(Теперь я понимаю, что это было не что иное, как коварство судьбы, заманившей меня в литературные сети, в которых я так и барахтаюсь до сих пор. Со временем я даже разучилась играть на фортепиано, потому что все консерваторские годы писала рассказы, а к экзаменам учила только партию правой руки, так как с правой руки сидит комиссия.)

С первого курса консерватории начался довольно тяжелый период в моей жизни. На меня наложила тяжкую лапу одна гангстерская организация под скромным названием «Общество книголюбов». Там решили выполнить на моей лучезарной юности много лет горящий план по ПТУ. С кровожадной радостью меня бросили в пасть юного читателя, который если что и читает с интересом, так только трехэтажный стих на стенах подъездов. Но сначала я всерьез полагала, что призвана сеять в этих сквернословящих цветах жизни разумное, доброе, вечное.

Ради справедливости стоит отметить, что мне и на заводах приходилось выступать. И сейчас страшно вспомнить, сколько раз я отнимала у трудящихся их обеденный перерыв, который государство, между прочим, гарантирует им в трудовом законодательстве.

Но когда на очередной встрече с учащимися очередного ПТУ мне посоветовали из зала кончать трепаться, а лучше прошвырнуться на сквер вместе выпить пивка, я прозрела. Я поняла, что моя общегородская известность грозит перерасти во всенародную славу. И решила немедленно прекратить это безобразие.

Полгода я не отвечала на телефонные звонки и вообще всячески бегала от книголюбов, как бегает злостный неплательщик алиментов от своего личного, законного цветка жизни. Но однажды осенью меня застукали по телефону. Кротко и очень вежливо попросили выступить перед молодой аудиторией. Я осведомилась — не ПТУ ли это? Меня торопливо уверили — нет-нет, не ПТУ.

— А кто это?

— Молодая, пытливая аудитория.

— А где это? — спросила я.

И опять как-то подозрительно суетливо меня уверили: нет, недалеко, и машина будет. Гарантируют доставку в оба конца. Я помялась, похныкала еще, ссылаясь на крайнюю занятость, что было вопиющей ложью, и наконец согласилась...

...В назначенный час я слонялась у подъезда «Общества книголюбов», ожидая обещанный транспорт. В сумке, перекинутой за спину, лежал мой творческий багаж — три столичных журнала с моими рассказами.

Мне было восемнадцать лет, в активе я имела: новые
джинсы, ослепительной силы глупость и твердое убеж-
дение, что я — писатель. Пассив тоже имелся, но
незначительный: несколько задолженностей по музыкальным дисциплинам и несчастная любовь за прошлый
семестр.

Наконец подкатил транспорт — этакий крытый
фургончик для перевозки небольшой компании. Вполне
обычный «рафик», если не считать одной странноватой
детали: окошки «рафика» были довольно крепко заре-
шечены.

За рулем сидел молодой человек в форме, из чего
я поняла, что выступать придется в воинской части.
Молодой человек приоткрыл дверцу и крикнул почтительно:

— Товарищ писатель?

Я подтвердила со сдержанным достоинством.

— Сидайте в «воронок», товарищ писатель! —
пригласил он приветливо.

Мы поехали... Когда в зарешеченном окошке хан-
ское величие мраморных дворцов сменилось глинобит-
ным пригородом, я поняла, что воинская часть находится далековато. Когда кончился пригород и по обе
стороны дороги разбежались хлопковые поля, я поняла,
что это — очень далеко. А мы все ехали, ехали,
ехали...

В конце концов часа через полтора машина остановилась перед высокими железными воротами, крашен-
ными той особой темно-зеленой краской, какой у нас

красят обычно коридоры больниц, тюрем и городских нарсудов — вероятно, для поднятия настроения. С ворот на глинобитный проулочек отнюдь не браво гляде́ли две облупившиеся красные звезды.

Молодой человек в форме провел меня через проходную, тоже несколько смутившую обилием решетчатых дверей, и мы пошли кривыми унылыми коридорами, пока не уперлись в дверь с табличкой «Начальник колонии».

Я привалилась спиною к темно-зеленой стене и лопатками ощутила извечный холод казенного дома.

— Это... куда же мы приехали?.. — слабо спросила я моего конвоира.

— Как — куда! В воспитательно-трудовую колонию... Нам писателя давно обещали, — и открыл дверь.

Комната была уставлена столами, столы завалены штабелями папок «Личное дело №...». За одним из таких столов, между двумя башнями из красных и синих папок, глянцево блестело озерцо лысины.

— Доставил, Пал Семеныч! — гаркнул мой провожатый. По озерцу лысины даже ряби не пробежало.

Начальник колонии поднял голову, обнаружив суровый нос, чем-то напоминающий приклад винтовки, и два маленьких, близко поставленных веселых глаза. Этими глазами он несколько секунд оторопело меня разглядывал.

— Терещенко! Ты кого привез? — спросил он.

Терещенко испуганно вытащил путевку «Общества книголюбов» и старательно прочел:

— Пр... про-за-ика.

— Терещенко, я ж писателя заказывал!

Тут моя душа очнулась и затрепетала всеми фибрами авторского самолюбия.

— Я как раз и есть писатель! — воскликнула я. — Прозаик — это кто пишет длинными строчками и не в рифму. Так что вы зря беспокоитесь! Вот... — Я судорожно выхватила журналы из сумки. — Вот... можете убедиться...

Начальник колонии надел очки и довольно долго изучал страницу журнала, время от времени поднимая от моей фотографии сверяющий милицейский взор. Потом крякнул, вышел из-за стола, одернул форменный китель и подал мне твердую ладонь ребром, тоже похожую на приклад винтовки. Я обхватила ее и потрясла как можно внушительней.

— М-да-а... — как-то многозначительно протянул он, прикидывающе обмеряя взглядом всю меня, с моей сумкой, джинсами, рассказами и журналами.

— Значить... вот что я скажу... Народ у нас молодой, искусство люблить... Люблить искусство, — повторил он твердо и замолчал. Но вдруг встрепенулся и горячо продолжил: — Здесь что главное? Главное, ни хрена не бойся. Это как с хищниками: нет куража — хана дело, веники... А я тебе милиционера дам и двух воспитателей. Сам я тоже пойду... Для авторитета... Вот... Вы на какие темы лекции проводите?

— На морально-этические... — пробормотала я, чувствуя слабость в коленях.

— О! То, что надо! Нам очень нужен идейный уровень!.. Терещенко! Пригласи Киселева с Абдуллаевым.

Терещенко вышел, а начальник мне сказал:

— Мой совет. Шпарь не останавливаясь. Пауз не делай. Чтоб они не опомнились... Ну... с Богом!

Он пропустил меня в дверях и повел по коридорам. У выхода к нам присоединились Терещенко и еще двое в форме.

Пока я шла под конвоем по огромному двору колонии, начальник, не без гордости простирая руку то вправо, то влево, бодро говорил:

— А там вон ремонтный цех, ребята вкалывают, стараются. За ударный труд — досрочная воля... — или что-то в этом роде. Я шла, как в дурном сне, по пути нам успели встретиться двое колонистов, к моему неприятному изумлению, не в наручниках и без вооруженного конвоя. Шли просто так, сами по себе — проходя, зыркнули на меня одинаково набыченными глазами из-под бритых лбов. Конвою-то у меня маловато, подумала я обреченно.

Подошли к большому деревянному бараку, вероятно здешнему очагу культуры. Внутри гудело.

— Народ уже согнали, молодцы, — удовлетворенно заметил начальник. — Это наш актовый зал...

Несмотря на состояние сильнейшей анестезии, я отметила, что их актовый зал похож на вагон-теплушку времен войны: длинный, дощатый, битком набитый серо-черными ватниками. Лица же над ватниками... Лиц не было. Я их не видела. Страх и отвращение слепили глаза. Были серые, тусклые, бритоголовые рожи. Без возраста.

Все это гудящее месиво удерживали несколько воспитателей, снующих вдоль рядов. Начальник колонии помог мне взойти на сколоченную из досок сцену с разбитым фортепиано, скалившимся открытой клавиатурой, и зычно крикнул в зал:

— Значить, так!! Здесь сейчас выступит... пру... про... заик... Чтобы было ша!

Ватники, с кочками бритых голов, озверело затопали, засвистели и нецензурно-восхищенно заорали. Надо полагать, здесь это считалось аплодисментами. Потом наступила... Ну, тишиной это можно было назвать только в сравнении с ядерным взрывом, но к этой минуте мое авторское самолюбие давно уже валялось в глубоком обмороке, и единственное, чего мне хотелось жалобно и страстно, — чтобы на зарешеченном «рафике» меня вывезли отсюда поскорее куда-нибудь. Зыбким голосом, не поднимая глаз от страницы, я бормотала текст своего рассказа... Прошла минута, две. Справа кто-то из ватников стал демонстративно мученически икать, слева — наоборот, так же натужно кашлять. Вдруг из задних рядов сказали громко и лениво:

— Ну хвать уже! Пусть поет...

Я запнулась и выронила журнал. Ужас мягко стукнул меня в затылок и холодными струйками побежал по спине. Тем более что я вспомнила про совет начальника — не делать пауз. Я попятилась по сцене, наткнулась на фортепиано и, не удержав равновесия, с размаху села на открытую клавиатуру... Ватники взревели от восторга. Барак сотрясался.

— Э-эй, кадра!! — орали мне. — Сыграй еще этим самым!!!

Но дикий аккорд, неожиданно извлеченный из инструмента далеко не самой талантливой частью моего тела, как это ни странно, вдруг привел меня в чувство. Я увидела путь к спасению.

Решительно плюхнувшись на колченогий стул, я ударила кулаками по басовому и верхнему регистрам, и ватники вдруг заткнулись.

— Я спою! — выкрикнула я в отчаянии. — Я спою вам «Первача я взял, ноль восемь, взял халвы»... Если... если будет ша!

Взяла три дребезжащих аккорда и запела им Галича... У меня тряслись руки и перехватывало горло, но я допела песню до конца и, не прерываясь, перешла на «Облака».

> Облака плывут, облака,
> В милый край плывут, в Колыму,
> И не нужен им адвокат,
> И амнистия ни к чему... —

пела я в гробовой тишине, и постепенно дрожь в руках унималась, и мой небольшой голос звучал свободней...

Я подковой вмерз в санный след,
В лед, что я кайлом ковырял,
Ведь недаром я двадцать лет
Протрубил по тем лагерям...

На пятой песне один из ватников на цыпочках принес стакан с водой и бесшумно поставил передо мной на крышку инструмента... Я пела и пела, не останавливаясь, не объявляя названия песен, я длилась, как долгоиграющая пластинка, вернее, как одна непрерывная кассета, потому что пластинок Александра Галича тогда у нас не существовало.

Когда в горле совершенно пересохло, я потянулась за стаканом воды и бросила взгляд на ватники в зале. И вдруг увидела лица. И увидела глаза. Множество человеческих глаз. Напряженных, угрюмых. Страдающих. Страстных. Это были мои сверстники, больше — мое поколение, малая его часть, отсеченная законом от общества. И новый, неожиданный, электрической силы стыд пронзил меня: это были люди с Судьбой. Пусть покалеченной, распроклятой и преступной, но Судьбой. Я же обладала новыми джинсами и тремя рассказами в столичных журналах.

Глотнув холодной воды, я поставила стакан на крышку инструмента и сказала:

— А сейчас буду петь вам Высоцкого.

Они не шелохнулись. Я запела «Охоту на волков», потом «Протопи ты мне баньку», потом «Дом на семи ветрах»... Сколько я пела — час? Три? Не помню... Вспоминаю только звенящую легкость в области души, словно я отдала им все, чем в ту пору она была полна.

И когда поняла, что больше ничего не сыграю, я поклонилась и сказала им:

— Все. Теперь — все.

Они хлопали мне стоя. Долго... Потом шли за мной по двору колонии и все хлопали вслед.

Начальник радостно тряс мою руку и повторял:

— Что ж ты сразу не сказала, что можешь! А то — как мокрая курица: ко-ко-ко с журнальчиком...

На обороте путевки «Общества книголюбов», где положено писать отзыв о выступлении, он написал твердым почерком: «Концерт прошел на высоком идейном уровне. Отлично поет товарищ прозаик! Побольше бы нам таких писателей!»

...Зарешеченный «рафик» унес меня в сторону городской вольной жизни, к той большей части моего поколения, которая официально не была лишена конституционных прав. У подъезда «Общества книголюбов» я выпорхнула из машины и, перекинув сумку за спину, на прощание махнула рукой Терещенке.

Все, пожалуй... Но иногда я вспоминаю почему-то небольшой квадрат скользящего неба, поделенный прутьями решетки на маленькие голубовато-синие пайки. И еще вспоминаю: как они мне хлопали! Я, наверное, в жизни своей не услышу больше таких аплодисментов в свой адрес. И хлопали они, конечно, не мне, а большим поэтам, песни которых я пропела, как умела, под аккомпанемент разбитого фортепиано.

Не думаю, чтобы мой неожиданный концерт произвел переворот в душах этих отверженных обществом ребят. Я вообще далека от мысли, что искусство способно вдруг, раз и навсегда перевернуть человеческую душу. Скорее, оно каплей точит многовековой камень зла, который тащит на своем горбу человечество. И если хоть кто-то из тех бритоголовых моих сверстников сумел, отбыв срок, каким-то могучим усилием характера противостоять инерции своей судьбы и выбраться на орбиту человеческой жизни, я льщу себя мыслью, что, может быть, та давняя капля, тот мой наивный концерт тихой тенью сопутствовал благородным усилиям этой неприкаянной души...

1986

ЛЮБКА

Ноги у Любки гладкие были, выразительные и на вид — неутомимые, хотя на каждой стопе вдоль пальцев синела наколка «Они устали»... Надо же — щеки впалые, плечи костистые, живот к спине примерз, а ноги — даже странно — что там твоя Психея!

— Одевайтесь, пожалуйста, — сказала Ирина Михайловна и, глядя, как торопливо и зябко путается девушка в лямках рубашки, размышляла.

Надрывная татуировка Ирину Михайловну не смутила. Она второй год сидела в заводской медкомиссии, навидалась за это время всякого, понимала, что детство и юность у человека не всегда протекают на стриженых газонах. Любка держалась скромно, глядела порядочно, пальцы ног на осмотре стыдливо поджимала.

Ирина Михайловна дождалась, пока она оденется, бестолково выворачивая туда-сюда рукава куцей зеленой кофты, и позвала ее в коридор.

— Послушайте... Люба... — она заглянула в лицо девушки. — Вы не представляете, какой это тяжелый хлеб — труд обдирщиц. Через месяц вы рук своих не узнаете, сплошные будут рубцы и ожоги...

Любка настороженно помалкивала, соображая, какого рожна заботливой докторше надо.

— Не пойдете ли няней ко мне? У меня ребенок, восемь месяцев. Сидеть некому, положение тяжелое... А я... я вам шестьдесят рублей буду платить...

Похожа была докторша на воспитанную девочку из ученой семьи. Некрасивая, веснушчатая. Нос не то чтобы очень велик, но как-то вперед выскакивает: «Я, я, сначала — я!» И все лицо скроено так, будто тянется к человеку с огромным вниманием. Губы мягкие, пухлые, глаза перед всеми виноватые. На кармашке белейшего халата уютно вышито синей шелковой ниткой: «И. М. З».

Ах ты, докторша... Ну нянькой так нянькой...

Любка собрала лоб гармошкой и сказала:

— Прикину. Адресок пишите...

Две-три улочки двухэтажных домов вокруг базарной площади, почтамт, пять магазинов в дощатых будках да несколько десятков бараков — этот городишко лепился к металлургическому комбинату и был его порождением. И небольшая санчасть, куда по распределению после института попала Ирина Михайловна, тоже относилась к комбинату.

Стоял сентябрь пятьдесят первого, жесткие душные ветры летучим песком продраивали насквозь каждый переулочек.

Собственно, распределиться после института можно

было удачнее, следовало только вовремя взять справку о беременности. Но мама — а она была человеком мужественным и властным — сказала своей бездумной дочери: «Как ты не понимаешь, Ирина! Сейчас захолустье для нас — спасение... Ничего. Подхвати живот, поедем».

К тому времени прошло два года, как серый, чесучовый, безликий в окошке сообщил, что отца перевели в другой лагерь без права переписки. Передач не принимали. Маму давно уже уволили из госпиталя, где она заведовала неврологическим отделением, жили они на Иринину стипендию, поэтому будущая Иринина зарплата представлялась поводом к дальнейшему существованию.

Так что подхватили живот и прибыли «по месту распределения».

В кирпичном доме им дали комнату — приличная комната, метров двенадцать, в квартире с одной соседкой, и кухня большая, даже ванная с титаном есть — чего еще! Все прекрасно, все прекрасно... Ирина Михайловна проработала три месяца и ушла в декрет. Сонечка родилась в той же санчасти. А что, да почему, да от кого — это никого не касается. Глубоко личное дело...

Главное, с мамой ничего не было страшно, она умела все — перелицевать пальто, торговаться на базаре, сварить из пустяка борщ, нашить пеленок из рваного пододеяльника, — вероятно, для этого в свое время она окончила Сорбонну. Словом, Ирина Михайловна вы-

росла в уверенности, что крепкий человек мама не под-
качает.

Но мама подкачала. Она умерла в одно мгновение:
стояла у окна с пятимесячной Сонечкой на руках, вдруг
сказала спокойно:

— Что-то нехорошо мне, Ира, дай ка воды, — успела опустить ребенка в коляску и — у мамы никогда
ничего не болело! — упала навзничь.

Когда, расплескивая воду, Ирина Михайловна прибежала со стаканом из кухни, мама лежала на полу и
уже не дышала. Дипломированный врач Ирина Михайловна долго ползала вокруг мамы, как медвежонок вокруг убитой медведицы, оглашая воем квартиру, пытаясь делать искусственное дыхание, не понимая, почему
у мамы нет пульса и вообще ничего нет.

Так что вот какое дело... После похорон на песчаном
полупустом кладбище (мама! где Сорбонна, где отец,
где отныне твоя могила...) — после похорон оцепенев-
шей Ирине Михайловне надо было решать что-то с
Сонечкой. Были, были ясли от комбината, да черт бы
их побрал эти ясли. Ребенка жалко.

Тут предложила услуги соседка, Кондакова. Она
работала телефонисткой на почтамте, дежурила через
двое суток на третьи и готова была посидеть с ребенком.
Недешево, конечно, за бесплатно дураки сидят. Но
выхода не было. В дни дежурств Кондаковой Ирина
Михайловна приносила Сонечку в санчасть, и та ползала в ординаторской сама по себе, заползала в углы,
доверчиво оставляя там лужи.

Нет, с Сонечкой надо было что-то решать. Да и по

хозяйству ничего не успевала Ирина Михайловна. После работы Сонечке кашку сварит, а о себе уже и думать некогда. Простирнет то-другое, а убрать уже и сил нет. В доме стало запущенно, под шкафом пыль каталась. Мама, мама...

Словом, необходим был человек в доме. Где, спрашивается, в этом городишке взять человека?

Из года в год комбинат заглатывал, перемалывал, переваривал сотни заключенных из близрасположенного лагеря, пленных японцев, ну и конечно, вольнонаемных рабочих.

Любка была вольнонаемной...

Вечером она явилась все в той же линялой кофте — ни чемодана, ни узелка. От нее веяло гордой бездомностью. Привалилась плечом к стенке в коридоре и сказала:

— Я сегодня к ребенку не подойду. Здесь, в прихожей, лягу. Киньте какое старое одеяло на пол.

Недоумевающая Ирина Михайловна подчинилась. Как выяснилось в дальнейшем, Любка умела распределять интонацию во фразе так, что исключались вопросы и уточнения. И жест еще делала рукой, легкий, отсылающий — мол, а слов не надо...

Наутро, в воскресенье, Любка поднялась рано, потребовала керосину и часа три, запершись в ванной, мылась.

— Вшей выводит, — злорадно догадалась Кондакова. Уплывали от нее нянькины денежки, и это было ей чрезвычайно досадно. Она стояла у своего примуса, бодро помешивая ложкой кисель, и ждала событий. Кондакова была невеста среднепожилого возраста, с круглыми глазками цвета молочного тумана, с выщипанными, как куриная гузка, надбровьями, на которых она, слюнявя коричневый карандаш, каждое утро рисовала две острые, короткие, вразлет бровки.

Наконец Любка вышла — голая и парная, спросила чистую одежду, и, пока Ирина Михайловна копалась в шкафу, подбирая что-нибудь из своего скудного гардероба, Любка, обмотанная полотенцем, непринужденно тетешкалась на кухне с Сонечкой. Кондакова, делая вид, что мешает в кастрюле кисель, косилась на Любкины босые, мраморной красоты ноги и пыталась прочесть наколку. Прочесть было нелегко, и Кондакова щурилась и клонилась к полу. Когда от любопытства она совсем загнулась коромыслом, Любка вдруг подняла ногу и ткнула ступню к лицу Кондаковой.

— На, читай, близорукая, — предложила она многообещающим голосом. Кондакова подхватила кастрюлю и унеслась в свою комнату, где скрывалась до вечера.

А Любка облачилась в мятое клетчатое платье, сшитое когда-то лучшей ташкентской портнихой для выпускного бала, и долго возилась у печки, не без удовольствия ворочая кочергой в огне топки пожившую зеленую кофту.

— И вот что, доктор... — ласково щурясь в танцующих бликах огня, проговорила Любка. — Вы моих денег мне не давайте... Складывайте где-нибудь... чтоб я места не знала...

Она сразу взвалила на себя всю работу по дому. Скребла, стирала, кипятила, варила, возилась с малышкой — самозабвенно. В народе про такое говорят — пластается. Ирина Михайловна переживала, пыталась придержать ее — куда там! Просто когда Ирина Михайловна возвращалась из санчасти, дом оказывался прибранным, обед приготовлен и укрыт старым маминым платком, ребенок накормлен и угомонен. Всего за два-три дня жизнь Ирины Михайловны задышала теплым ухоженным бытом, словно мама вернулась, и от этого по вечерам тоненько скулило сердце...

Недели через две, прихватив Любкин паспорт, она пошла в отделение милиции — прописывать домработницу.

Майор Степан Семеныч как в паспорт глянул, так откинулся в кресле и даже не сразу говорить начал, только тряс перед Ириной Михайловной раскрытым Любкиным паспортом.

— Ирина Михайловна! Что вы делаете?! — наконец крикнул майор. — Она же главарь банды, эта Любка, недавно срок отбыла!

И бросил паспорт на стол.

— А если она вас обворует?!

Ирина Михайловна села, посмотрела на майора, повертела в руках Любкин, вполне обычный на вид паспорт, подумала о маме... Сильный человек мама всегда говорила: «К черту условности!» Девчоночьим жестом оправив юбку на коленях, Ирина Михайловна деликатно, пальчиком подвинула Любкин паспорт к майору и сказала виновато:

— Ну, обворует — я к вам приду...

Пока шла домой, мучительно размышляла, как себя с Любкой держать. Сказать бодро: все в порядке, Люба, я вам доверяю? Фу, пошлость! Главное, не выдать, до чего боязно засыпать в одной комнате с главарем банды.

В коридоре Ирина Михайловна разделась, на цыпочках прокралась к своей двери и приоткрыла ее. В комнате пели, тихо, заунывно. Любка сидела в темноте, спиною к двери, и мерно колыхала коляску. Узкий луч света из коридора полоснул ее меж лопаток и упал к ногам. Коляска кряхтела, потрескивала — кузов ее сплел из ивовых прутьев пленный японец Такэтори, которого Ирина Михайловна выходила после перитонита. Коляска поскрипывала, и Любка влажным горловым звуком тянула странную колыбельную, приноравливая ее ритм к этому шороху и скрипу:

> Чужой дя-а-дька обеща-ал
> Моей ма-а-ме матерья-ал,
> Он обма-а-нет мать твою-у,
> Баю-ба-а-юшки баю-у...

Ирина Михайловна прикрыла дверь и почему-то все на цыпочках пошла на кухню. Там за своим столом сидела Кондакова и понуро тянула чай из пиалы вприкуску с желтым узбекским сахаром.

— Совсем меня с кухни потеснила! — пожаловалась она Ирине Михайловне, длинным шумным хлебком втягивая чай. — Целый день жарит-парит, ресторанное меню готовит... Грубая. Бандитка!

Ирина Михайловна устало подумала, что Кондакова, пожалуй, никогда еще не была так близка к истине. Раскутала кастрюлю, сняла крышку и — замерла, блаженно вдыхая аромат горячего горохового супа.

Словом не обмолвились — ни та ни другая. Будто Любкина биография началась в кабинете медкомиссии. Хотя на человека, скрывающего свое прошлое, Любка похожа не была.

— Вы, Ринмихална, денег в шкафу, в белье, не держите, — посоветовала однажды. — Нельзя так простодушно жить.

Ирина Михайловна растерялась, вспыхнула, возмутилась: неужели Любка в шкафу рылась?

— Я не рылась, — добавила Любка, словно услышав ее мысли. — Заметила, когда вы Кондаковой одалживали... А шкаф, да еще в белье, — первое для домушника место. С него начинают.

— Да какие у меня деньги, Люба!

— Тем более, — возразила та строго.

Незаметно выяснилось, что в жизни Любка разбирается лучше Ирины Михайловны и уж гораздо толковее обращается с деньгами: знает, на что и когда потратить, а когда и придержать. Само собой получилось, что на рынок выгодней посылать Любку.

Как-то прибежала, запыхавшись, бросила в коридоре кошелку с картошкой.

— Ринмихална! Гоните-ка восемьдесят рублей! Там

старушка два стула продает! Сдохнуть можно! Граф-
ские! Ножки гнутые, лакированные! Я час торговалась.

— Люба, у нас же до зарплаты всего сотня осталась...

— Не жмитесь, выкрутимся!

...А стулья и вправду оказались чудом из прошлой,
дореволюционной еще, жизни — с нежной шелковой
обивкой: по лиловому полю кремовые цветочки завива-
ются — осколок какого-нибудь гамбсовского гарнитура, неведомо какою судьбой занесенный в захолустье
азиатского городка. Стулья стояли теперь по обе стороны круглого стола с обшарпанными слоновьими ногами, девственно лиловели обивкой и напоминали двух
юных фрейлин, случайно оказавшихся на постоялом
дворе.

За вечер Любка сшила на них чехлы, протирала
каждый день особой тряпкой изящные гнутые ножки и
называла стулья не иначе как «мебель» («Какая мебель! — с нежностью. — Даром, даром!..»).

Аванс и получку Ирина Михайловна отдавала теперь Любке с огромным облегчением, как раньше —
маме. Не надо было рассчитывать и раскладывать по
полочкам, а потом, как бывало, тянуть последнюю трид-
цатку. Рассчитывала теперь Любка. И увлеченно —
присядет на краешек стула, разбросает перед собою
веером на столе небогатую получку Ирины Михайловны и, сосредоточенно шепча, долго передвигает туда-
сюда бумажки, словно пасьянс раскладывает. И упаси
боже отвлечь ее каким-нибудь невинным вопросом —

например, зачем на примусе весь вечер суп кипит? — она еще и огрызнется:

— Да Ринмихална! Не дергайте меня, Христа ради, я ж считаю! Кипит — пусть кипит, авось не сдохнет!

И обязательно еще выгадает, спрячет десятку-другую в толстенный том «Гинекология и акушерство», а в конце месяца торжественно выложит перед Ириной Михайловной: занавески покупаем.

— Люба, может, лучше боты?

— Боты в другой раз. Сейчас занавески. Живем, как голые — у всех на виду...

Однажды под вечер ушла в магазин и часа три пропадала. Обеспокоенная Ирина Михайловна с Сонечкой на руках вышла на крыльцо и стояла там, вглядываясь в конец переулка. Наконец из топких сумерек на углу возникла Любка, легкая, веселая, чем-то страшно довольная. В каждой руке — по узбекской, с загнутыми острыми носами галоше.

— Люба!..

— Во! Пара — двугривенный! — вплывая из темени на крыльцо, Любка сунула к лицу Ирины Михайловны глянцем отливающую галошу.

— Что это? Зачем?

— Как — что? Во! Пара — двугривенный! Один старый узбек продавал. Он, жук, что выдумал — все в кучу свалил, они, видать, все разные, брак какой-то. Огромная такая гора получилась. Хочешь пару — ползай подбирай. Зато двугривенный.

— Ну?..

— Что — ну?! Я часа три по шею в этих галошах...

Там еще старухи копошились, но, кроме меня, никто
не смог подобрать, — она соединила галоши подошва-
ми, довольно пристукнула. — Во, почти одинаковые!

— Люба, а зачем нам галоши? — растерянно спросила Ирина Михайловна, и, по-видимому, что-то в ее
лице поколебало светлую Любкину радость. Она задумалась на мгновение, пытаясь объяснить мотивы своей
радости, и, наконец, сказала убежденно:

— Ну... Ринмихална! Пара — двугривенный!
Жалко было не купить!

С пальто еще выдающийся случай был. Поскольку
явилась Любка к Ирине Михайловне буквально в чем
мать родила, а ростом и комплекцией они не очень
различались, многое из вещей Ирины Михайловны ес-
тественным путем перешло к Любке. Возникли бреши
в гардеробе. Что-то, конечно, можно было надевать по
очереди, но надвигались холода, шел октябрь, и, например, без пальто, пусть демисезонного, никак не получалось выкрутиться.

Месяца два Любка вкладывала в «Гинекологию и
акушерство» сэкономленные бумажки, томительно ожи-
дала зарплату Ирины Михайловны... Наконец сухо
объявила, что пальто, пожалуй, можно подыскивать.
Тут и всплыла Кондакова со своею нутриевой шубой.
То есть не то чтобы неожиданно всплыла — шуба-то
ее была известной на почтамте и в окрестностях, приличная, с рыжеватой проседью, но продавать ее до сих
пор Кондакова вроде не собиралась, а тут вдруг собралась и предложила недорого.

Ирина Михайловна померила, погляделась в длин-

ное зеркало кондаковского шифоньера, долго размыш-
лять ей показалось неловким, и — решила покупать.
Но в тот момент, когда она уже и деньги отсчитывать
собралась, грянула Любка, вернувшаяся из очередного
похода на воскресный базар.

— Люба, вот шубу у Екатерины Федоровны покупаем, — сообщила Ирина Михайловна, — совсем недорого.

Свалив в коридоре кошелки, Любка отерла руки и
твердо вошла к Кондаковой. Молча стянула с плеч
Ирины Михайловны шубу, раскинула на руках, пощу-
пала, дунула на мех.

— А вы, Ирина Михайловна, всегда теперь у дом-
работницы спрашиваетесь позволения на покупки? —
едко осведомилась Кондакова. Продолжая рассматривать шубу, Любка молча подняла брови. — Просто
смех, и больше ничего... — добавила та, поскучнев.

Любка вдруг ухватила горстью мех, рванула несиль-
но, и — оказалась у нее под пальцами проплешина в
шубе, а на пол облетали печально длинные волоски.
Раз — и еще плешь. И еще.

Кондакова скандально взвизгнула и кинулась на
Любку. Но та как-то ненарочно и слегка выставила
локоть, и Кондакова, напоровшись на него, как на ар-
матуру, крякнула и осела на кровать. Любка и краем
глаза на нее не взглянула.

— Ну что ж вы, Ринмихална, как ребенок, в самом
деле! — проговорила она, и досада слышалась в ее
голосе, и жалость, и странная какая-то ласка. — Любая
сволота вас облапошит... Шуба эта была когда-то

шубой, не спорю... А сейчас в ней только чертовы поминки справлять или вон обед греть...

Она вздохнула, скинула шубу на голову опавшей Кондаковой и вышла из комнаты.

— Значит, так, — сказала она, легким движением вытягивая из руки Ирины Михайловны тощую стопку сотенных. — Обед под платком. Там голубцы и борщ.

— Судиться!.. — Из комнаты Кондаковой неслись истерические вопли. — По закону!.. Порча имущества!..

Любка хладнокровно обвязалась платком:

— Белье замочено, нехай лежит до вечера...

...Вернулась она поздно, полководцем вернулась, одержавшим блестящую победу, усталым полководцем, увешанным трофеями.

— Ну вот, — проговорила Любка удовлетворенно, развязывая узел на тюке из цветастой полинялой тряпки. — Это не шуба, конечно, но вещь приличная, — и вытянула темно-синее драповое, с голубой атласной подкладкой, с масленисто переливающимся цигейковым воротником, немыслимой элегантности пальто. — Совсем новое. Примерьте.

Ирина Михайловна всплеснула руками, накинула пальто поверх халатика, оскальзываясь пальцами, застегнула пуговицы. Пальто сидело как родное, как давняя, на тебя только сшитая, на твоих плечах обношенная, согретая твоим теплом вещь. Любка ползала на корточках, обдергивая подол. Ирина Михайловна огляделаcь подол, рукава... Магазинной бирки не было видно... Вдруг страшная мысль поразила ее.

— Люба! — воскликнула она, в ужасе округлив глаза. — Откуда?!

Любка холодновато взглянула на нее снизу, усмехнулась горькой такой усмешечкой.

— Да что это вы, Ирина Михайловна! Чтоб я в ваш дом легавых притащила?! Да век мне!.. — и оселась вдруг, успокоилась. — Не бойтесь, носите. Это честное пальто... Тут к одному зеку жена из Ленинграда приехала, у тетки Раи комнату сняла... Она приехала, а он уж доходит... Ну, она давай все с себя снимать. Кольцо продала, сережки, пальто вот... Я не торговалась, до копейки отдала... — И встрепенулась: — Но оно и стоит! Вон, овчина какая... играет-то!..

Осень прошла тихо, незаметно. Любка по-прежнему была деятельна и грозно-справедлива в стычках с Кондаковой. За осень Любка отогрелась, подкормилась, расправила плечи, налившиеся бархатным теплом, выяснилось, что овал лица у Любки от природы округлый, подбородок крутой, губы насмешливые. Выяснилось, что Любка, в сущности, совсем молоденькая девушка. И пожалуй, лишь трезвый до жестокости взгляд серых глаз не позволял заподозрить в Любке идиллических намерений.

Осенью пошла девочка, пошла вдруг, отцепив пальчики от ивовых прутьев коляски, поковыляла на круглых ногах, тихо радуясь своему открытию. Теперь она телепалась за Любкой на кухню, иногда шлепаясь на пол и подолгу трудолюбиво поднимаясь с четверенек. Осенью она и заговорила.

— Па-адла, — выпевая гласные, сообщила она как-то вечером изумленной матери.

— Правда, золотой мой, — энергично отозвалась Любка, — падла Кондакова.

— Го-овно, — добавила малышка, и в нежно-шепелявой, детской транскрипции этого слова слышалось нечто первородно-испанское, нечто романтически-звучное, пригодное, пожалуй, и для названия каравеллы...

С удивлением вдруг поймала себя Ирина Михайловна на том, что вечерами, за ужином, рассказывает Любке весь минувший рабочий день — час за часом. Любка хмуровато слушала, вдруг вставляя странные краткие замечания.

— ...а Мосельцова проходит мимо и небрежно так — ну, она элегантная женщина, это главное ее достоинство — говорит: «Что ж это вы, Ирина Михайловна, позволяете себе чужого больного без ведома лечащего врача отправлять на стол?..» — «Позвольте, — говорю, — Зинаида Николаевна, у вас мальчик с острым животом три дня лежал... Да спросите Перечникова, — говорю, — у нас во время операции этот аппендикс в руках разлился...»

— Насчет Перечникова — напрасно, — вдруг прерывала Любка. — Она с ним спит.

— Кто? — оторопело спрашивала Ирина Михайловна, оставив ложку в тарелке.

— Ну кто — эта сука кудлатая, Мосельцова.

— Ой, Люба, а откуда вы взяли... У нас и вправду поговаривают...

Замелькали в Любкиных устах врачебные словечки, дотошно, аккуратно произносимые.

— Сегодня иду, а в магазине ситец выкинули, небесного тона — сдохнуть можно! У меня аж пульс участился: хватит — не хватит? Пока очередь доползла, думала, от тахикардии помру...

Осенью Сонечка болела воспалением легких. Любка это событие пережила как личную свою вину, ночами вскакивала послушать, дышит ли девочка, когда Ирина Михайловна делала укол, металась из угла в угол под густой Сонечкин рев. А один раз твердо, но вежливо сказала Кондаковой:

— У ребенка пневмония. Убедительно прошу в доме не курить... А то прибью.

В один из этих дней Ирина Михайловна, задержавшись в санчасти, опоздала к вечернему уколу.

Открыв ей, Любка спокойно заметила:

— Ну что вы запыхались, Ринмихална? Я уже все сделала.

— Что — все?! — Ирина Михайловна застыла в одном ботике.

— Что... укол! Да чего вы остолбенели-то? Я по всем правилам: кипятила, как вы, и с ваткой ампулу сломала, и за иголку не бралась... Она и не плакала даже. — И не без гордости добавила: — А у вас, между прочим, всегда плачет.

...Зимой, как обычно, подвалило работы — обморожения, эпидемии гриппа. Санчасть была полнехонька, лежали даже в коридорах.

Жесткий, с песочком ветер продраивал лицо до красной мякоти, трепал колкие, хвойные от инея ветки. Крыши по утрам отливали алюминием.

Хотелось снега — глубокого, тихого снега. Но январь проходил пустым, сухим и холодным.

Утром, до обхода, медсестра Лена — перезревшая девушка со свисающими мешочком щеками, локтями, коленками, всегда бдительно-испуганная, всегда вырезающая для стенгазеты материал о международном положении — спросила вибрирующим шепотом:

— Ирина Михайловна! Вы «Правду» читали?

И сразу Ирина Михайловна ощутила прилив тошноты и спазм острого кишечного страха. Такого рода страх, сводящий внутренности, впервые испытала она пятнадцатилетней девочкой, в ночь, когда забрали отца — главврача госпиталя, хирурга, генерала — просто папу.

— Банду раскрыли, заговор врачей... — шептала Лена, оглядываясь на двери ординаторской. — Неужели «Правды» не читали? Статья «Убийцы в белых халатах»... Отравители...

— Нам «Правду» вечером приносят... — сказала Ирина Михайловна белыми губами. В животе было больно и пусто, непонятно даже, как эта пустота могла так болеть. — А... фамилии?..

— Нерусские фамилии! — с жаром сообщила Лена, посмотрела на Ирину Михайловну и смешалась: — В основном... Перечников уже объявил: в три общее собрание всего персонала.

Главврач Перечников эти собрания проводил обычно вяловато, без гражданского темперамента. Но тут случай особый. Тут ужас профессиональной, белой окраски шелестел над головами небольшого коллектива медсанчасти. Рядом с Ириной Михайловной сидел фельдшер Коля Рожков. У него жена должна была родить с минуты на минуту — вторые сутки лежала в предродовой. У нее уже и воды отошли, а тут — собрание. Коля сидел с каменным лицом и мелко-мелко похлестывал по пляшущему своему колену свернутой в трубочку «Правдой». Ирине Михайловне хотелось попросить у Коли газету, но что-то останавливало ее. Потом все равно зачитали.

Читала председатель месткома Мосельцова — педиатр, пышноволосая яркая блондинка. Казалось невероятным, что у нее роман с главврачом Перечниковым. Перечников был сутулым скучным человеком с нелепым лицом, напоминающим штанину галифе, — одутловатые щеки, собранные внизу в длинный подбородок.

Мосельцова читала выразительно, с огоньком. После каждой фамилии врача-убийцы интонацией ставила восклицательный знак и делала небольшую, но значительную паузу, и тогда Ирине Михайловне казалось, что все смотрят в ее сторону.

В заключение Перечников скучным голосом промямлил обычное — о нарастающей борьбе классов, о бдительности каждого сознательного гражданина, о профессиональном долге врача. Как только он закончил,

Коля, уронив на пол газету, расталкивая всех, кинулся в родилку.

Ирина Михайловна дождалась, пока конференц-зал (небольшая комната, заставленная сколоченными в ряд фанерными стульями) опустеет, подобрала с пола «Правду», расправила и заметалась взглядом по страницам. Вот — «Убийцы в белых халатах» — сердце барахталось в мутной пучине страха.

— Вам что-то неясно, Ирина Михайловна?

В дверях стояла Мосельцова. Она красила губы, с удовольствием всматриваясь в маленькое круглое зеркальце.

Хороша была Мосельцова — красиво откинутая золотоволосая головка с эффектной прической, полноватый, но подтянутый бюст. Хороша.

Она вымазала верхнюю губу о нижнюю, вытянула их бубликом — выражение лица стало детски трогательным, сюсюкающим.

— Мне ка-эт-ся, — быстрый промельк языка, — я доходчиво читала?

Напряжением воли заставив себя еще несколько мгновений молча рассматривать колеблющийся в руках газетный лист, Ирина Михайловна наконец свернула его и сунула в карман халата.

— Да, — сказала она, — вы были очень убедительны...

Мосельцова улыбнулась — почти доброжелательно.

— Может, какая-то фамилия знакомой показалась? У вас ведь, если не ошибаюсь, семья московская, врачебная?

Ирина Михайловна подалась к ней бледным внимательным лицом. Это проклятое, виноватое от природы выражение глаз! Как, как заставить себя быть непроницаемой? Мама умела оборвать таких, как Мосельцова, одним словом...

— Вы не ошибаетесь, — тихо проговорила Ирина Михайловна. — Но моя семья последние лет двадцать жила в Ташкенте.

Она прошла в дверях мимо Мосельцовой, и та сказала в спину:

— А вы напрасно не пользуетесь губной помадой... Это бы как-то расцветило вас...

...Когда Ирина Михайловна возвращалась домой, ветер вдруг унялся и пошел снег. Снежинки летели так тихо, так редко и потерянно, что казались случайно упущенными где-то в ведомстве небесной канцелярии; одна тщилась догнать другую, другая — третью, но не завязывалось морошливой круговерти, и потому чудилось, что в стылом воздухе витает одиночество и напрасно прожитая жизнь...

Дома, едва отперев дверь, она услышала из кухни торжествующий голос Кондаковой. И секунды было достаточно, чтобы узнать текст *той* статьи, довольно, впрочем, своеобразно окрашенный неправильными ударениями и полным пренебрежением к знакам препинания.

Ирина Михайловна стояла в темноте коридора, в пальто, в ботах, слушая победный голос Кондаковой, ненужно громкий в их квартире, и представляла себе жутковатую картину: как, помирившись на почве патриотического гнева, Кондакова с Любкой изучают на

кухне «Правду». Этакое домашнее коммунальное собрание — Кондакова читает, а Любка слушает, подперев голову и горестно кивая.

Она стояла в темноте коридора, мечтая о маме и в
то же время страстно завидуя ее, маминому, неведению,
забвению; проклиная себя за то, что родила на свет еще
одну окаянную, вечно гонимую душу, еще одного изгоя.
Эта маленькая душа спала сейчас, вероятно, в своей
ивовой колыбели, и ради нее надо было сделать шаг,
пройти по коридору, снять пальто и боты и — жить
дальше, жить ради этой маленькой души, пока твою
жизнь не возьмут в щепоть и не разотрут между пальцами, как пыльный комочек моли...

Любка домывала в комнате пол, заткнув подол платья за пояс, мелькая в сумерках высокими, античной
стройности ногами.

— А... Ринмихална... — рассеянно пробормотала
она, разогнувшись. — Куда вы в ботах по чистому!..
Стойте... — Она поставила табурет у двери, и Ирина
Михайловна села, как подломилась. — Слыхали — на
кухне? Старая курва сама себе доклад делает... Это она
второй раз уже... Вон орет, чтоб мне слышно было...
Я все жду, как по третьему кругу запоет, пойду ее на
примус сажать...

Она крепко отжала тряпку и шлепнула у ног Ирины
Михайловны:

— Нате. Вытирайте.

— Люба... — медленно проговорила Ирина Михайловна мерзлым голосом, жестким настолько, что

больно было говорить. — Люба... Вам, вероятно, следует уйти... от нас с Сонечкой...

Любка выпрямилась, одернула юбку, нехорошо со-
щурив глаза:

— Да? Это куда же? Чем не угодила-то? А? Ринмихална?

Та откинулась, почувствовав затылком прохладу
стены, прикрыла веки.

— Дело в том, Люба... Может быть, вы не знали...
Я ведь той же нации, что эти врачи... отравители.

— Да какие они отравители?! — глубоко воскликнула Любка. — Вы-то, Ринмихална, вы-то в своем
уме?!

— Тихо, тихо, Люба!

— Мне уж вы не пойте, я не Кондакова, я в зоне
таких отравителей ох сколько навидалась!

— Да погодите же, не в этом дело!.. — Ирина
Михайловна страдальчески поморщилась. — Я говорю
сейчас о том, что у меня вам небезопасно оставаться...

Любка еще мгновение смотрела на нее, не понимая,
и вдруг захохотала — бесшабашно-весело, шлепая себя
по коленям, по щекам, по животу.

— Мне! Мне опасно! Ой, не могу... Ой, насмеши-
ли, Ринмихална... — Она искренне веселилась. —
Мне — опасно! Значит, не вам с моей уголовной
рожей, а мне — с вами... Ох, ну дожились... Ну,
умора... — И не сразу успокоилась.

Из кухни гремел голос Кондаковой — она заходила
на третий круг.

— Репродуктором сделалась. Большое удобство, наш-то третью неделю молчит. Ну пойду на стенку повешу, чтоб ей задницей до точки дотянуться.

— Люба, умоляю!..

Но Любка настойчиво и вежливо придержала дверь, не пуская Ирину Михайловну.

— Вам туда не стоит, Ринмихална. — Движения мягкие, голос вкрадчивый, на жестком лице окаменевшие скулы. — Да не бойтесь, не забью суку.

Вышла и плотно прикрыла за собою дверь. Через минуту голос на кухне оборвался и наступила тишина — звонкая и такая прозрачная, что слышно стало, как сопит в коляске Сонечка.

Ирина Михайловна испугалась и приоткрыла дверь. Из кухни доброжелательно, тихо журчало:

— ...из тебя душонка соплями вытечет... — Кондакова как-то пискнула и зашуршала, затем резко двинули стулом, что-то шлепнулось, кто-то всхрапнул, и опять зажурчало приветливо: — ...еще разочек... нехороший взгляд... ты у меня ползком вокруг собственной жопы ползать будешь... Настучишь — хорошие люди в могиле достанут...

Весь этот монолог, как ягоды листочками в корзине, был пересыпан отборнейшим, великолепным многоступенчатым матом, открывающим такой простор воображению Кондаковой, что дух захватывало. Ирина Михайловна даже не подозревала, что можно составлять такие сложные художественные конструкции из столь примитивных элементов.

...На другое утро, во время обхода, Крюков из третьей палаты, сцепщик Крюков, сдавленный и переломанный вагонами, вытянутый Ириной Михайловной с того света, Крюков, называвший Ирину Михайловну «девочка-доктор» и не забывавший при этом добавить «дай ей Бог здоровья», сцепщик Крюков заявил, что с сегодняшнего дня не желает подставляться шпионским наймитам для опытов над людьми. Ни уколов, ни капельницы делать не даст, так и запомните.

Медсестра Лена как стояла со штативом в руках и бутылью физраствора, так и обмерла, затряслись все ее мешочки — щеки, локотки, коленки...

— Кому? — переспросила Ирина Михайловна, чувствуя на лице пульсирующий румянец. — Кому подставляться, Сергей Иванович, — най-митам?

Палата — пятнадцать коек тяжелых и среднетяжелых — зловеще примолкла, глядя кто куда. Румянец медленно сползал со щек Ирины Михайловны. Она спросила тихо и внятно:

— Кто еще отказывается лечиться у шпионского наймита?

Молчали, только бухгалтер стройконторы Дрынищин на крайней у двери койке шевельнулся и тенорком:

— А что же, ждать, пока перетравите всех к чертям собачьим?..

Ирина Михайловна вышла из палаты и по коридору, заставленному койками, побежала в ординаторскую, страстно надеясь, что сейчас, во время обхода, там пусто и можно выплакаться над умывальником и умыться холодной водой. Но шагов за десять услышала голоса, одновременно возбужденные и придавленные:

— ...дело в профессиональной этике!

— Бросьте сиропить, какая там этика! — Это был голос Мосельцовой. — Вот погодите, состряпают больные бумагу за рядом подписей да пошлют куда следует, и вы, с вашей профессиональной этикой... Весь коллектив пострадает из-за одной паршивой овцы... Думаете, народ проведешь? Фамилия у нее типичная, да и внешность... ярко выраженная...

Ирина Михайловна повернулась и пошла прочь. Какая-то бабка позвала жалобно с койки: «Дочка, а дочк...» — она не обернулась, и потом долго эта бабка звала ее в снах, а она не оборачивалась...

Пальто осталось в ординаторской. Черт с ним, с пальто. До дома минут десять бегом.

В их пустынном переулке плавал тот редкий, пасмурно-спокойный теплый свет, какой бывает обычно в просторной комнате с высокими окнами. (Смутное воспоминание детства — высокие окна московской квартиры...) Узкое длинное небо над переулком казалось серым, давно не мытым стеклом огромной теплицы.

И тут за спиной истошно крикнули:

— Ир-р-ра-а-а!! — Мученический вопль полоснул ее, отбросил к стене дома взрывной волной боли. Это был папин голос. Это папа крикнул истошно, явно:

— Ира!!

Колени ее мелко дрожали, пот побежал по ледяной спине. Не в силах глотнуть воздуху параллизованно открытым ртом, она обернулась. На углу переулка трое рабочих в черных ватниках ремонтировали дом. Тот, что внизу, еще раз зычно крикнул:

— Вир-ра! — И те, на крыше, взялись за тросы и потянули корыто вверх.

Ирина Михайловна постояла еще с минуту на подсекающихся ногах, наконец побрела к дому.

Любка, открыв, увидела ее и ахнула:

— Пальто стырили?!

Ирина Михайловна мотнула головой, хотела что-то сказать, но Любка вдруг накренилась вместе с полом, задребезжала, как холодец, и, обморочно закатив глаза, Ирина Михайловна повалилась на Любку окоченевшим телом...

Весь вечер она лежала заботливо придавленная двумя одеялами и сверху еще старым маминым пальто, дрожала и слушала, как за окном ветер треплет бельевую веревку и прищепки трещат, как кастаньеты. Может быть, поэтому не сразу различила стук в окно — тихий, деликатный. Она вскочила и бросилась к окну: на присыпанной снежком земле топтался Перечников и что-то говорил через стекло. Она толкнула форточку и услышала:

— На два слова...

Стоял Перечников, наверное, минут уже десять, потому что слой хрупкого сыпучего снежка был оттоптан до черноты. С локтя его свисала длинная крупнодырчатая авоська с синим тюком внутри. Ирина Михайловна накинула на плечи мамин платок, выскочила и обежала дом:

— Федор Николаевич, что случилось?

— Да ничего, не пугайтесь... — пробормотал он, бросая окурок. — Вы не пугайтесь. Вы пальто сегодня забыли, я вот принес, так как холода... и... Тут разговор у меня с вами некоторый... Черт, даже не знаю, с какого конца...

— Может быть, в дом зайдете?

— Нет-нет! — Он встрепенулся, поднял воротник пальто. — И пожалуйста, мил человек Ирина Михайловна, чтоб о разговоре этом ни друг, ни сват, ни соседская курица...

Лицо его под теплой ушанкой выглядело совсем нелепо, одутловатые щеки рдели на морозе, нос беспокойно пошмыгивал. То и дело он оборачивался на мусорную свалку у забора, там длинными синими тенями носились коты.

— Пальтишко у вас легкое такое. Да вы наденьте-то, господи! Ну, чтоб уж долго вас на холоде не держать... — Он достал платок, затеребил нос. — Вы у нас не доработали по распределению год, кажется, с копейками?.. Так вот, Ирина Михайловна, давайте-ка мы изобретем какое-нибудь уважительное состояние здоровья и тихо-мирно, по собственному желанию отпустим вас в Ташкент, в столицу, из этой нашей тмутаракани...

Ирина Михайловна смотрела на Перечникова, видела его красную, замерзшую руку, комкавшую платок. Пришел тайком, вызвал к мусорке «на два слова»... Сочувствует он ей, что ли?

Она надела мятое пальто и сказала:

— Видите ли, Федор Николаевич, в Ташкент мне ехать незачем. У меня там, кроме дряхлой тетки, нико-

го. И на работу, как вы сами знаете, никто меня сейчас
не возьмет... Вы человек не наивный и понимаете, что
в Ташкенте сейчас вакханалия почище, чем у нас. К
тому же бывают времена, когда в тмутаракани легче
выжить, чем в столицах... Спасибо, что хотите избавить
меня от скандала. Я понимаю, что персонаж с моей
фамилией вам сейчас крайне неудобен...

— Ирина Михайловна, голубчик, — Перечников
даже застонал, — умоляю, только не надо пошлостей!
Меня-то уж вам незачем обижать. Как видите, пришел
к вам... я всегда... с большим уважением... по моему
мнению, вы прекрасный диагност, это, знаете ли, от
Бога... Ну что делать, раз такие времена!.. — Он
бормотал, схватив ее руку своей жесткой, застывшей
рукой. — Пришли, ввалились в кабинет... Коллектив-
ное, понимаете ли, заявление. Изволь реагировать...
разбираться... А может, и сообщать куда следует...
Мосельцова какой-то бред несет... Каким-то вы там
крымским татарам сочувствуете вслух... Тошнит, но
изволь... положение обязывает...

«Ну вот, а говорили, что с Мосельцовой у него
роман, — рассеянно подумалось Ирине Михайловне. — Почему — татарам?.. Кажется, японцы удобнее, толковее. Татарского шпиона — что-то я такое
еще не слышала...»

— Не пренебрегайте опасностью, Ирина Михайловна... Не пренебрегайте... Ведь я, по меньшей мере,
уволить вас обязан!

— Увольняйте, — сказала она. — Мне отсюда
бежать некуда.

Минут пять еще Перечников говорил что-то вино-

вато-настойчивым тоном, но, поняв, что она не слушает, заглянул в ее глаза, вдруг поразившие его некон-
кретной, вневременной тоской, махнул рукой и пошел.
Но, отойдя шагов на десять, вдруг вернулся торопливо
и вполголоса спросил:

— К Исмаилову в стройконтору пойдете уборщицей — попробую договориться?

— Пойду, — ответила она безразличными губами...

Перечников слегка подволакивал левую ногу, словно волочил за собой тяжелое ядро черной тени. Ирина
Михайловна глядела, как тащит он по снегу свою
съеженную тень, и не могла понять, что, собственно,
смешного находила она прежде в этом человеке?

Вернувшись в дом, она долго молчала, слушая уже
ставшую привычной колыбельную, которую полупела-
полумычала Любка, потом сказала задумчиво:

— Если со мною что-то случится, Люба, отвезете
Сонечку в Ташкент, к моей тетке. Я адрес напишу...

Чужой дя-а-дька обеща-ал
Моей ма-а-ме матерья-ал...

— Еще чего, повезу я ребенка хрен знает кому... —
буркнула себе Любка. — Как-нибудь уж... сама не
калечная...

Он обма-а-нет мать твою-у...
Баю-ба-а-юшки баю-у...

...В эту ночь сумбурным шепотом с самодельного
топчана в углу комнаты Любка в подробностях рассказала свою жизнь. Последняя преграда между ними,
возведенная воспитанием, образованием, жизнью, рухнула. Пария открывалась парии.

Своих настоящих родителей Любка помнила смутно, смазанно, как на давнем любительском снимке, знала только, что семью их раскулачили и выслали в Сибирь, что по дороге от голода умерли двое старших, братья Андрей и Мишка, а двухлетнюю Любку отчаявшаяся мать отдала на станции под Семипалатинском чете профессиональных воров — бездетной Катьке приглянулась синеглазенькая прозрачная девчонка, и за нее отвалили раскулаченным буханку хлеба, три селедки, головку чеснока и большой кусок мыла.

Так Любка была спасена и — обречена.

Уже через полгода она артистически проникала в форточки, шныряла на вокзалах («Тетенька, я потерялась, хочу в туалет...» — за спиной сердобольной тетеньки уплывали сумки и чемоданы), клянчила в поездах, изображая сироту и так далее. Справедливости ради следует заметить, что и стареющая Катька, и виртуоз домушник Штыря по-своему любили девчонку, не обижали (пальцем не тронули! — с гордостью уточнила Любка) и время от времени, спохватясь, даже посылали в школу. Но характер у Любки вырисовывался лютый, никто ей был не указ и не начальник, и уже лет в пятнадцать она позволяла себе прикрикнуть на добряка алкоголика Штырю, а Катьке указать ее законное место — в заднице.

Поэтому, когда Штырю однажды после длительной пьянки хватила кондрашка и он, распластанный и мычащий, остался на Катькиных руках помирать и пачкать, Любка спокойно и властно взяла «дело» на себя. И ей подчинились — и Канава, и Чекушка, и Котик с Пыльным.

— Потому что я башковитая, — объяснила Любка
страстным шепотом. — У меня ж в голове сразу весь
план «дела», чтоб толково и чисто, а они — что?
Грабануть, толкануть, нажраться и сесть лет на семь.
Из-за этих козлов драных и я загремела...

Когда наконец она умолкла, Ирина Михайловна
приподнялась на локте и сказала в сгущенную темноту
угла, где на топчане лежала Любка, главарь банды:

— Вы человек талантливый, Люба, сильный. Вот
переживем, Бог даст, весь этот бред, уедем в Ташкент,
определю вас в вечернюю школу. А потом — в мед-
училище, у меня там сокурсница работает... Я из вас
сделаю... — чуть было не сорвалось «человека», она
запнулась, покраснела в темноте и сказала твердо: —
Медсестру...

Исмаилов уборщицей взял. Но не Ирину Михайловну, а... Любку. Та, узнав, кем устраивается после
увольнения Ирина Михайловна, разразилась дома настоящей бурей.

— Шваброй шкрябать?! — грозно вскрикивала
она перед растерянной Ириной Михайловной. — Той
кудлатой суке тряпки под ноги расстилать?!

— Люба, при чем тут Мосельцова, это же строй-
контора, совсем другое здание.

— Та чтоб я сдохла, если хоть раз, хоть где вас с
ведром увидят!

Любка была страшна, возражений не слушала, ис-
крила глазами. Назавтра она пошла сама к Исмаилову,

дело было вмиг улажено, и Любка влилась в коллектив стройконторы.

Теперь Ирина Михайловна сидела дома, жарила картошку и с сиротливым нетерпением ждала Любку домой. Помешивая кашу, она иногда с горькой усмешкой думала, что, в сущности, это даже очень смешно, и если в хорошей компании, со вкусом, с юмором рассказать, как стала она Любкиной домработницей, причем безрукой и никчемной домработницей... Выходной, что ли, вытребовать у Любки, отпускные?.. Отец умел рассказывать такие истории, даже и не выдумывая, лишь выбирая те или иные разрозненные происшествия и ставя их в смехотворно нелепое соседство... Словом, дело оставалось лишь за хорошей компанией.

Дважды за эти недели к окну в темноте прокрадывался Перечников и молча, ловко, как баскетбольный мяч в корзину, вбрасывал в форточку скомканные тридцатки. Ирина Михайловна пыталась вернуть их тем же путем, но Перечников, выпучив глаза и смешно отмахиваясь ладонями, торопливо удалялся, волоча за собою по снегу съеженную черную тень.

К марту скудный снег сошел, но холодный ветер так же неумолчно трещал за окном прищепками, гнул и ломал прутики тополей на пустыре. Дни стояли голые, весенне-сквозные — неприютные дни...

Вечером приходила вымотанная Любка, набрасывалась на пережаренную или полусырую картошку, рассказывала вполголоса:

— Радиоточку не выключают дня два уже. Как сводку о здоровье передают — все обмирают, и такая тишина — слыхать, как по бумаге ластик шуршит.

Ирина Михайловна слушала, нервно переплетя тонкие, врачебные — с коротко и кругло подстриженными ногтями — пальцы и ускользала взглядом за окно, на пустырь с помойками.

В одну из таких минут Любка, вдруг перестав жевать, спросила, глядя ей в глаза:

— Ринмихална! А вы все молчите, молчите... Вы же врач... Ну скажите — неужели выживет?

Ирина Михайловна даже дернулась, метнула затравленный взгляд на дверь Кондаковой и тоже, глядя Любке в глаза, отчеканила шепотом:

— Не болтайте-ка, Любовь Никитична!

Как-то днем Ирина Михайловна уложила Сонечку и села штопать чулки. Вдруг грохнула входная дверь, пробежали по коридору... ворвалась в комнату Любка. Ирина Михайловна вскинула на нее глаза, ставшие вдруг сухими, проваленными, страшными. Она молчала.

И Любка молчала, сжав кулаки, глядя перед собою со странным выражением вдохновенной ненависти. Так, может быть, смотрит кровник, только что убивший заклятого врага семьи.

— Боже мой... — прошептала Ирина Михайловна.

— Подох! — коротко выдохнула Любка. Ирина Михайловна швырнула чулки и заплакала. Любка кинулась к ней, стиснула в свирепых объятиях.

— Люба... тише... нехорошо... — шептала, всхлипывая, Ирина Михайловна. — Нельзя так... говорить...

— Можно, можно! — торжествующе грозно повторяла Любка. — Подох, подох! Сдохла рябая собака!

...Весь этот вечер в своей комнате тягуче рыдала

Кондакова. Вышла на минуту на кухню — чайник вскипятить — опухшая, старая, со смазанными бровями. Взвыла несколько раз над закипающим чайником.

— Ну надо же, — сказала Любка не без уважения, — как горевать умеет... Ринмихална, я что думаю: а ведь многие, пожалуй, по стране сегодня вот так-то воют?..

— Многие, Люба, — серьезно ответила Ирина Михайловна.

К концу апреля нахлынуло из пустыни тепло, песок просох от дождей, вихрился на ветру воронками, сбивал алые трепещущие лепестки маков на саманных крышах домишек. Млели на солнце крохотные серые ящерки.

Ирина Михайловна была восстановлена на работе в санчасти, Любка — в своих кухонных правах.

К концу апреля она заскучала.

Вечером, накануне Первомая, сидела у окна, поглядывая, как на домике милиции вывешивают флаг, и молчала. Сонечка безуспешно взывала о горшке, потом от безнадежности надула в штаны. Любка рассеянно переодела ее в сухое и уж до ночи не поднялась с табурета перед окном, мрачно упершись взглядом в черное, фальшиво-бриллиантовое небо. Утром, причесавшись под гремящие отовсюду марши, она сказала:

— Ринмихална, дайте денег. Пойду погуляю.

И сказано это было тем самым, исключающим вопросы и уточнения тоном.

Ирина Михайловна пожала плечами: где в этом городишке Любка собирается «гулять»! — но деньги отдала почти все. Гуляйте, Любовь Никитична.

Любка ушла и — пропала.

День прошел — нет Любки, два — нет, три... Ирина Михайловна извелась, но что-то удерживало ее заявить в милицию, Любка не одобрила бы этого шага.

Поздним вечером на третьи сутки (Ирина Михайловна уже легла и даже беспокойно задремала) в дверь легонько стукнули. Сквозь дрему узнавшая легкий этот стук, Ирина Михайловна вскочила, босая, пробежала по коридору, отворила дверь и — ахнула.

На пороге, мерцая лунным испитым лицом, стояла Любка в немыслимо шикарном, с блестками, платье, только что, казалось, содранном с оперееточной примадонны. Глубокий, как обморок, вырез клином сходился на животе, стиснутая с боков грудь выпирала в центре грудной клетки двумя литыми полукружьями.

Млечный Путь вздымался над шальною Любкиной башкой и упирался в бесконечность. Темное азийское небо тяжело провисало, колыхаясь и клубясь бесчисленными мирами звезд...

Надо всем этим вдруг почудились Ирине Михайловне драматические переливы меццо-сопрано, что-нибудь такое из «Риголетто», что ли... Вся картина казалась продолжением сна. И в этом лунном, зыбком, знобком сне Любка торжественно и полно отвесила ошалевшей Ирине Михайловне земной поклон и сказала звучным трезвым голосом:

— Ирина Михайловна! Спасибо вам за все... Держали меня, грели, шкафов не запирали, «вы» говорили. Я вас до смерти не забуду... А сейчас дайте мой паспорт, я уйду... — и по-своему так рукой махнула, мол, а слов не надо...

Ирина Михайловна, сдавленным сердцем чуя, что та погибла, все еще лунатически двигаясь, достала из шкафа Любкин паспорт, протянула. Любка поцеловала спящую Сонечку и вышла на порог. На нижней ступеньке крыльца она цепко взяла Ирину Михайловну за плечи, молча, долго смотрела на нее, прощаясь. Вдруг они подались друг к другу, обнялись. Ирина Михайловна заплакала. Любка повернулась и пошла.

— Люба! — дрожащим голосом окликнула Ирина Михайловна. Ее колотил озноб. — Любовь Никитична!

Любка обернулась, опереточно переливаясь в темноте блестками:

— А дом теперь можете совсем не запирать. За ним мои ребята приглядывают... И не ищите вы меня, Христа ради. Не марайте себя этим гнусным знакомством...

...Темное азийское небо тяжело провисало, колыхаясь и клубясь, бесчисленными мирами звезд. Жизнь текла, не останавливаясь ни на мгновение. Невесть откуда взявшееся меццо-сопрано с тоской оплакивало эту жизнь, эту темень, этот городок — нелепый нарост на краю пустыни, людей, зачем-то живущих здесь...

Любка сгинула во тьме теплой ночи. В тот год ей исполнилось двадцать три. Хозяйка ее была чуть моложе.

Словом, Любка села. Добрейший майор Степан Семеныч не без укоризны в голосе сообщил совершенно убитой всей историей Ирине Михайловне, что Любка со товарищи обокрали в Ташкенте Академический театр оперы и балета (вот оно, платье-то с блестками!). Вот они, пророческие трели меццо-сопрано!). Мало — всю буфетную выручку взяли, так набедокурили, набезобразничали в реквизитной. Сторожа оглоу-

шили, и на прощание бессознательного старичка обря-
дили в костюм Спящей красавицы и — во гроб хрус-
тальный, реквизитный, где он и качался на цепях до
приезда опергруппы. Короче — ужас... Вот как вы
рисковали-то, Ирина Михайловна... Страшно подумать, какой опасности вы подвергали себя и своего
ребенка...

Сонечку пришлось определить в ясли. Впрочем,
Ирина Михайловна недолго задержалась в городишке.
Отработала оставшиеся год с копейками и уехала в
Ташкент. Тетка еще жива была, приняла, прописала.

Появился вдруг Сонечкин отец, все еще связанный
семьею, виноватый во все стороны перед детьми, но
горевший желанием помочь всем, любить всех, облег-
чать как-то жизнь. В первое же лето достал путевки в
Сочи, и Ирина Михайловна ради ребенка спрятала
гордость в сумочку, смирилась, повезла Сонечку на
море. Вернулись они коричневые, обе в веснушках, обе
носатые, веселые, в сарафанах. Появились у Ирины
Михайловны бежевый китайский плащ в талию, губная
помада, пудреница, духи «Красная Москва». Жизнь
постепенно набирала вкус, смысл и краски...

Лет через семь Ирину Михайловну разыскал Перечников, приехавший в Ташкент на курсы повышения
квалификации. Ирина Михайловна тогда уже заведовала терапевтическим отделением крупной инфекцион-
ной больницы.

Перечников не изменился и опять показался ей
немножко смешным, особенно когда откашливался в

кулак, — тогда щеки его надувались и еще больше
напоминали штанину галифе. Он долго, подробно рассказывал о городке, который разросся (не узнаете!), об
укрупненной санчасти, о знакомых... Он говорил, и все
это представлялось Ирине Михайловне таким далеким,
захолустным, чужим, словно и не было там прожито
три тяжелейших года.

— А вы, Ирина Михайловна, не подозреваете,
какую роль в моей жизни сыграли, — вдруг сказал
Перечников, смущенно улыбаясь. — Помните, конечно, Мосельцову? Мы ведь с нею уже и расписаться
должны были, а тут эта ваша история, в пятьдесят
втором... И вот как человек проявляется — это я о
Мосельцовой... Так она мне противна стала — глаза б
не глядели. И все! — Он засмеялся. — Больше уж не
рискнул менять холостяцкую долю...

Уже надевая в прихожей новые китайские туфли,
Перечников спохватился и достал сложенную вдвое,
махровую на сгибе поздравительную открытку.

— Чуть не забыл! Держу года четыре, специально
для повода — увидеться... Вот, пришла на адрес санчасти. Там ничего особенного. Поздравление.

Ирина Михайловна взяла в руки мятую открытку,
и вдруг — приблизилось, налетело, навалилось все:
скрип ивовой коляски, кастаньетное щелканье прищепок
за окном, холодные ветры и:

> Чужой дя-а-дька обеща-ал
> Моей ма-а-аме матерья-ал...

«Дорогие Ирина Михайловна и Сонечка! — написано было крупно, размашисто и — что удивило —

грамотно. — Поздравляем вас с праздником Восьмого марта, желаем...» Ну и так далее, как положено, — со здоровьем, счастьем, со всем необходимым человеку. И подпись: Люба и Валентин...

Ни адреса, ни намека, где искать. Что за характер!.. Весь вечер Ирина Михайловна слонялась по дому сама не своя. Наконец взялась гладить тюк белья, недели две ожидающий своей очереди. Катала тяжелый утюг по глади пододеяльника, вспоминала, вспоминала: скрип ивовой колыбели, сплетенной японцем Такэтори, две почти одинаковые узбекские галоши — пара двугривенный, лысеющую кондаковскую шубу... Подумала: надо в каникулы съездить с Соней на мамину могилу. Соня два раза спрашивала из-под одеяла:

— Мам, ты чего?

— Ничего...

...Скрип коляски, черное азийское небо над двумя девочками, безнадежно обнявшимися у края ночи, на нижней ступени крыльца. И —

> Чужой дя-а-дька обеща-ал...
> Моей ма-а-аме матерья-ал...

Что за характер! Ни адреса, ни намека, где искать...

> Он обма-а-нет мать твою-у...
> Баю-ба-аюшки баю-у...
> Баю-ба-а-юшки баю-у...

1987

КОГДА ЖЕ ПОЙДЕТ СНЕГ?..

Маленькая повесть

За ночь исчезли все городские дворники. Усатые и лысые, пьяные, с сизыми носами, громадные глыбы в коричневых телогрейках, с прокуренными зычными голосами; дворники всех мастей, похожие на чеховских извозчиков, — все вымерли за сегодняшнюю ночь.

Никто не сметал с тротуаров в кучи желтые и красные листья, которые валялись на земле, как дохлые золотые рыбки, и никто не будил меня утром, перекликаясь и гремя ведрами.

Так они разбудили меня в прошлый четверг, когда мне собирался присниться тот необыкновенный сон, даже не сон еще, а только ощущение надвигающегося сновидения без событий и действующих лиц, все сотканное из радостного ожидания.

Ощущение сна — сильная рыбина, бьющаяся одновременно и в глубине организма, и в кончиках пальцев, и в тонкой коже на висках.

И тут меня разбудили проклятые дворники. Они гремели ведрами и шаркали метлами по тротуару, сметая в кучи прекрасные мертвые листья, которые вчера еще струились в воздухе, словно золотые рыбки в аквариуме.

Это было в прошлый четверг... В то утро я проснулась и увидела, что деревья пожелтели вдруг за одну ночь, как седеет за одну ночь человек, переживший тяжкое горе. Даже то деревце, которое я посадила весной на субботнике, стояло теперь, вздрагивая золотистой шевелюрой, и было похоже на ребенка с взлохмаченной рыжей головкой...

«Ну началось... — сказала я себе, — приветик, началось! Теперь они будут сметать листья в кучи и сжигать, как еретиков».

Это было в прошлый четверг. А сегодня ночью все городские дворники исчезли... Исчезли, ура! Во всяком случае, это было бы просто здорово — город, заваленный листьями. Не наводнение, а налистнение...

Но, скорее всего, я просто проспала.

Сегодня воскресенье. Максим не идет в институт, а папа на работу. И мы весь день будем дома. Все втроем, весь день, с утра до вечера.

— Дворников больше не будет, — сказала я, садясь за стол и намазывая масло на кусок хлеба. — Все дворники кончились сегодня ночью. Они вымерли, как динозавры.

— Это что-то новенькое, — буркнул Максим. По-моему, он был сегодня не в духе.

— А я редко повторяюсь, — охотно согласилась я.

Это было началом нашей утренней разминки. — У меня обширный репертуар. Кто сделал салат?

— Папа, — сказал Максим.

— Макс, — сказал папа.

Это они сказали одновременно.

— Молодцы! — крикнула я. — Не угадали. Салат сделала я вчера вечером и поставила его в холодильник. Там он, я полагаю, был найден?

— Да, — сказал папа. — Бестия...

Но и он сегодня был не в духе. То есть не то чтобы не в духе, а вроде бы чем-то озабочен. Даже эта утренняя зарядочка, которую я запланировала с вечера, успеха не имела.

Папа минут десять еще покопался в салате, потом отложил вилку, уперся подбородком в сцепленные руки и сказал:

— Нужно обсудить одно дело, ребята... Я хотел с вами поговорить. Вернее, посоветоваться. Мы с Натальей Сергеевной решили жить вместе... — Он помолчал, подыскивая еще какое-то слово. — Ну-у, что ли, связать свои судьбы.

— Как? — ошалело спросила я. — Как это?

— Папа, прости, я забыл поговорить с ней вчера, — торопливо сказал Макс. — Мы не возражаем, папа...

— Как это? — тупо переспросила я.

— Мы поговорим в той комнате! — сказал мне Макс. — Это все понятно, мы все понимаем.

— Как это? А как же мама? — спросила я.

— Ты с ума сошла? — сказал Макс. — Мы поговорим в той комнате!

Он с грохотом отодвинул стул и, схватив меня за
руку, поволок в нашу комнату.

— Ты что, с ума сошла? — холодно повторил он,
насильно усадив меня на диван.

Я спала на очень старом диване. Если заглянуть за
второй валик, к которому я спала ногами, можно увидеть наклейку, рваную и еле заметную: «Диван
№ 627».

Я спала на диване № 627 и иногда ночами думала,
что где-то у кого-то в квартирах стоят такие же старые
диваны: шестьсот двадцать восемь, шестьсот двадцать
девять, шестьсот тридцать — младшие братья моего.
И я думала, какие, должно быть, разные люди спят на
этих диванах и о каких, должно быть, разных вещах
они думают перед сном...

— Максим, а как же мама? — спросила я.

— Ты с ума сошла-а! — простонал он и сел рядом,
зажав ладони между колен. — Маму не воскресишь.
А у отца жизнь не кончена, он еще молод.

— Молод?! — с ужасом переспросила я. — Ему
сорок пять лет.

— Ни-на! — раздельно сказал Максим. — Мы же
взрослые люди!

— Это ты взрослый человек. А мне пятнадцать.

— Шестнадцатый... Мы не должны отравлять ему
жизнь, он и так долго держался. Пять лет один, ради
нас...

— И еще потому, что он любит маму...

— Нина! Маму не воскресишь!

— Что ты повторяешь, как осел, одно и то же!!! — заорала я.

Зря я так выразилась. Никогда не слышала, чтобы ослы повторяли одну и ту же фразу. И вообще это весьма привлекательные животные.

— Ну, поговорили... — устало сказал Максим. — Ты все поняла. Отец будет жить там, у нас негде, да и мы с тобой в конце концов взрослые люди. Это даже хорошо, что папина мастерская станет твоей комнатой. Тебе давно пора иметь свою комнату. Перестанешь прятать на ночь лифчики под подушку, будешь вешать их на спинку стула, как человек...

Откуда он знает про лифчик? Ну и дурак...

Мы вышли из комнаты. Отец сидел за столом и гасил сигарету в пустом блюдечке из-под колбасы.

Максим подтолкнул меня вперед и положил руку туда, где сзади у меня начиналась шея. Он ласково погладил меня по шее, как рысака, на которого ставят, и сказал вполголоса:

— Ну...

— Ты что делаешь? — крикнула я на отца дворницким голосом. — Пепельницы тебе нет? — И быстро пошла к двери.

— Ты куда? — спросил Максим.

— Да пройдусь... — ответила я, надевая кепку.

И тут зазвонил телефон.

Максим поднял трубку и вдруг сказал мне, пожимая плечами:

— Тебя. Очень мужской голос.

— Это какая-то ошибка, — сказала я.

Вообще-то я не привыкла, чтобы мне звонили мужчины. Мужчины мне еще не звонили. Правда, где-то в седьмом классе надоедал один пионервожатый из нашего лагеря. Он говорил неестественно высоким, смешным голосом. Когда он звонил по телефону и попадал на брата, тот кричал мне из коридора: «Иди, там тебя евнух спрашивает!»

Этот говорил красивым низким голосом.

— Вас зовут Нина, — сказал он.

— Спасибо, я в курсе, — машинально ответила я.

— У вас чудесный голос. Простите, я волнуюсь и говорю пошлости... Я видел вас в театре...

— Да. На премьере моего спектакля «Преступление и наказание», — сказала я. Кто-то из нашего класса меня разыгрывал, это было ясно.

— Н-нет... — нерешительно возразил он. — Вы сидели в амфитеатре. Мой товарищ, оказалось, совершенно случайно знал вас и дал номер телефона.

— Здесь какая-то ошибка, — сказала я скучным голосом. — Последние тридцать два года я не бываю в театре.

Он засмеялся — у него был очень приятный смех — и укоризненно сказал:

— Нина, это несерьезно. Понимаете, мне необходимо вас увидеть. Просто необходимо. Меня зовут Борис...

— Борис, я очень сожалею, но вас разыграли. Мне пятнадцать лет. Ну, шестнадцать...

Он опять засмеялся и сказал:

— Это не так плохо. Вы еще достаточно молоды.

— Хорошо, мы встретимся сейчас, — решительно сказала я. — Только знаете что, давайте оставим эти опознавательные газеты в руках и традиционные цветки в петлицах. Вы угоняете машину марки «Москвич» и едете в сторону пустыни Гоби. Я надеваю красный комбинезон и желтый картуз и иду в том же направлении. Там мы и встретимся... Одну минутку! Вы не дворник по профессии?

— Нина, вы — чудо! — сказал он.

Больше всего ему понравилось, что я действительно пришла в красном комбинезоне и желтом картузе. Этот картуз привез мне из Ленинграда Макс. Громадный кепон с длинным таким, комичным козырем.

— Ты похожа на подростка из американского боевика, — сказал Максим. — А вообще модно и здорово.

Правда, на меня с ужасом оборачивались старухи, но в принципе это можно было пережить.

Так вот, больше всего ему понравилось, что я действительно пришла в красном комбинезоне и желтом картузе. Но начинать надо не с этого. Начать надо с того момента, когда я увидела его на углу, возле овощного киоска, там, где мы в конце концов договорились встретиться.

Я сразу поняла, что это он, потому что в руке он держал три громадные белые астры и потому что, кроме него, возле этого вонючего киоска стоять было некому.

Он был потрясающе красив. Самый красивый парень из тех, кого я видела. Даже если он был в девять раз хуже, чем это мне показалось, все равно он был в двенадцать раз лучше самого красивого мужчины.

Я подошла совсем близко и уставилась на него, засунув руки в карманы. Карманы в комбинезоне пришиты высоковато, поэтому локти торчат в стороны и я становлюсь похожа на человечка, собранного из металлоконструкций.

Он раза два взглянул на меня и отвернулся, потом вздрогнул, снова посмотрел в мою сторону и растерянно начал меня разглядывать.

Я молчала.

— Это... ты кто? — наконец испуганно спросил он.

— Я монах в синих штанах, в желтой рубашке, в сопливой фуражке. — Я вспомнила детскую считалочку, и, кажется, совсем некстати. Он ее успел забыть и поэтому смотрел на меня как на ненормальную.

— Но как же... Ведь Андрей говорил, что ты...

— Все ясно, — сказала я. — Андрей Волохов из пятой квартиры. Наш сосед. Он пошутил и дал номер моего телефона. Он шутник, разве вы не замечали? Одно время он посылал мне любовные письма, подписывался гиперболоидом инженера Гарина.

— Так... — медленно сказал он. — Оригинально. — Хотя мне показалось, что создавшаяся ситуация была похожа скорее на идиотскую, чем на оригинальную.

— Да, вот, во-первых, возьми... — Он протянул мне астры. — А во-вторых, это ужасно! Где же я теперь найду ее?

— Кого?

— Ну, ту, о которой говорил Андрей.

Он посмотрел на меня расстроенным взглядом, сочувствуя, наверное, и себе и мне.

— Слушай, а тебе в самом деле лет пятнадцать? — сказал он.

— Не лет пятнадцать, а пятнадцать лет. Даже шестнадцать, — поправила я его.

— Ничего, что я на «ты»?

— Ничего, — сказала я. — Со мной по-другому не получается. Я карманная.

— А?

— Маленького роста... — сказала я.

— Подрастешь еще...

Подбодрил. Ненавижу!

— Ни в коем случае! — оборвала я. — Женщина должна быть статуэткой, а не Эйфелевой башней.

Лгала бесстыдно. Благоговею в душе перед крупными женщинами. Но что поделаешь — при моих доспехах нужно уметь обороняться...

Он весело хмыкнул, потер переносицу и внимательно взглянул из-под бровей.

— Знаешь что, если такое дело, пойдем посидим в парке, что ли?.. Съедим по порции эскимо! Говорят, оно здорово помогает при расстройстве нервной системы. Эскимо любишь?

— Люблю. Все люблю! — сказала я.

— А есть на свете такое, что ты не любишь?

— Есть. Дворники, — сказала я.

Эскимо в парке не оказалось, и вообще там ни черта

не оказалось, кроме пустых скамеек. А мороженое продавали только в кафе.

— Зайдем? — спросил он.

— Ну конечно! — удивилась я.

Было бы просто глупо, если бы я упустила такой случай. Не так уж часто приглашает меня в кафе потрясающе красивый мужчина. И еще я пожалела, что сейчас не вечер и не зима. В первом случае кафе было бы набито людьми и играла бы музыка, а во втором случае он наверняка помог бы мне снять пальто. Должно быть, это чертовски приятно, когда снимать пальто вам помогает такой красивый парень.

— Что же все-таки мне делать? — задумчиво проговорил он, когда мы уже сидели за столиком. — Где ее искать?

— По-моему, ее и искать не стоит, — небрежно сказала я.

Мы сидели на летней площадке под тентами. Скверик просвечивался отсюда насквозь, так что видны были фонарь у входа и афиша на фонаре.

— Вы увидели в театре девушку, которая вам понравилась. Девушка красивая. Ну и что? Вон их сколько на улице! Я тоже буду красивая, когда вырасту, подумаешь! Но если уж вам так хочется найти именно ту, объявите экспедицию, снарядите корабль, наберите команду, а меня возьмите юнгой.

Он расхохотался.

— Ты просто прелесть, малыш! — сказал он. — Но прелестней всего то, что ты и в самом деле явилась в красном комбинезоне и желтом картузе. За свои двадцать три года... ну, двадцать два... я впервые столкнулся с таким экземпляром, как ты!

Я облизнула ложку и, прищурив один глаз, закрыла ею слепое осеннее солнце.

— Это что, мой возраст или как я выгляжу позволяет вам говорить таким снисходительным тоном? Почему вы уверены, что я не дам вам по носу? — с любопытством спросила я.

— Ну не сердись, — сказал он и улыбнулся. — С тобой забавно разговаривать. Выходи за меня замуж, а?

— Еще не хватало, чтобы мой муж был старше меня на семь лет. Чтобы он умер на семь лет раньше меня. Еще этого не хватало. — Тут он просто тюкнулся в розетку от смеха. — И вообще самая приятная вещь — остаться старой девой и варить из айвы варенье. Тысячи банок варенья. Потом дождаться, пока оно засахарится, и раздаривать его родственникам. — Я серьезно смотрела на него. Это уже наступил тот момент в разговоре, когда я начинаю острить без улыбки.

— А мама не возражает против этой установки? — подмигнув, спросил он.

— Мама в принципе не возражает, — сказала я. — Мама погибла пять лет назад в авиационной катастрофе.

У него изменилось лицо.

— Прости, — сказал он, — прости ради бога.

— Ничего, бывает... — спокойно ответила я. — Еще мороженого!

Мне не хотелось мороженого. Просто приятно было

смотреть, как этот высокий, красивый парень послушно поднялся и направился к стойке. На секундочку могло показаться, что пошел он не потому, что хорошо воспитан, а потому, что это я, я потребовала еще порцию мороженого!

В сущности, мне было все равно, посидит он здесь еще минут пятнадцать или вежливо распрощается. Просто иногда бывает интересно притвориться перед самой собой. Всегда развлечение...

По дорожке мимо кафе проехал пацан на велосипеде. Он держался за руль одной рукой, как бы показывая этим, что — фи, чепуха, он, если захочет, сможет ехать, вообще не держась за руль.

В скверике царило безделье. Оно довлело над всем — шуршало газетами на скамейках, сквозило солнечными лучами в листьях деревьев. И даже снующие по своим делам люди в скверике казались бесцельно шатающимися.

Всем безраздельно владела праздность...

— Скорей бы уж снег, — сказала я, когда он вернулся, поставив передо мной розетку с белым подтаявшим комочком. — Вы на санках катаетесь?

— Ага, — сощурился он. — Преимущественно этим и занимаюсь.

Когда он это сказал, я вдруг поняла, что передо мной уже совсем взрослый и, вероятно, очень занятой человек. Я подумала, что хватит, нужно раскланяться и убраться восвояси, и неожиданно для себя сказала:

— А пойдемте в кино!

Это была вершина моей наглости и хамства. Но он
не дрогнул:

— А уроки когда делать?

— Я не готовлю уроков. Я способная.

Я отчаянно смотрела на него, и взгляд мой был
нахален и чист...

...Мы гуляли по городу до тех пор, пока не начало
смеркаться. Я вела себя скверно, совсем сошла с ума.
Я болтала без умолку, забегая перед ним, размахивая
руками и заглядывая ему в глаза. Это был стыд, позор,
ужас. Я походила на семилетнего Петьку, которого
повел в зоопарк летчик-сосед дядя Вася.

Прошел дождь, и, не обращая внимания на этот
драгоценный дар неба, по улицам сновали люди. Они
вылезали из такси, громко хлопнув дверцей, изучали
витрины магазинов или, проходя мимо, окидывали их
взглядом, стояли на остановках трамваев, мимоходом
договаривались о встречах. И у многих в руках были
зонтики — милые и добрые механизмы. Самое невин-
ное, что изобрели люди.

Затем опять показалось солнце, высветляя на тро-
туарах мокрые озябшие листья, и запах палых листьев,
острый осенний запах будоражил душу и заполнял ее
ни с чем не сравнимой тоской. Но не ноющей, а сладкой
и веселой тоской, словно люди, бредущие в сумерках
по осеннему городу, были не действительностью, а до-
рогим воспоминанием.

Нынешняя осень была особенно радостной и светлой. Ликующей. С каждым днем все яснее виделась

гибель лета, и осень торжествовала победу над умирающим противником в упоительной желтизне и оранже...

Наш неосвещенный подъезд в сумерках напоминал одновременно беззубую разинутую пасть и пустую глазницу.

Я понимала, что это завершение неповторимого дня, и старалась придумать для него такое же прекрасное многоточие, но, подойдя к подъезду, обнаружила, что ничего не получается, и почему-то сказала:

— Вот таким образом. Ну, я пошла...

— Это отец поднял трубку?

— Брат. Хороший брат, качественный. Ленинский стипендиат. Не то что я. У меня по литературе тройка. Кажется, я опять начала... Ну, я пошла!

— А отец хороший?

— Еще лучше брата. Он художник-декоратор в театре. Хороший художник и отец. Хороший, вот только жениться вздумал.

— Ну и пускай...

— Не пущу!

— А ты злюка! — Он засмеялся.

— Ну, я пошла?

И тут случилась первая неожиданная вещь.

— А можно я буду звонить тебе, когда мне будет не слишком весело? — спросил он небрежно, прищурившись.

И тут случилась вторая неожиданная вещь.

— Нет, — сказала я. — Лучше я позвоню вам, когда мне будет не слишком грустно...

Сегодня вечером папа уходил. Мы в первый раз оставались вдвоем.

Он щеткой чистил в коридоре туфли, а мы торчали тут же: я сидела на табуретке, а Максим стоял, прислонившись к косяку, — и молча следили за его движениями.

Папа был веселым и бодрым, во всяком случае, казался таким. Он рассказал нам два анекдота, а я в это время думала, что вот он уходит, а вещи его пока остаются, но потом он их, конечно, будет постепенно уносить, как это у людей делается.

Не унесет только мамин портрет со стены, его любимый портрет, где мама нарисована фломастером, вполоборота, как бы оглянувшись, с длинной сигаретой в длинных пальцах. Этот портрет нарисовала мамина приятельница — журналистка тетя Роза. У нее была кошка, которая начинала плакать, услышав песню «Синий платочек». Да что это я — была! Есть. И кошка есть, и тетя Роза есть...

Сегодня папа уходил.

Он, конечно, будет часто приходить и звонить, но никогда больше не зайдет поздно вечером в нашу комнату, чтобы поправить одеяла на своих дылдах.

Сегодня папа уходил к женщине, которую он любит.

Он дочистил туфли, снял сетку с гвоздя и весело сказал:

— Ну, пока, пацаны! Завтра позвоню.

— Ну, давай! — в тон ему бодро сказал Максим и открыл дверь.

На лестничной площадке папа еще раз приветственно помахал рукой.

Когда захлопнулась дверь, я заорала. Признаться,
я с нетерпением ждала этого момента, чтобы нареветься
за милую душу. Я плакала взахлеб, сладко, горько, с
подвываниями, как плачут маленькие дети. Максим с
силой прижимал мое лицо к своей фланелевой рубашке,
так что трудно было дышать, без конца гладил меня по
голове и тихо, торопливо повторял:

— Ну все, все... Ну хватит, хватит... — Он боялся,
что отец еще не вышел из подъезда и может услышать
мой концерт.

Я замолчала, и мы долго слонялись по комнатам, не
зная, за что взяться. В животе у меня ныло.

Так мы дотянули до одиннадцати. Потом Максим
постелил мне в отцовской мастерской, что означало
вступление в права хозяйки комнаты, загнал меня в
постель, погасил свет и вышел.

Надо было чем-то заняться. Я решила поразмыш-
лять обо всем этом. Заложила руки за голову, закрыла
глаза и приготовилась. Но сегодня у меня ни черта не
получалось, все как-то разваливалось, как большое
белое пузо той снежной бабы, которую мы с отцом
возвели прошлой зимой у нашего подъезда. Я думала
обо всем сразу и ни о чем. Не успевала я подумать об
одном невыносимом происшествии, как на меня наска-
кивали мысли о другом, таком же нестерпимом и не-
мыслимом.

Я вообще-то не могу думать сразу о нескольких
предметах. Я выбираю один, тот, что мне сейчас больше

интересен, и начинаю его обдумывать. Причем ни в коем случае не выхожу за рамки этого предмета.

Потом я мысленно говорю себе: «Ну, об этом — все. Валяй дальше», — и приступаю к другой теме.

Например, когда я думаю о папе, я могу думать о его мастерской, о театре, о декорациях к новому спектаклю, о рубашке, которую ему надо погладить к премьере.

О том, что после премьеры в служебном гардеробе он галантно поможет надеть пальто Наталье Сергеевне — ассистенту режиссера, и поведет ее к нам домой. Пить чай.

И они будут пить чай в той комнате, где висит мамин портрет. Там мама, как бы случайно оглянувшись, удивленно смотрит, держа на весу руку с только что закуренной сигаретой.

И при всем том мне в голову не придет начать думать о маме. Мама — это особая, громадная, тысячу раз обдуманная область мыслей. В ней водятся журналистские симпозиумы, с которых мама летит в неразбивающихся самолетах и везет мне ручку с купальщицей (повернешь ее вниз — женщину заполняет синий купальник, вверх — купальник как рукой сняло)...

Я зажгла ночник и села на кровати. Приятно посидеть в обществе своей физиономии, повторенной во множестве вариантов и выполненной в разнообразных позах.

Ни один великий человек не может похвастаться таким количеством своих портретов, как я. Папа говорит, что я — великолепная модель, так как продолжаю сидеть даже тогда, когда мне уже кажется, что я огрызок копченой колбасы и что рука, которая лежит на коленке, никогда больше не сможет коснуться никакой другой части тела.

Шесть моих портретов висели на стенах, остальные стояли внизу.

На зеркале висел забытый папин галстук, синий в белый горошек. Я надела его поверх ночной сорочки и подтянула повыше. Нет, все-таки я больше на маму похожа! И нос, да и подбородок тоже...

Я открыла дверь в нашу комнату. Максим сидел за столом и смотрел в одну точку. Он повернулся и странно поглядел на меня.

— Макс, — сказала я, теребя галстук, безвольно болтавшийся на моей куриной шее. — Конечно, это здорово, что у меня теперь есть комната. Но можно я еще чуть-чуть посплю на своем диване?

Я воевала с собой три дня. Я лупцевала себя по физиономии, бросала на землю и топтала ногами. Мне кажется, я смогла бы написать роман о том, как прожить эти три дня, вернее сказать, о том, как выжить сквозь эти три дня. И первая часть романа называлась бы «День Первый».

Потом случилось что-то вроде инфаркта или маразма — я набрала номер его телефона и с ужасом слушала, как на меня накатываются протяжные гудки, как волны, накрывая меня с головой.

«Если сердце мое разобьется, что станешь делать с нелепыми осколками?» — скажу я ему сейчас.

Но голос в трубке так умеренно и безразлично произнес «Да?», что я вдруг окоченела и робко сказала:

— Ну вот и здравствуйте...

— Слушай, ну нельзя же месяцами пропадать! — насмешливо и обрадованно крикнул он. — В экспедиции ты уходишь, что ли?

Мы не виделись три дня. Мне сейчас показалось, что все существующие в мире ласковые и отрадные слова превратились в оранжевые апельсины, и я купаюсь в них, подбрасываю и ловлю, и я жонглирую ими с необыкновенной ловкостью.

— Ну ты намерена произнести сегодня что-нибудь путное, ужасное дитя? — спросил он. — Или ты совершенно деградировала за три дня?

— О, это прелестно, что вы дни считаете, — спокойно сказала я, чувствуя, как почему-то дрожит большой палец правой ноги. — Вы, наверное, просто по уши влюблены в меня.

Он засмеялся, как смеются, когда услышат хорошую остроту, — с удовольствием.

— Наглый подросток, — сказал он. — Ну как твои дела по литературе?

— Скверно. Мне уж третью неделю надо писать сочинение о Катерине в «Грозе», а я как только подумаю об этом, так у меня просто руки отваливаются. Что делать?

— Подожди, пока они отвалятся совсем, и сошлись на то, что тебе нечем было писать.

Мы одновременно прыснули в трубку. Кто-то позвонил в квартиру.

— Одну минутку, — сказала я. — Нам молоко принесли.

Это была Наталья Сергеевна. Она улыбалась, и ее полное, с нежной розовой кожей лицо, статная фигура в темно-синем пальто с меховым воротником, пухлые руки в синих перчатках — все в ней дышало оживлением и пикантностью.

— Нинуль! — весело и задорно, как всегда, — это был ее стиль — проговорила она, протягивая мне полную сетку с апельсинами. — В театре давали, папа взял.

— Ваш папа? — коротко спросила я.

— Ваш! — засмеялась она. Сделала вид, что не обратила внимания. — Он взял для вас шесть килограммов, а занести попросил меня: его срочно вызвали.

Я весело и задорно выпалила:

— Да что вы, Натальсергевна, да у нас полным их полно! Весь балкон завален! Деваться от них некуда! На кухне под руками валяются!

Она удивленно подняла тонкие, как стрелки, брови, переложила сетку из правой руки в левую и немного отступила назад.

— Зря вы только такую тяжесть таскали! — веселилась я. — У нас они по всему коридору катаются. Вон один в тапке светит! Максим вчера гвоздь в туалетной апельсином забивал!

Она стала спускаться по лестнице, и все время неловко улыбалась и повторяла: «Ну ладно, ну что ж...»

Я захлопнула дверь и воровато оглянулась. Максим стоял в дверях нашей комнаты и смотрел на меня. Я подумала, что сейчас он прибьет меня, как сидорову козу, и еще подумала, что здорово, наверно, попало этой козе, если она вошла в поговорку.

— Да купим мы эти проклятые апельсины! — жалобно и трусливо крикнула я.

Он молчал. Я подумала: скверно, совсем шкуру спустит.

— Ну что ты маешься, бендяжка! — тихо сказал он, вышел и прикрыл за собой дверь.

«Бендяжка»... Что-то маленькое, убогонькое, хроменькое. Это он от волнения слоги перепутал.

Я на цыпочках подошла к телефону и тихонько опустила трубку на рычаг...

«Вы заставляете упрашивать себя, маэстро! Ну начинайте же, это некрасиво! Вы заставляете всех ждать!»

Снег не начинался... Я сидела на старом диване № 627 и упрашивала снег начать представление. Чтобы с неба грянули миллионы слепых белых акробатов.

Я сидела, обхватив колени длинными руками. Такими длинными, как змеящиеся рельсы железной дороги, гибкие и сплетающиеся. Если б я захотела, я бы схватила ими огромное расстояние. Весь наш город с домами и ночными улицами. Я бы поместила его между животом и приподнятыми коленями. Тогда тень от подбородка была бы тучей, закрывающей полгорода. И эта туча разразилась бы великим полчищем слепых кувыркающихся акробатов. И наступит великая тишина. Я дохну теплым ветром, и в каждом доме окна заплачут длинными кривыми дорожками.

В одном из домов живет мой папа. Он говорит, что воображаемое увеличение или уменьшение предметов у меня с детства, от папиных эскизов и моделей декораций. Он часто подолгу делал их — крошечную комнату или уголок сада, а я мысленно населяла их людьми. Я приближала глаза к игрушечной сцене и шепотом разговаривала с этими людьми. В детстве я с ними разговаривала...

Вся беда в том, что не начинался снег. А он должен был дать сегодня одно из самых грандиозных своих представлений.

«Это стыдно, маэстро, так ломаться! Ну прошу же вас, прошу!»

— Что ты там бормочешь? — спросил Максим и сел на кровати.

— Я хочу снега, — ответила я, не поворачивая головы.

— А я хочу курить. Подай-ка мне спички с подоконника.

Я бросила ему спичечный коробок, он закурил.

— Что за тип звонит тебе в последнее время? — подняв бровь, строго спросил он.

— У тебя сейчас идиотская поза какого-нибудь американского босса, — сказала я. — Это не тип. Это, предположим, инженер. Он проектирует землеройки, или сенокосилки, или сноповязалки. Он объяснял, я не запомнила что.

— Какие землеройки?! — вдруг закричал Макс

так, что я вздрогнула. Редко он так сразу распаляется. — Что ты за человек! Тебя же из дому нельзя выпустить, ты же, как свинья лужу, ищешь для себя идиотские приключения!

— Макс, пожалуйста, не так интенсивно... — У меня с утра болели спина и мой проклятый правый бок, а тут все еще больше разболелось.

— Ты отдаешь себе отчет в том, что надо таким вот «инженерам» от таких дурочек, как ты? — сухо спросил он.

— Представляешь, каким нужно быть уродом и кретином, чтобы что-то хотеть от меня? — подхватила я.

Тогда он стал пугать меня всякими невероятными историями, которых в жизни, как правило, не бывает. Он долго говорил, так долго, что мне показалось, будто я успела раза три заснуть и опять проснуться. А бок болел все сильней и сильней, и я старалась, чтобы Макс не заметил, как я цепляюсь за него.

Но он заметил.

— Опять?! — крикнул он, и в глазах его застыл ужас. У них всегда такие глаза, когда у меня приступы. Он ринулся в коридор и стал набирать номер отцовского телефона. В коридор, в трусах. Там же холодно...

Пока он паниковал и кричал в телефон, я тихонько лежала на диване, скорчившись, и молча смотрела в окно.

«Эх ты... — мысленно упрекала я снег. — Так и не начался...»

Я знала, что это последние спокойные, хоть и болевые минуты. Сейчас приедет на такси отец, приедет «скорая» и все завертится, как в немом кино...

Нам повезло. Дежурил мой дорогой доктор с чудесным именем Макар Илларионович. Девять лет назад он удалил мне почку, и меня чертовски интересовало, что он будет делать на этот раз. Макар Илларионович был ранен во время войны, ранен в шею, поэтому, когда он хотел повернуть свою совершенно лысую голову, приходилось разворачиваться плечом и грудью. Он был замечательным хирургом.

— Так, — хмуро сказал он, осматривая меня. — И чего ты здесь околачиваешься? Ты мне совершенно не нужна!

Он что-то буркнул медсестре, та подошла ко мне со шприцем. «Теперь все в порядке», — подумала я, цепенея от боли.

Отец вел себя скверно. Он выудил из какого-то потайного кармана расческу и выделывал с ней что-то невероятное. Казалось, сам он был обособленным существом, а суетящиеся, издерганные руки вытворяли черт знает что по собственной инициативе. Все время он топтался около Макара Илларионовича, потом, не стесняясь меня, сказал умоляющим голосом:

— Доктор, эта девочка должна жить!

Макар Илларионович быстро развернулся к отцу плечом, должно быть собираясь ответить что-то резкое, но посмотрел на него и промолчал. Может быть, он вспомнил, что девять лет назад здесь стояли оба моих родителя и умоляли его о том же.

— Ступайте домой, — мягко сказал он. — Все будет так, как надо.

В город вернулись теплые дни.

Они возвратились с удвоенной лаской, как возвращаются неверные жены. Целый день по небу шлялись легкомысленные, беспокойные облачка, а сухие, по-осеннему поджарые листья густо лежали на земле молча, без шороха. Несколько дней город, казалось, находился в теплом и каком-то блаженном обмороке, он предавался осени, этой изменчивой лгунье, и не верил, не хотел верить в скорое наступление холодов...

Целыми днями я просиживала на скамеечке в дальнем углу больничного парка, наблюдая за игрой геометрических теней от голых, сухих веток деревьев. Тени скользили по выцветшему рисунку больничного халата, по рукам, по асфальту.

По двору гонялись две влюбленные псины...

Парк проглядывался насквозь, и отсюда видны были проходная, четырехэтажные корпуса больницы, решетчатая ограда. За оградой, сразу через дорогу, было фотоателье с внушительной витриной. На фотографиях, выставленных в ней, люди все сидели с вывороченными головами, как индюки со свернутыми шеями. Они все, с интересом и надеждой подавшись вперед, как бы слушали невидимого оратора, окончание речи которого нельзя пропустить и которому нужно будет обязательно похлопать.

За оградой существовал мир здоровых людей. Для меня это было враждебное государство. Мне внушали недоумение их здоровье и веселость.

Иногда посидеть на скамеечке притаскивалась старенькая Вера Павловна — доктор наук, специалист по женским болезням, она была моей единственной соседкой по палате. Я замечала ее издалека, она с чрезвычайной осторожностью передвигалась, придерживаясь за стены здания, за ограду, за деревья. Наконец усаживалась рядом со мной и долго переводила дух.

— В молодости человек не замечает, как годы летят, — начинает она. — И двадцать лет — молодая, и сорок лет — молодая. А я вот вспоминаю себя... Двадцать лет назад — ведь человеком еще была...

Мы долго сидим молча, вместе наблюдая за скользящими тенями на асфальте, потом она задумчиво рассказывает:

— Собралась я недавно дорогу перейти. Стою и никак не решусь; ходок я теперь неважный, а с прогрессом у нас шутки плохи. Стою и смотрю, как молодые спешат, снуют по своим делам. Вдруг подходит ко мне женщина, берет под руку и говорит: «Здравствуйте, доктор! Вы меня, конечно, не помните, а вот я никогда вас не забуду. Я сейчас наблюдаю за вами и думаю: когда-то вы за двадцать минут сделали сложнейшую операцию, а сейчас вот уже четверть часа не можете дорогу перейти...»

Она закрывает глаза и смеется.

— А я разве упомню ее? Я этих операций сотни переделала...

У Веры Павловны выпуклые глаза, и когда она закрывает веки, глаза становятся похожими на сомкнутые створки раковины. Такие плоские, перламутровые внутри раковины, в которых прячутся нежные, студнеобразные моллюски.

— Вот вам, наверное, родители кажутся престарелыми, а ведь по сравнению со мною, например, совсем сопляки...

— У меня мама молодая, — говорю я. — У меня мама, Вера Павловна, знаете, изумительная женщина была. У нее вся жизнь была необыкновенной, изумительной. И профессия. Вы, наверное, помните, встречали, не могли не читать в газетах фельетоны Этери Контуа. Она и грузинкой была необыкновенной — рыжеволосая, синеглазая. Я ведь, кстати, не Нина, а Нино. Как вам это понравится? Нино... Она встретила отца, когда ей исполнилось шестнадцать. В этот день. И в этот же день они сняли какую-то халупу на окраине города. Знаете, Вера Павловна, мне, между прочим, тоже совсем скоро будет шестнадцать, и я все-таки посамостоятельней, чем была она, избалованная дочка, ни разу чайник не вскипятившая. И вот я часто думаю, смогла бы вот так, сразу, понять, что это судьба, и пойти за человеком без оглядки? Я думаю — нет. Деда чуть кондрашка не хватила, когда он услышал. Сами понимаете — единственная, «бусинка, росинка, детка ненаглядная», и вдруг как снег на голову какой-то голоштанный третьекурсник художественного училища. Скандалище! В халупе посередине — мольберт с неоконченным ее портретом, у стены — раскладушка и две табуретки. Все. Эти сплетницы, соседки-кумушки, пальцами на нее показывали. А она ходила с большим животом и плевала на всех. И когда Максиму было семнадцать, ей было тридцать три, и она всегда неправдоподобно молодо выглядела, поэтому, когда они с Максимкой шли по улице, все думали, что она — его девушка.

А потом — этот самолет.

Я ненавижу самолеты, Вера Павловна, я никогда не сяду в самолет. И что самое удивительное — папа говорит, что он на наших глазах... А я не помню. И ведь я была тогда большой девочкой — десять лет. Помню на себе белые гольфы с бомбошками, помню, что Максим в тот день первый раз побрился и был ужасно горд этим, что папа не достал маминых любимых гвоздик и ходил поэтому расстроенным... Затем помню долгое, нехорошее ожидание в аэропорту. И вот... Наверное, он как-то неэффектно взорвался в воздухе, если я не помню. Ведь это ужасно, неправдоподобно, правда? Все кричали, и отец как-то смешно перепрыгнул через ограду и бежал по летному полю... И вот гольфы с бомбошками помню, а это — нет... Ужасно.

Я замолкаю и смотрю на влюбленных собак, лениво развалившихся на солнышке. Та, которую я считаю дамой, положила морду на рыжую лоснящуюся спину своего поклонника. Полузакрытые глаза, влажный подергивающийся нос ее выражают покой, уверенность и легкое презрение к окружающим — в общем, чувства, присущие всякой счастливой женщине.

— Ох, боже мой, боже мой... — бормочет Вера

Павловна, и мне приятно, что доктор наук так по-старушечьи вздыхает и жалеет меня.

Еще я занималась тем, что третий день наблюдала за девушкой, сидевшей у окна на втором этаже. Она читала. У нее были бледное, веснушчатое лицо и изумительные, редкого медного оттенка волосы. Они выплескивались из открытого окна, а ветер ласкал и промывал ее волосы в теплом дыхании зрелой осени...

Почему-то мне казалось, что девушка очень больна, должно быть, она и в самом деле была серьезно больна: я никогда не видела ее во дворе. А ослепительные волосы, вырывавшиеся из окна, как флаг, почему-то вызывали у меня одно воспоминание прошлого года.

Максим тогда встречался с какой-то фифой из консерватории и по этому случаю на целых два месяца проникся к классической музыке трогательной любовью. Однажды он достал билеты в филармонию на симфонию Онеггера. Но с фифой в этот день произошла загвоздка, а может быть, началась пора умирания большой любви — не знаю, не помню, но, чтобы билеты не пропали, Макс потащил с собой меня.

Симфония, как мне показалось, называлась забавно: «Симфония трех «ре» и, наверное, поэтому представлялась мне веселой и увлекательной штукой, чем-то вроде сказок братьев Гримм.

Позже, когда я сидела в обитом красным бархатом кресле и очухивалась, было поздно. Взлетали вверх обнаженные руки скрипачек с длинными смычками, и казалось, это метались ослепительные языки пламени из черных факелов платьев.

Я сидела и думала, что добром это кончиться не может, должно произойти что-то ужасное, трагическое, что вот прервется музыка и дирижер, похожий на грачонка в черном фраке, повернет к публике скорбное длинноносое лицо и скажет: «Друзья! Только что скончался дорогой всем нам...» — и назовет известное и близкое имя какого-то знаменитого человека. Так казалось.

Но вопреки моим опасениям, все прошло благополучно, оркестранты молча выслушали аплодисменты и покинули сцену, а мы долго простояли в гардеробе в очереди за пальто...

И вот эту историю я вспомнила, глядя на бледную, веснушчатую девушку в окне второго этажа, и мне очень хотелось, чтобы вскоре за ней пришла полная рыжая женщина или худая рыжая женщина — ее мать (только обязательно рыжая, такой она мне представлялась) и чтобы девушка прошла с ней по двору не в больничном халате, а в каком-нибудь зеленом платье или красном брючном костюме. Чтобы она задержалась в проходной и сказала сторожу: «До свидания, дядя Миша», — а он бы ей ответил: «Будь здорова, не болей больше».

И чтобы она никогда сюда не возвращалась...

...По утрам приходил Максим, а вечерами, после работы, отец.

— Дневную вахту надо было поручить Наталье Сергеевне, — как-то сказала я Максу.

— Ты стала невыносимой, — отозвался он. — Ты просто человек, с которым трудно контактировать. И с каждым днем твой характер становится все тяжелее и тяжелее. Что дальше будет, ума не приложу!

— Ничего дальше не будет, — холодно успокоила я его. — Это все скоро кончится, неужели ты не понимаешь?

— Паршивка, Нинка! — крикнул он, как в детстве. — Что ты с нами делаешь! Посмотри, во что отец превратился, он тенью ходит. Наталью Сергеевну не узнать, так осунулась.

— Для этого ей, должно быть, пришлось сесть на диету.

— Послушай... — Он нахмурился и замолчал, сбивая пепел с сигареты. Он устал спорить со мной.

— Ты же сам ее не любишь, Максимка!

— С чего ты это взяла? — угрюмо спросил он.

— Ну я тебе, слава богу, сестра или нет? Ты ее недолюбливаешь за то, что она заняла мамино место.

— Никогда ни один человек не сможет занять место другого. И тем более это касается женщин. Когда погибает любимая женщина, вместе с ней гибнет целый мир, даже не мир — целая эпоха в жизни человека; молодость, прожитая с ней, намерения, мысли, что были с нею связаны, — все гибнет вместе с ее жестами, голосом, мимикой, походкой. Каково же человеку, когда то, что могло быть в старости приятным воспоминанием, превращается в кошмар, в сплошную ноющую рану? Разве может другая женщина, пусть даже по-своему привычная и близкая, закрыть собой эту рану? По-моему, нет...

— А ты теперь у них обедаешь, да, Макс? Невкусно она готовит?

— Нормально готовит, — пробурчал он. — И еще вот что: разве она виновата в том, что мамы нет, что отец был один, да и у нее жизнь не устроена? Неужели все это так трудно понять и неужели за это надо ненавидеть человека?

— Я не ненавижу ее, — возразила я. — Если бы я ее ненавидела, я бы ее убила, я бы разбила все окна в ее доме, я бы изорвала в клочья ее синее пальто. Я все понимаю. Но любить-то я не обязана, правда?

Максим смотрел на меня каким-то взрослым взглядом. Карман его пиджака оттопыривался от пачки сигарет, под глазами лежали круги... Наверное, он сдавал очередной курсовой проект...

— Правда... — сказал он и продолжал смотреть на меня задумчивым взрослым взглядом, как бы решая, говорить со мной, как с человеком, или махнуть на меня рукой.

— Это, наверное, потому, что ты еще ребенок, — наконец сказал он. — Ну конечно, это потому, что ты не можешь понять, что это такое для мужчины — одинокие ночи. А это страшная штука — пять лет одиноких ночей...

— А мы? — спросила я, все еще не веря, что Макс так серьезно говорит со мной.

— Мы — дети. А нужен близкий человек, женщина, с которой можно пошептаться на подушке, голова к голове, и понервничать, что на работе неприятности, и встать к окну в трусах — покурить. А он дождется, пока мы уснем, и уходит в свою мастерскую, а там пусто, только семейный альбом с фотографиями, который он просматривал каждый вечер. Ты знаешь, что он каждый вечер просматривал наш альбом?

— Нет... — сказала я тихо.

Макс достал из пачки сигарету и закурил. За двадцать минут это была третья.

— Ты ужасно много куришь, — машинально заметила я, как обычно.

— Да, — сказал он. — Надо завязывать, а то скоро все потроха закоптятся.

Это был наш обычный диалог «о вреде курения».

— В самом деле, скверная привычка, — подумав, сказал Макс. — Ты, наверное, оттого такая больная, что мама много курила. Одну сигарету за другой. Я помню, даже тебя ждала, а все равно курила... Маме было совсем нелегко... — медленно проговорил он, почему-то с трудом выговаривая каждое слово. — Ведь она знаешь, Нинок, в последние годы разлюбила отца. Так получилось.

— Как это?! — шепотом переспросила я и, сразу испугавшись, что Макс разозлится на меня за тупость, схватила его за рукав пиджака и запричитала: — Ой, Макся, ну, продолжай, пожалуйста, я все пойму, честное слово!

— Она любила другого человека.

— Нет. Не может этого быть, — сказала я. — Почему же она не ушла?

Он горько усмехнулся:

— А то ты не понимаешь... Эти грузинские гордецы... Только чтобы никто не подумал, что в семье неладно. И потом дети... И наверное, чувство вины перед отцом, хотя и не была виновата перед ним. И эта ее категоричность, помнишь: «Главное — называть белое белым, а черное — черным». Она бы назвала себя предателем, если бы ушла.

— Отец не знал, — задумчиво сказала я. — Отец, конечно, не знал. Он бы умер от горя.

— Знаешь, я сейчас много думаю об этом, и мне кажется, что она нарочно тебя придумала, чтобы вышибить из себя любовь. И вообще, если бы не самолет, я бы подумал, что мама сама так решила.

— Откуда ты все узнал?

— Я и раньше догадывался, еще когда она была жива. А потом нашел в ее записной книжке два письма...

Я не спросила, что было в этих письмах, и Максим не стал рассказывать. Слишком трепетно мы относились к маме, чтобы обсуждать ее любовь. Но сейчас, вдруг, я представила, как неизвестный нам мужчина узнает о маминой смерти. Этот момент. Какие у него были руки в этот момент? Что он делал? Отцу было легче. Он бежал по летному полю и кричал.

А что делал этот человек для того, чтобы скрыть от людей свою боль?

— Проводи меня до проходной, — вставая, сказал Макс.

— Подожди, Максимка, сядь. Что-то у меня все занемело внутри.

Он с силой провел по лицу ладонью, как будто хотел

отшвырнуть в сторону свое уставшее лицо и вместе с ним мысли.

— Скверно, что я все рассказал тебе, — проговорил он. — Но я должен был это сделать. Каждую ночь я думал: «Завтра расскажу. Завтра обязательно расскажу». Я это сделал — для чего? Понимаешь, у тебя возраст сейчас... обвиняющий. Я это по себе знаю, у меня самого так было. Да только после маминой смерти как рукой сняло. Так вот, зачем я все это рассказал? Чтобы ты милосердней была. Не только к отцу — вообще к людям. Потому что без этого, я думаю, настоящей жизни не получится. Чтобы сердце у тебя поумнело... А теперь проводи меня.

Ты что-то плохо выглядишь, Макся. Ты курсовой проект пишешь?

— С вами попроектируешь... — хмуро буркнул он.

Сегодня я просидела на скамейке дольше обычного, потом медленно поднялась на третий этаж, к себе.

Проходя мимо седьмой палаты, я заглянула туда и сказала маленькой худой женщине, у которой не только руки, но даже лицо казалось натруженным:

— Петрова, к вам сын пришел.

— Ой, спасибо, дочка! — Она стала суетиться, выкладывать какие-то пакеты из тумбочки. — Ты меня так обрадовала, доча!

Я подумала: почему эта женщина называет дочерью еле знакомую девушку? Может быть, потому, что у нее четверо сыновей и она всю свою жизнь мечтала иметь дочь? А может быть, она просто очень добрая женщина?

В палате я отобрала из сетки несколько мягких яблок и положила на тумбочку Веры Павловны, хотя для ее оставшихся зубов и эта пища была немыслимой.

Сухо щелкнул выключатель, и заоконное пространство из-за отразившихся в окне двух наших коек и тумбочек мгновенно стало больничным и неспокойным. А днем оно было таким по-осеннему прозрачным, ласковым...

Я молча лежала с закрытыми глазами и представляла, как папа листает наш альбом с фотографиями. Я мысленно переворачивала страницы вместе с ним.

Вот Сочи. Меня еще нет на свете. Мама стоит на берегу, на ней очень открытый купальник. На плечах у нее сидит маленький Максимка, голенький, его толстые, по-детски еще кривые ножки свешиваются маме на грудь. Максимке — два года, маме — девятнадцать. Они смеются.

Как это сказал Макс? «Она нарочно тебя придумала, чтобы вышибить из себя эту любовь». Ну да, понимаю: думала — родится ребенок, хлопоты, переживания, о том и подумать будет некогда. Мосты сжигала...

Значит, все это — море, чайки, маленький Максимка, любовь к отцу — было до меня? А я для мамы — горький ребенок!

Нет, нет, все не так... Вот другая фотография. Снимал Максим, и вышло плохо, размыто. Меня собирают в детский сад. Я ору благим матом, запрокинув голову так, что лица не видно. Мама натягивает мне правый ботинок, папа — левый. Они смеются, и руки их соприкасаются.

Да, да, руки их соприкасаются... Максим просто напутал! Не могло такого быть, и письма эти — ерунда.

Я не заметила, как в палату пришла Вера Павловна.

Она долго сидела на койке, неподвижно смотря в темное пространство за окном, заполненное больницей, потом медленно и отчетливо сказала, не глядя на меня:

— Как смерть никого не щадит!

У меня под горлом что-то сорвалось и, обливая все внутри холодом, медленно поползло вниз. У меня всегда так бывает, когда я чувствую, что сейчас сообщат о чьей-то смерти.

— Кто? — коротко спросила я.

— Лена умерла, — сказала Вера Павловна, строго и горько взглянув на меня.

— Какая Лена?! — закричала я, беспомощно встряхнув пустыми кистями рук и пряча их между коленями. Но я уже знала какая.

— Бледная, рыженькая девушка из третьего корпуса. Помнишь, у окна все сидела и читала. С длинными волосами...

В комнате было тихо, так тихо, что различались шаги в дальнем конце коридора.

— Ну не надо плакать... — сказала она. — Мне тоже тяжело. Сколько раз сталкивалась, а все не привыкнуть... У нее сердце не выдержало, так на операционном столе и скончалась.

— А у меня крепкое сердце, правда, Вера Павловна?

— Не думай об этом, не надо тебе об этом думать. И перестань плакать, сколько можно!

— У меня папа недавно женился на хорошей женщине, Вера Павловна, знаете... А я не желаю с ней разговаривать, извожу отца, брата, всем треплю нервы и веду себя, как последнее хамье. Это ужасно, да?

— Да уж что хорошего... — вздохнула она. Потом разобрала постель и вдруг, обернувшись ко мне, по-детски спросила: — Свет не будем гасить, да? Страшно...

У меня даже ноги ослабели, когда я увидела его. Он возник из мира здоровых людей и был его воплощением. Он стоял с авоськой за решетчатой оградой, и железный прут вертикально пересекал его лицо. Не улыбаясь, он молча смотрел, как я подходила к нему — к нему, такому красивому! — в этом диком больничном халате.

— Вот и свиделись... — сказал он тоном человека, просидевшего на рудниках тридцать лет и случайно заставшего в живых друга детства.

— Я тебя вижу второй раз в жизни, — сказала я. — Это же можно с ума сойти. Ты у Максима узнал, где я? Он тебя здорово бил?

— Здорово, — сказал он и засмеялся. — Ну улыбнись, я хочу поцеловать тебя в улыбку.

— Забор мешает, — заметила я. — Пойдем, я тебе покажу лаз. Как ты умудрился в тихий час прийти?

— У меня часы отчаянно спешат, — оправдывался

он. — Если б я их время от времени не ставил на место, я думаю, они давно отсчитали бы двадцатый век и принялись за двадцать первый.

Мы шли по обе стороны забора, и я мучительно, всем телом чувствовала на себе ужасный халат. В нем у меня не было ни груди, ни талии, а все только подразумевалось.

Я шла и, не оглядывая себя, чувствовала, что у ворота из-под халата кокетливо выглядывают обтрепанные завязочки рубашки. Но мучительней всего чувствовалось задыхающееся, заикающееся сердце.

— Я тебя вижу второй раз в жизни, — поразившись, сказала я, забыв, что эта мысль уже удивляла меня.

— А с братцем вы великолепная пара сапог, — сказал он. — Сначала говорил, что ты на занятиях, а сегодня утром накричал на меня, что человек уже три недели валяется в больнице и никому до этого нет дела...

Моя скамеечка была занята юным тоненьким папой. Он сидел, вытянув далеко вперед джинсовые ноги, похожие на складную металлическую линейку, и, задумчиво пощипывая усики, казалось безучастно, смотрел на резвящегося растрепанного мальчугана. Мальчишка был просто прелесть, не больше двух лет, очень забавный. Увидев нас, он подбежал и, остановившись совсем близко, принялся разглядывать незнакомцев испуганно-веселыми глазами. Борис достал из сетки апельсин и протянул мальчугану.

— Нет, нет, спасибо! — встревоженно воскликнул

папа, поднимаясь со скамейки. — Цитрусовые нам нельзя, диатез.

И вдруг стало понятно, что это очень хороший папа. Из тех, которые каторжники.

— Как зовут вашего сыночка? — спросила я, чтобы доставить ему удовольствие.

— Георгий, — горделиво ответил он, и это звучало как Гьёрги. — Гогия, — пояснил он, и это у него получалось как Гогья.

Они пошли к забору, туда, где был лаз, и я глядела им вслед и улыбалась.

— Гулять сюда приходят, — сказал Борис. — Такой замечательный парк!

— Они грузины, — продолжая радостно улыбаться, сказала я. — Ты понял? Они грузины. Мне так приятно!

— Если б я знал, что это тебе так приятно, я бы сегодня в справочном узнал, сколько грузин проживает в нашем городе. — Он недоуменно взглянул на меня.

— Ты ничего не понимаешь! — сказала я. — Ничего. Ты зачем сюда пришел — проведать меня? Ну, тогда давай поговорим.

— Давай поговорим! — согласился он.

И мы замолчали.

Я не могла до конца осмыслить то, что он пришел сюда и сидит со мной на скамейке. Мне мерещилось, что это Максим умолил его приехать. Чуть ли не в ногах валялся. Хотя я прекрасно понимала, что никогда в жизни ничего подобного Максим не сделает. Или, может быть, он так подумал: «Бедная, смертельно больная девочка... Подъеду, подарю тридцать минут счастья...»

Нет, это тоже исключено. Ведь он не знает, что я влюблена в него вусмерть.

Так вы влюблены, мадемуазель?! Похоже, что я наконец призналась себе в этом. Да не все ли равно! Жить, может быть, осталось шиш на постном масле. Хоть перед собой не юродствуй...

— Я понимаю, что ты в затруднительном положении. С одной стороны, неловко напоминать человеку о его болезни. И вообще это ужасная штука — посещение тяжелобольных. Ты его жалеешь и делаешь участливое лицо, а сам думаешь о том, как бы не проспать завтра на рыбалку. А больной не делает никакого лица, на нем вообще нет лица, он ненавидит тебя и думает: «Ну, давай спрашивай меня о здоровье, бодрячок! С-скотина...» А иногда ненависть переносится на совершенно неожиданные предметы. Видишь витрину того фотоателье за оградой? Я ее ненавижу. Там поголовно сняты все идиоты. Потому что не может умный человек послушно принимать позы, придуманные бездарным фотографом!

— Это нехороший юмор, — сказал он, серьезно смотря на меня. — Тяжелый.

— Это вообще не юмор, — возразила я. — Чувство юмора за последнее время у меня полностью атрофировалось. Отбито, как печенка в ужасной пьяной драке. А то, о чем я говорила, — это правда жизни. Точно так же об этом написал бы Чехов. Ты любишь Чехова?

— Очень, — веско сказал он.

— Слава богу! Я презираю тех, кто к нему равнодушен. Просто за людей их не считаю, каких бы успехов в личной и общественной жизни они ни достигли. Я всю жизнь читаю письма Чехова, у нас дома есть его собрание сочинений в двенадцати томах. Многие его письма я знаю наизусть. Особенно к Лике Мизиновой. Он ей пишет: «Хамски почтительно целую Вашу коробочку с пудрой и завидую Вашим старым сапогам, которые каждый день видят Вас...» И еще так: «Кукуруза души моей!» Обязательно нужно читать примечания к его письмам. Там объясняется, кто такие были Линтварёвы, кто такая Астрономка. Только никогда я не заглядываю в примечание к письму восемьсот восемнадцатому. Там всего одна сноска. Знаешь какая?

— Какая? — тихо спросил он.

— Всего одна: «Последнее письмо А. П. Чехова». Мы помолчали.

— Я сегодня ужасно много болтаю, как в прошлый раз. А ты очень молчалив, потому что не знаешь, о чем можно со мной говорить, а о чем нельзя. Я это вижу и выручаю тебя — говорю, говорю. Но сейчас я замолчу, и тебе станет страшно, и придется что-то сказать. Поэтому я предупреждаю: можно говорить обо всем. И хоть я панически боюсь смерти, даже о смерти.

И тут он не выдержал.

— Почему?! — закричал он. — Ну почему я должен говорить о смерти! И вообще, что это за безобразие! Я еду на свидание к юной девушке, перед этим готовлюсь, наглаживаюсь, бреюсь, черт возьми, так, что в меня глядеться можно, стою час в очереди за апельсинами! И вот вместо девочки меня встречает нудная старая баба и вот уже полчаса ведет заупокойные беседы. В боку у нее закололо — подумаешь! Вот у меня уже третью неделю насморк не проходит!

Он выхватил из кармана наглаженный платок и стал отчаянно громко в него сморкаться. Но у него ничего не получалось, потому что он был абсолютно, восхитительно здоров...

— А ведь на носу зима, — сказала я. — Сезон носовых платков. Что ты будешь делать зимой со своим насморком?

— А вот что: мы кошмарно напьемся, третьим возьмем твоего ненормального братца, будем шататься в обнимку по улицам и орать песни страшными голосами...

— И пусть идет снег.

— Пусть, — согласился он.

— Изо рта у нас будет валить пар, и все вместе мы будем похожи на огнедышащего дракона. О трех головах.

— Воображение — класс! — сказал он.

— Тебе сегодня скучно со мной?

— А разве ты всегда должна развлекать меня? Ты ведь не гетера и не гейша. Ты просто не сможешь быть всегда ярким дивертисментом.

— Понимаешь, — сказала я, — все, оказывается, ужасно сложно. Ты только не кричи на меня: я сейчас все объясню. Я очень много думаю все эти дни, так много, что мне будет даже досадно умереть, не записав эти мысли. Если я отсюда выйду, я напишу книгу и сразу стану великим писателем. Нет, я опять болтаю чушь, и ты ничего не понимаешь!.. Дело вот в чем: на днях умерла Лена. Ты помолчи, не перебивай, ты не знаешь. Лена. Белоснежная девушка, а волосы алые, как флаг... Умерла после удачной операции, ни с того ни с сего, с бухты-барахты. Что-то с сердцем случилось. А пять лет назад погибла моя мама. Еще нелепей и страшней. И еще, и еще... Теперь ответь мне: к чему вся эта возня со мной? Ведь я совершенно безнадежна. К чему замечательный Макар Илларионович будет делать сложную операцию обреченному человеку? Для чего? Чтобы я прожила еще год, три, пять лет? Но ведь даже если я останусь на подольше, мне все равно нельзя будет иметь детей! А дети — это главный смысл во всем! Хоть с этим ты согласен?

— В том, что главный смысл, согласен. А в остальном... — Он вздохнул и замолчал. И я подумала, что он больше ничего не скажет на эту тему, не может быть, чтобы Макс его не проинструктировал. — У меня очень старенькая бабуля, — неожиданно твердо и громко сказал он, так что я даже сначала не сообразила, в чем дело, и подумала, что это он мне хочет рассказать анекдот. — Такая старенькая, что каждый день, возвращаясь с работы, я боюсь, что не она откроет мне дверь, — продолжал он, не глядя на меня. И я поняла, что анекдота не будет. — Они с дедом любили друг друга с пятнадцати лет... Потом он ушел на войну, а она ждала его. Дождалась... Наконец, когда им исполнилось по двадцать два года, они поженились. И прожили семь месяцев, день в день. Ты взрослая девочка, тебе не надо объяснять, что значит ждать семь лет, а прожить с мужем семь месяцев...

Он долго молчал, прежде чем опять заговорить...

— Это был очередной налет банды петлюровцев. Деда повесили на глазах у молодой жены, а ей самой обрубили топором пальцы на обеих руках. Все десять пальцев, до второй фаланги... Но не до конца обрубили, — продолжал он, по-прежнему не глядя на меня, — пальцы потом срослись. Ужасно, правда, срослись, так что глядеть страшно, но все же какие-никакие, а руки... А в тот момент она, обезумев от боли и горя, волоча болтающиеся, как плети, руки с обрубленными пальцами, оставляя за собой кровавую дорогу, бежала на обрыв, чтобы броситься вниз, в реку. И когда она добежала, то вдруг почувствовала, как отчаянно бьется в животе ребенок, словно понимая, что она собирается сотворить, словно умоляя о жизни... Так она осталась жить, а через три месяца на свет появился мой отец, которого она назвала именем деда...

Он рассказывал это очень просто и твердо. Как-то повествовательно, как сказку рассказывал: «Жили-были...» И от этого делалось еще страшней, и хотелось сжимать кулаки и плакать оттого, что это было на свете...

— Я не знаю, зачем все это тебе рассказываю, — виновато сказал он. — Я приготовил положительные эмоции, целый вагон хороших анекдотов. Но когда я

тебя увидел, то понял, что анекдоты не нужны. Поэтому
рассказываю что-то не то...

— Именно то! — нетерпеливо перебила я его. —
Именно, именно то!

— Ну, тогда слушай дальше, — сказал он и пере-
ложил сетку с колен на скамейку. Апельсины свободно
раскатились, и один даже упал со скамейки, застряв в
сетке и оттягивая ее, как баскетбольный мяч. — У
бабули не осталось ни одной дедовской фотографии.
Так уж получилось. Люди редко в то время фотогра-
фировались, и потом она тотчас же уехала из того
городка, где жила с дедом. Я не думаю, чтобы она
забыла его лицо. Ведь мой отец поразительно похож на
деда, а я, говорят, еще больше. Нет, конечно же она
прекрасно помнила его лицо, хотя с того дня прошло
пятьдесят лет... И вот — это было совсем недавно,
месяца три назад — какие-то дальние родственники из
Киева прислали вдруг фотографию деда. Они, наверное,
копались в своем альбоме и наткнулись на нее. Сначала
не могли вспомнить, кто это, а когда догадались, решили
прислать ее нам. И то правда — зачем валяться чужой
фотографии в семейном альбоме... Ты знаешь, я никогда
еще не видел таких лиц у людей, какое было у бабушки,
когда она распечатала письмо с фотографией. Знаешь,
это, наверное, совсем нелегко — увидеть лицо люби-
мого, которого похоронила пятьдесят лет назад. Она не
сказала ни слова и весь день провозилась на кухне. Но
ночью... У нас тесновато, и мы с бабушкой спим в одной
комнате. И я слушал, как всю ночь она проговорила с
дедом. Плакала и говорила: «Ну как я тебе нравлюсь?

Посмотри, на что я стала похожа. Ты видишь эти руки? Что же это творится, боже мой, что твой младший внук на год старше тебя?» Потом, утром, она мне призналась: «Когда я разорвала конверт и оттуда выпала его фотография, у меня помутилось в голове, и я, знаешь, на самую маленькую секунду, подумала, что мне двадцать два года, а он уехал на ярмарку в Дунаевцы и пишет мне оттуда письмо. А его смерть и вся моя жизнь — это просто страшный сон, который снился прошлой ночью...» Больше ничего интересного я не расскажу. Ешь апельсин, не напрасно же я за ними в очереди стоял!

— Мне эта жизнь кажется удивительно прозрачной и ясной... — задумчиво проговорила я. — Можно смотреть на мир сквозь историю этой скорбной жизни и отсеивать добро от зла...

— Я хочу, чтобы ты съела апельсин на моих глазах. Вот смотри, я его почистил... Кто это идет там, в конце аллеи?

— Это Макар Илларионович! — испугалась я. — Сейчас мне влетит за то, что я в тихий час здесь болтаюсь!

— Что за имя, боже! — сказал он. — Карл у Клары украл кораллы.

Но Макар Илларионович даже не остановился. Он стремительно прошел мимо нас, не взглянув на меня, и скупо обронил:

— Долго не сиди. Сыро... — Его удаляющаяся четырехугольная спина в белом халате казалась мне оплотом надежды и веры.

— Кто тебе будет делать операцию, этот Фанто-
мас? — спросил Борис, глядя вслед Макару Иллари-
оновичу. — Что у него с шеей?

— Это фронтовое ранение, — сказала я. — Он
мне рассказывал когда-то, очень давно, девять лет
назад, и я уже смутно помню эту историю... Наши
форсировали реку, а на том берегу были немцы и держали нас под непрерывным огнем. И в общем, кому-то
из наших нужно было переплыть реку и что-то узнать
или сделать — я в военных делах ничего не понимаю.
Но это задание было равносильно смертному пригово-
ру — настолько опасной казалась переправа... И тогда
командир Макара Илларионовича сказал: «Ребята,
нужно плыть. Того, кто решится, представлю к орде-
ну...» И Макар бросился в воду. Вот тогда́ он и получил
это ранение в шею. Но все-таки доплыл и что полагалось сделал. А вот голову повернуть — ни в какую!

— А орден? — заинтересовался Борис.

— Командира в том бою убило... Я спросила у
Макара Илларионовича: вот когда он плыл, о чем
думал? А он говорит: «Вот представь себе, думал, как
по селу перед девчатами пройдусь — сапоги начищены,
гимнастерка новенькая, а на груди — орден! Когда
ранило, тогда уже твердил себе: «Выплыть... выплыть...» Насчет девчат он, конечно, пошутил. Он вообще шутник. Первую операцию он мне сделал, когда
я в первый класс пошла. И за день до нее говорил:
«Представляешь, будет у вас когда-нибудь урок анато-
мии, на котором изучают человечьи потроха. А ты вста-
нешь и скажешь: «Видали вы человека с одной поч-

кой?» Вот смеху-то будет!» Но та операция была ерундой по сравнению с предстоящей... Тогда можно было
шутить...

Борис ничего не ответил, и мы еще посидели так
тихонько, греясь на скудном осеннем солнышке.

Я вспомнила, что сейчас должен прийти Максим, и
представила, как я буду сидеть между ними — такими
красивыми парнями. И как это будет выглядеть.

— Ну ладно... — сказала я ему. — Посидел, и
будет. Проваливай...

Я проводила его до проходной, чуть отставая и
пытаясь запомнить его плечо и щеку — то, что мне
было видно, это на всякий случай, если он больше не
придет.

«Случись что-нибудь! — мысленно молила я то об-
стоятельство, которое еще не имело названия в моем
воображении, но которое должно было расставить все
по своим полкам... — Случись что-нибудь!»

И случилось. Как тогда, у подъезда.

— Ты знаешь! — вдруг остановившись, воскликнул он. — Совсем забыл тебе сказать! Я ведь сейчас
встретил в автобусе ту девушку, из театра!

— Вот так удача, — сказала я страшным голосом,
забыв поставить восклицательный знак в конце пред-
ложения. — Надеюсь, на этот раз ты не упустил случая...

— Ни за что бы не упустил! Я бы ехал за ней до
самой конечной остановки, если бы... — Он хитро посмотрел на меня: — ...если бы не торопился так к тебе...

...Ночью меня разбудило ощущение резкой перемены во всем окружающем мире. Я поднялась и подошла к окну.

Сильный ливень избивал и без того голые, беззащитные деревья. По всему стонущему от ветра парку шла жестокая расправа над теплом и безмятежной ясностью самонадеянной осени.

Я отошла от окна и легла, заложив руки за голову. По противоположной стене до рассвета метались, прося пощады, ошалелые тени деревьев. Все это было похоже на позор разгромленной армии.

А под утро за окном медленно поплыл снег. Он падал бесшумно и устало, как будто не являлся впервые, а возвращался на эту землю. Возвращался мудрый и умиротворенный, пройдя долгий путь, неся в себе некую разгадку и успокоение людям...

Сквозь сон я слышала, как пробуждалась клиника, хлопали двери в умывальной, шаркали больничные тапочки. Потом открылась дверь в нашу палату, быстро вошел Макар Илларионович. Он подошел к моей койке и положил руку мне на плечо. Этот жест был властным и успокаивающим одновременно. И я все поняла.

— Макар Илларионович, что? Уже? Уже сейчас? Неужели сейчас?! — Губы у меня одеревенели, и я не могла ими шевелить.

— Ты у нас умница, — серьезно сказал он. — Ты должна нам помочь. Ты же умница!

— Вы думаете, я могущественная, как Микки Маус? — пытаясь улыбнуться дрожащими губами, спросила я.

— Микки Маус тебе в подметки не годится, — так же серьезно сказал он. — Можешь взять его к себе в адъютанты.

Выходя из палаты, он остановился в дверях:

— Ну, отдохни еще секунду. Полежи, подумай о чем-нибудь веселом.

Как только за ним закрылась дверь, я схватила карандаш и, вырвав из ученической тетради листок, быстро написала: «Папа, прости меня! Я всех вас очень люблю!»

И тут я взглянула в окно. И увидела, как на зеленых санках в рыжем меховом комбинезоне мчит по чистейшему снегу повелитель всего живого на земле Гогия, а запряженный в сани счастливый усатый родитель делает громадные скачки, отчего его нескончаемые ноги еще больше похожи на складную металлическую линейку.

И я скомкала этот жалкий листок бумаги и швырнула его в сторону.

Внезапно я вспомнила бабушку Бориса и подумала: помнит ли она, спустя пятьдесят лет, живое прикосновение своего юного мужа? Помнят ли ее руки прикосновение к его рукам? Нет, наверное. Наше тело забывчиво.

Но оно живо — его объятие! Оно ходит по земле в образе его сына и внука, еще больше похожего на деда, чем сын! Жива мся мама. Потому что я жива. И буду жить долго-долго.

«Да, — подумала я, — вот это главное: люди ходят по земле. Одни и те же люди, только с поправкой на время и обстоятельства. И если понять это и крепко запомнить на всю жизнь, то не будет на земле ни смерти, ни страха...»

«А теперь я полежу еще секунду и подумаю о чем-нибудь веселом, — сказала я себе. — О чем же? Ну, хотя бы о том, как завтра или послезавтра придет Борис и напишет мне записку, какой-нибудь каламбур вроде: «Оперативно здесь делают операции!» А я в ответ на том же листке попрошу медсестру написать крупно, латинскими буквами: «Po blatu...»

1980

ПО СУББОТАМ

Под утро к ней приходили два сна. Один длинный, обыденный и скучный, у него много лиц, и все они кого-то напоминают. Этот сон наполнен раздраженными голосами и бесцельными действиями. Он ничем не отличается от будней, поэтому тяжел, скучен и сер...

Она просыпается и смотрит в окно. В доме напротив горят три квадратика — значит, уже часов шесть. Она долго лежит с открытыми глазами и думает. Потом небо светлеет, и плечам становится прохладно. И вот тогда возникает сон Второй.

Сначала он прыгает на форточку и долго сидит там, потом мягко и бесшумно спускается на подоконник. Она знает, что Сон здесь, но на него нельзя смотреть — улетит. Наконец он усаживается где-то у ее плеча и начинает легонько дуть ей на мочку уха. Это ужасно приятно... Все предметы вокруг становятся зыбкими и погружаются в мягкий сиреневый свет, который постепенно вкрадывается в ночную комнату. Теплая и прозрачная дремота наплывает на нее, обнимает, качает на своих коленях, и она боится пошевелить головой, чтобы не отдавить лапку Второму сну...

Он здесь. Он легкими прикосновениями гладит ее лоб, щеки, плечи, рассыпает на темном небе закрытых глаз разноцветные калейдоскопические звезды и легко смешивает реальное с нереальным, как мягкие пластилиновые шарики.

...А совсем утром ей приснилось, что ее зовут обыкновенным хорошим именем Таня, таким уютным, домашним...

— Ева! — Бабка стучала в стенку из кухни. Значит, завтрак готов, пора вставать. — Евка!

— Ну что ты стучишь, как гестапо! — сонно пробормотала она, заведомо зная, что бабка не услышит и будет колотить в стенку до тех пор, пока Евка не появится на кухне.

Она с закрытыми глазами нашарила шлепанцы и поплелась в ванную.

«Эта физиономия, — подумала она, разглядывая себя в зеркале над умывальником, — всегда напоминает мне о чем-то грустном».

Евка привыкла думать о себе как о чужом и не совсем приятном ей человеке. Почистив зубы, она внимательно посмотрела на свое отражение и сказала ему полушепотом, чтобы бабка не слышала: «Папа говорит, что ничего — все девушки к шестнадцати годам расцветают. Что ж, будем надеяться... Но ты, дитя мое, что-то подозрительно долго не расцветаешь! Прости, конечно, но сдается мне, что ты просто-напросто кикимора!» — закончила она и водрузила расческу на место, потому что бабка любила порядок. Скуластая и раскосая Евка в зеркале ничего не ответила, но, наверное, затаила обиду.

— Евка! — опять крикнула бабка из кухни. — Все простыло!

«Ну и имечко!» — подумала Евка в миллионный раз. Она так часто думала именно этими словами, что у нее уже выработалась мысленная интонация. «Ну и...» — думала она на вдохе и делала крошечную паузу. «И-имечко!!!» — кончала она на выдохе и мысленно ставила три восклицательных знака.

— Ев-ка! Что ты сегодня, сдохла?!

— Пора, пора, рога трубят! — вполголоса пробормотала Евка. Она вообще была негромким человеком.

На кухне бабка сплетничала с соседкой.

— С женой он не разводился, — доверительно сообщала бабка, — но у него была еще женщина, любовница... — Увидев Евку, она смутилась и поправилась: — Он... он с ней... э-э... дружил...

— Да, — иронично и негромко сказала Евка, садясь за стол. — Дружил. С женой он дружил ночью, с любовницей — днем.

— Попридержи язык! — закричала бабка.

— А ты не сплетничай о моем отце, — спокойно ответила Евка. — Что там у тебя, котлеты? Я не хочу...

— Ничего, ты начни, аппетит разыграется.

— Разыграется, — буркнула Евка. — Ногами гамму до мажор в терцию.

Вообще она не любила долгие препирательства с

бабкой, в которых та все равно выходила победителем. Она считала, что пожилым людям многое стоит прощать — так с ними легче жить.

Допивая свой чай быстрыми и мелкими глотками — она опаздывала на репетицию, — Евка доброжелательно сказала бабке:

— Заметь, каждое утро даю себе слово не огрызаться. Не из благих побуждений, мне просто лень... Но обещаю, шеф: если ты еще раз утром начнешь ломиться в стенку — я останусь заикой и как инвалид буду жить на твоем иждивении. А это тебе не улыбается, насколько я понимаю...

Ее сапоги в коридоре стояли рядышком, сиротливо, как два новобранца с обнаженными головами, и Евка поскорей стала их натягивать. «Ты опять опоздаешь», — напомнила она себе. Потом она долго стояла на остановке троллейбуса. Здесь ходили только восьмой и одиннадцатый. Евка ждала одиннадцатый, и, как всегда в таких случаях, восьмые ходили один за другим, а одиннадцатых вовсе не было, и поэтому казалось, что восьмых на линии сто штук, а одиннадцатых всего два и водители обоих пьяны.

С утра шел снег... Медленные снежинки оседали на меховой шапочке с козырьком и на воротнике куртки.

Евка опаздывала на репетицию. Она играла в джазово-симфоническом оркестре при народной филармонии. В оркестре играли ребята из консерватории, из училища, и Евка — выпускница специальной музыкальной школы — была там самой маленькой. Она играла на фоно, а иногда, когда не приходил Рюрик, на клавесине...

Когда она пришла, ребята уже налаживали аппара-
туру. Евка положила ноты на рояль и наблюдала, как
Дима устанавливал микрофон. Он очень сосредоточенно крутил что-то, время от времени откидывая назад
спадающие на глаза черные волосы. У Димы была
смуглая кожа, очень темные брови, ресницы и глаза,
поэтому белки казались особенно яркими и светлыми.

«Слушай, а он тебе нравится, — сказала себе Евка
и, немного подумав, небрежно ответила: — Да, чуть-
чуть...»

— Раз... раз... — буркнул в микрофон Дима, и в
динамике гулко отозвалось:

— Раз, раз...

Евка подумала, что скучно, когда все, проверяя микрофон, говорят почему-то «Раз, раз...». Будто нет других слов... Она подошла и сказала в микрофон:

— Крокодил.

— Крокодил, — отозвалось в динамике.

Дима увидел ее и улыбнулся.

— А, праматерь! Привет, как жизнь?

С ним всегда можно было перекинуться парой ин-
тересных слов. С ним и с первой скрипкой — Акундиным. Акундин был совсем взрослым, он занимался
на четвертом курсе консерватории и часто на репетиции
приводил девушек. Каждый раз новую.

Бородатый Акундин вообще был занятным человеком. Он в совершенстве владел тем языком, на котором
говорило его поколение. В первую репетицию он заметил Евке: «А ты здорово себя преподносишь, дитя...»
И она сразу подумала, как много люди говорят бес-

смысленных и неточных слов. Она представила себя почему-то жареной курицей с торчащей вверх ножкой и как она себя преподносит...

Ерунда какая-то!..

— Рюрик просил передать тебе эти ноты, — сказал Дима. — Он опять заболел...

Евка взяла ноты и в который раз удивилась, какой этот Рюрик милый и предупредительный человек. На прошлой репетиции она вскользь заметила, что здорово было бы поиграть рапсодию Гершвина, да ноты трудно достать. И вот он бегал по городу, доставал, может быть, простудился из-за этого. Чудак такой... Евка вспомнила его ласковый, чуть косящий взгляд и улыбнулась. Он один из всего оркестра называл ее не «праматерью» и «прародительницей», а как-то забавно и щекотно, так что Евка морщила носик, когда он к ней обращался. Он называл ее Еванька. Ужасно смешно! Евка опять вспомнила его ласковую, просящую улыбку и подумала: «Какой милый мальчик этот Рюрик. Нежный ко всем, без исключения... Князь Мышкин... Это, наверное, то, что называется светлой личностью. Я бы хотела, чтобы у меня была собака с таким характером... Нет, нет, это ничуть не оскорбительно! — заверила она саму себя. — Настоящего друга — собаку с таким характером...»

— Рюрика надо навестить, — сказала она Диме, который, сидя на корточках, настраивал что-то еще... — Завтра воскресенье, ждите меня с Акундиным у киоска в двенадцать.

— Вопросов нет, — ответил Дима.

Потом пришел Акундин, весь белый от снега, с белой бородой и бровями, пришел руководитель оркестра Александр Никифорович, и все начали настраивать инструменты.

Евка сидела у рояля и бренчала двумя пальцами. Подошел бородатый Акундин со скрипкой.

— Дайте-ка ля, босс... — пропел он.

— Два доллара в кассу, — лениво парировала Евка и ткнула указательным пальцем в клавишу. Клавиша была белая, как зубы Акундина.

Может быть, из-за погоды, а может, из-за чего-то другого репетиция шла вяло. Евка время от времени смотрела в окно на падающих с неба бесшумных паучков, и ей было скучно и тяжело — в общем-то ее всегдашнее состояние.

Перед ней сидел Дима, и она видела совсем близко его затылок и спину. Ей нравилось смотреть на его черные, блестящие волосы, нравилось смотреть, как он отсчитывает ритм ногой, нравилось, как иногда он оглядывался, встречался с ней глазами и приятельски подмигивал.

В перерыве музыканты встали покурить, Акундин с Димой пошли в буфет, а Евке нечего было делать. Слева стояла ударная установка. Евка знала секрет — если подойти вон к той большой тарелке и щелкнуть по ней пальцами, она издаст такой звук: «Чаххххх!» И тогда можно медленно и торжественно произнести: «Прошло двадцать лет...» И это смешно...

Подошли Акундин с Димой. Акундин жевал кусок колбасы с хлебом.

— Ты... неплохо сегодня... в соло... — промычал он Евке, пытаясь проглотить кусок.

— А я зато могу делать «Прошло двадцать лет...» — просто и доверчиво сказала Евка.

Дима чуть не умер от смеха, а Акундин перестал жевать и внимательно посмотрел на нее.

— Ты сегодня в расстроенных чувствах, девочка? — спросил он. И в голосе его не было ни капли насмешки.

— Да нет, в сущности... — ответила ему Евка. И чтобы Акундин понял, что отвечает она только ему, а не Диме, она посмотрела прямо в его умные и настороженные глаза. — Просто сегодня в связи с погодой, наверное, у меня разболелось одиночество. Но это чепуха, старые раны всегда ноют в непогоду... — И тут же ей стало стыдно, что она вдруг это сказала, и она быстро перебила себя: — Ой, ребята, слушайте, у меня кот необычайно талантлив. Возьму на фоно ля — он в ля мажоре мяукает, возьму соль — он воет в соль мажоре... Гениальный кот!

— Да нет, просто кот с музыкальным слухом, — серьезно сказал Акундин и посоветовал: — Ты приведи его к нам в оркестр, здесь и похуже есть.

Они посмеялись, потом Дима долго рассказывал о каком-то знакомом, который привез на остров двести яиц, вывел из них куриц и перепродал.

— Какой-то современный Робинзон Крузо со спекулятивным уклоном, — заметила на это Евка.

Они болтали, как всегда небрежно, обо всем и ни о чем, в сущности... Акундин с удовольствием пересказывал консерваторские сплетни до тех пор, пока Александр Никифорович не встал за пульт и не постучал палочкой, возвещая конец перерыва.

После репетиции они вышли втроем на улицу и остановились у киоска — Дима покупал журнал «Смена». Акундин, запрокинув голову, посмотрел на небо, и его борода сразу стала похожа на бороду умирающего Бориса Годунова.

— Посмотрите, какая туча надвинулась на этот город! — сказал он, и с этого момента Евка поняла, что здорово его уважает. За то, что он очень взрослый и умный, за то, что, несмотря на его пошлое воспитание, он умеет быть порядочным с порядочными людьми, за то, что он сказал сейчас про тучу торжественно-эпическим тоном, как древний сказитель о славной дружине Олега.

Еще она подумала, что хорошо все-таки видеть по субботам Рюрика, Диму, Акундина, этих симпатичных ей людей. Все-таки хорошо...

Они договорились навестить завтра Рюрика и разошлись по своим делам. Евка пошла по магазинам отчасти потому, что ей нужно было кое-что купить, отчасти потому, что не хотелось идти домой.

Снег прекратился, но небо оставалось угрюмым и было похоже на старую шинель, тяжелую и плохо греющую, которой накрылся хворающий зимой город.

На троллейбусной остановке стояли всего двое — старуха в сером пуховом платке и высокий мужчина в коротком полушубке. Он нетерпеливо посматривал на часы и щурил раскосые темные глаза.

Евка остановилась и прислонилась к будке с газ-
водой, чтобы можно было наблюдать за мужчиной. Она
и не думала подходить к нему, ей было хорошо стоять
так поодаль, чувствуя в груди теплые толчки сердца, и
следить за милыми, дорогими движениями этого человека.

«Отпустил усы... — подумала она. — И ему очень
идет. Молодит. Он стал похож на д'Артаньяна средних
лет... А в полушубке, конечно, свернутая в трубочку
газета. Не подойду, он куда-то спешит...»

Но вдруг ей стало страшно, что вот сейчас подойдет
троллейбус, и этот человек уедет куда-то по своим
делам, и бог весть когда они еще встретятся так случайно...

«Только подойду и спрошу: скучает он по мне или
нет... — подумала она. — Любопытно: скучает или
нет...»

Она подошла к нему сзади, тронула за рукав полу-
шубка и негромко сказала:

— Папа.

Он вздрогнул, обернулся и...

Он взял в ладони ее лицо и, взволнованно и радостно вглядываясь в него, быстро сказал:

— Евочка, детка моя родная!.. Откуда ты здесь,
что ты тут делаешь?

Но Евке важно было задать ему сейчас тот вопрос.

— Ты шкучаешь по мне? — Теплые отцовские ладони не выпускали ее мордочку, поэтому слова звучали
смешно и шепеляво, как будто Евке было три года. —
Шкучаешь по мне?

Отец засмеялся, сказал:

— Скучаю, конечно, детка моя. — Он отошел чуть-чуть назад. — Как ты вытянулась! Какая ты стала хорошенькая! Повернись. Тебе мало это пальто. На днях купим новое...

Он говорил, быстро перебивая себя, смеясь и жадно дыша на озябшие Евкины руки.

— А я был у тебя три раза, но не застал.

— Я не живу дома, — улыбаясь и разглядывая его, сказала она. — Я живу уже полгода у маминой тети. Тетя Соня, помнишь? Я не могла больше жить одна в пустой квартире, это очень тяжело. Ты спешишь куда-то?

— Что ты! — сказал он. — Мы не виделись полгода... Я так рад, что встретил тебя!

— А я с репетиции. Помнишь, я тебе говорила, что играю в оркестре? Не помнишь... Если ты не слишком торопишься, сядем в том скверике на скамейку... Там хорошие скамейки...

— Да, да, конечно... — сказал отец.

Они сели. Отец достал пачку сигарет, закурил.

— Ты куришь? — улыбнувшись, заметила Евка. — Удивительно. Не поддаться соблазну в юности и начать курить в сорок лет...

— Эта тетя Соня к тебе хорошо относится?

— Она по-своему ко мне привязана. А я нет. Ты же знаешь, я человек без привязанностей...

— Мама пишет? — осторожно спросил он, глядя в сторону. А Евка смотрела прямо ему в лицо, улыбаясь и вглядываясь в морщинки у глаз. Вблизи отец не казался таким молодым... Она смотрела на свернутую трубочкой, торчащую из кармана газету, и ей было хорошо и спокойно, как в детстве, когда все они были вместе.

— Мама пишет, шлет деньги, зовет к себе, в общем, делает все, что в таких случаях полагается делать... Но я не поеду, я не нужна ей... — Евка вдруг вспомнила Акундина и спокойно сказала: — Мама в расстроенных чувствах, ты же знаешь... Она второй год в расстроенных чувствах... Она тебя любила больше, чем меня, наверное, поэтому уехала, когда ты... ушел...

— Маму не надо осуждать, Евочка, — так же осторожно сказал отец.

— Ни в коем случае... — подтвердила она. — Я не судья, папа. Да и бесполезно осуждать женщину, которая может два года жить вдали от своего ребенка. Это уже бесполезно... Я ни к кому не привязана, поэтому не имею права осуждать ни маму, ни тебя. — Она помолчала. — Я только давно хотела спросить тебя, папа... Я понимаю, что любовь к женщине может пройти... Но мне всегда казалось, что любовь к своему ребенку, во всяком случае, пока он жив, — чувство непроходящее. Разве это не так? Ты можешь расценивать это как простое любопытство. Простое любопытство, потому что, видишь, мне уже не больно говорить об этом, я говорю спокойно, как говорят о давно умершем близком человеке. Единственно, что бывает больно по вечерам, — это то, что я совсем одна...

— Евочка... я... я замотался совсем... — забормотал отец. — С семьей, с квартирой... Я же предлагал тебе жить с нами, ты отказалась...

— Я не судья, папа, — мягко улыбаясь, повторила Евка. Она протянула руку к его лицу и провела мизинцем по левой полоске усов. — Кто-то изобрел прекрасную формулу — «Жизнь — сложная штука». Это замечательный щит для всех от всего на свете. «Жизнь — сложная штука» — и баста! Как объяснение и оправдание всех ошибок в мире. А я не судья, чтобы осуждать, и не Христос, чтобы прощать. Я, папа, просто равнодушный человек...

Отец оторвал наконец взгляд от снега и задумчиво и горько посмотрел на нее:

— Ты стала совсем взрослой.

Евка вздохнула и удивилась про себя своему спокойствию. «Ну же, — сказала она себе, — что же ты молчишь? Что же ты не скажешь ему всего, что накопила ночами? Помнишь, ты мечтала о том, как встретишь его и бросишь в лицо: «Вы оба — предатели! Вы оба бросили меня. Ты — ради той женщины, мать — оттого, что, кроме тебя, ей никто не нужен. Даже дочь! Вы убили меня в четырнадцать лет! Я не живу. Я совсем одна на свете...»

Но ничего этого ей не хотелось говорить. Ей было жалко человека, который, в сущности, был намного счастливей ее. Почему-то жалко...

И чтобы переменить тему и закончить этот тяжелый и никому не нужный разговор, она начала рассказывать об оркестре, о Диме, Акундине. Рассказывала она долго и остроумно, даже упомянула о тарелке, по которой можно щелкнуть пальцами и сказать: «Прошло двадцать лет...» Отец с нежностью смотрел на ее оживленное личико, раскосые глаза и постепенно разулыбался, разошелся...

— Ну, пошли, я посажу тебя на тролик, — сказала она отцу. — Ты, должно быть, здорово опоздал куда-то.

Они стояли на остановке обнявшись, и им обоим было хорошо.

— А ты знаешь, у тебя месяц назад братик родился, — сказал отец.

— Уповаю на Бога, что ты не назвал его Адамом. И думаю, Бог мне поможет в этом деле, ведь будет оскорблено его родительское чувство.

Отец засмеялся.

— Я назвал его Сашей, — сказал он. — Позвони мне на днях. Мы пойдем покупать тебе пальто. Номер запомнишь? — Он назвал номер.

— Запомню, — сказала Евка, зная, что не позвонит.

Подошел троллейбус. Отец вскочил на заднюю площадку и появился в морозном окне. Отсюда морщинок не было видно, и отец опять казался молодым и энергичным. Он что-то нацарапал на морозном стекле. Евка прочитала: «Позвони». Обратно это читалось: «иновзоП». Она кивнула, улыбнулась...

Троллейбус плавно тронулся, и отец помахал ей рукой. Он был уверен, что Евка позвонит...

«иновзоП... — подумала Евка и засмеялась. — Уважаемый товарищ иновзоП!»

Домой она шла пешком, не спеша, останавливаясь и поддевая носком сапога падающие с крыш сосульки.

Бабка сейчас, наверное, сидит дома и смотрит по

телевизору этот многосерийный фильм «Четыре тан-
киста и собака». Евке фильм не нравился. «Какой-то
анархический коллектив... — думала она. — Туда они
едут, сюда они едут... Вообще создается впечатление,
что если б не эти танкисты и эта собака, то немцы бы
выиграли войну...»

Завернув в свой переулок, Евка удивилась так, как,
вероятно, никогда в своей жизни не удивлялась. У ее
калитки стоял Акундин, и это событие было как бомба,
которую бросил в партер дирижер симфонического оркестра. Акундин стоял у лотка, где обычно продавали
падалицу — там на ценнике всегда было написано
«Яблоки свежие (загнившие)», — и, пританцовывая
от холода, смотрел на приближавшуюся Евку.

— А я тебя давно жду! — улыбаясь, крикнул он
ей. — Выглянула, понимаешь, симпатичная пенсионе-
рочка и вразумительно сказала, что Евки нет и черт
знает, где она шляется. Вот я решил подождать.

— Это шеф, — сказала она. — Это таежный мед-
ведь на пенсии. Не стоит обращать внимание.

Евка открыла калитку, пропустила его вперед и
спросила:

— Ты просто так пришел в гости?

— Просто так, — засмеялся Акундин. — В гости.
Адрес узнал у Димы. Мне почему-то захотелось прийти к тебе. Не забежать, не заглянуть, не зайти, а
именно основательно прийти, посидеть и даже, знаешь,
где-то что-то вроде выпить чаю...

— Не чаю, а кофе, — поправила она. — Я сделаю
тебе превосходный кофе.

— Прекрасно, девочка, кофе! — обрадовался

Акундин. — И бога ради, не подумай, что я пришел
потому, что ты сегодня там... на репетиции... — Он
замолчал.

— Раздевайся, — улыбнулась Евка и сама сняла с
него шляпу, всю в мягких паучках. — Я ничего не
думаю. И не церемонься с этим делом вообще. У меня
даже нет болезненного самолюбия, вот насколько я
равнодушный человек.

Акундин, потирая руки от холода, зашел в ее комнату и остановился на пороге.

— Это твои рисунки? — пораженно спросил он,
оглядывая завешанные рисунками стены.

— Мои, — небрежно ответила она, заходя за ним
в комнату. — Здесь мое — только рисунки и вон то
зеркало. Если сесть на диван, можно увидеть себя в
нем. Сначала нужно зажечь свечку, вот так... — Она
чиркнула спичкой, и оранжевый лепесток огня задышал
теплом и тем еле уловимым Евкиным запахом, который
исходил от ее рисунков и жил в углах комнаты.

— Когда свечка зажжена, можно сесть на диван и
увидеть в зеркале девушку, вот так...

Акундин обернулся и увидел в глубине зеркала
неясное пятно лица, длинные темные волосы, беспомощные углы плеч...

— Это человек, который мне неприятен, — сказала Евка. — Я, знаешь, ее презираю. Вялое и равно-
душное существо, которое никому не нужно. Садись в
кресло, Акундин, напротив меня. Сейчас ты получишь
обещанный кофе. — Она вышла на кухню.

Акундин зажмурился, устало потер ладонями лицо:
он все еще не согрелся, — встал и остановился у

портрета Хемингуэя, сделанного тушью. Рядом висел акварельный Арлекин. Длинный рот его был растянут в мучительно-веселую гримаску, морщины у рта были глубже, чем на лбу. Красный колпачок свесился с головы и закрыл ему один глаз, а другой глаз смотрел на Акундина насмешливо и печально одновременно. «Ну что, борода? — спрашивал он. — Поведай-ка нам какую-нибудь консерваторскую сплетню».

Евка появилась в дверях с двумя чашками кофе, поставила их на столик и весело сказала:

— Прошу, сэр. Я плохая хозяйка, но ты просто не обращай на меня внимания.

Акундин обернулся к ней и тихо спросил:

— Девочка, слушай, ты... в самом деле совсем одна? Как же ты живешь? — еще тише спросил он.

— Ого, какой трагический тон! — улыбнулась Евка. — Садись и пей кофе, пока он не остыл... А я привыкла, я два года уже одна. Ну, и все-таки бабка где-то близко обитает, газеты любит вслух читать, через стенку слышно...

Евке было хорошо, ей было просто здорово, оттого что пришел Акундин. Он сидел в кресле, по-домашнему скрестив ноги, грел озябшие руки о чашку с горячим кофе и был похож на молодого Чехова. Может быть, благодаря этому сходству он казался необыкновенно добрым и мягким... И необыкновенно порядочным...

И разговаривали они не так, как на репетициях. Их разговор был совсем непохож на то ловкое жонглирование фразами. Временами Акундин замолкал и задумчиво смотрел на огонек свечи, потом спохватывался, улыбался и начинал рассказывать, как летом жил с друзьями в горах и как в гости к ним приходил один осел. Он сожрал у Димы кусок поролонового матраса, на котором Дима спал, и поэтому осла прозвали Поролон. Потом он приходил с ослицей. Серенькой и грустной. И она была Подруга Поролона. Евка счастливо улыбалась и время от времени удивленно спрашивала: «Ей-богу?»

— Бога, безусловно, нет, — серьезно сказал Акундин. — А если даже он есть, то это такая скотина, какой свет не видывал...

Евка согласилась с ним.

Впервые за два года ей было хорошо. Хорошо с этим в общем-то чужим и в то же время таким теплым, добрым, уютным человеком... Потом, в коридоре, Акундин долго надевал ботинки и чертыхался, потому что они были мокрыми и разбухшими от снега. Евка сняла с гвоздя его пальто и вдруг засмеялась — у щеголя Акундина на пальто вместо вешалки был пришит кусочек бельевой веревки. И это было особенно смешным... Самым смешным событием за этот день.

Она проводила его до калитки и еще с полминуты глядела вслед, подпрыгивая на снегу в домашних тапочках. То на одной ноге, то на другой.

Акундин два раза оборачивался, кивал бородой, и в эти моменты по какому-то дурацкому смешению исторических лиц и литературных героев в Евкиной голове был опять ужасно похож на оперного царя Бориса Годунова, у которого вместо вешалки на пальто пришит огрызок бельевой веревки...

1980

ЭТОТ ЧУДНОЙ АЛТУХОВ

Когда-нибудь я обязательно опишу его.

Раскрою толстую тетрадь в клетку, чуть-чуть отступлю от края и подумаю, с чего бы начать... Да, когда-нибудь я обязательно опишу его. И безусловно, начну с глаз.

«Глаза у него были, — напишу я, — как у выжившего из ума декабриста». И это будет началом его портрета. А потом мне надоест писать, я отвернусь к окну, за которым будет надлежащее время года — зима или осень, а еще лучше лето, — и вспомню наш последний разговор (хотя разговором его вряд ли можно назвать, да мы, пожалуй, и вообще никогда не беседовали с ним, как нормальные люди).

...Это была пустая аудитория, та самая, с пианино у окна. Я сидела и переписывала вопросы к семинару. И вот тут заглянул мой обожаемый Алтухов.

Он был ужасный урод, самый настоящий обаятельный урод. Глаза у него были настолько широко поставлены, что находились ближе к вискам, чем к переносице.

И казалось, природа предусматривала наличие третьего циклопического глаза, но потом забыла его ввинтить, и место теперь пустовало. Глаза были круглые, черные, как у встревоженного цыпленка. Ходил он ссутулившись, не спеша и слегка враскачку, отчего создавалось впечатление, что этому неприкаянному человеку абсолютно нечего делать и некуда деть себя...

— Здравствуй, Диночка! — сказал он и вошел. — Как дела? Давно мы с тобой не говорили...

— Да? А разве мы когда-нибудь вообще о чем-нибудь говорили? — спокойно спросила я.

— Слушай, слушай, я расскажу сейчас что-то интересное. — Он сел за пианино.

Я подошла и стала рядом. А он сидел, повернув голову к окну, и, легко аккомпанируя себе короткими аккордами, насвистывал какую-то песенку. Долго насвистывал.

— Ну? — наконец спросила я. — Внемлю. Ты, кажется, собирался что-то поведать мне.

— А? Чего? — рассеянно спросил он, перестав играть и недоуменно смотря на меня.

Я молча улыбнулась.

— А, ну да! Вот послушай песенку... — И он, опять засвистев, отвернулся к окну, думая о чем-то своем.

Я обошла пианино и заглянула в глаза уроду Алтухову. И опять он мне напомнил сумасшедшего декабриста, который день и ночь стонал: «Погибла идея! Погибло дело!»

— Вот так тебя доконало это восстание на Сенатской площади, — сказала я.

Он кивнул, продолжая осторожно подбирать какие-
то гармонии. Он всегда кивал, когда не слушал. Я
думаю, это для того, чтобы ему не мешали думать...

Он был талантливый и смешной. На мой взгляд —
редкое и милое сочетание. Я не могу сказать опреде-
ленно, в чем выражался его талант. Он был очень
музыкален, он был, как говорится среди музыкантов,
слухачом. Но не это главное. Он принадлежал к той
породе людей, которые способны мгновенно воплощать
в слова и жесты все удачное и прекрасное, что мелькает
в их воображении, воплощать метко и образно, не тратя
времени на режиссуру. У него получалось все так легко
и свободно, словно он долго репетировал. Алтухов
изумительно владел своим телом, интонациями своего
голоса, мышцами своего лица и мог моментально вос-
произвести любой увиденный где-то жест или движе-
ние, любой услышанный разговор. Он изображал так,
что мы все обалдевали. Он чертовски захватывающе
рассказывал всякие небылицы из своей жизни. И мы
верили. И мы хохотали. И глядели на него восторжен-
ными, влюбленными глазами.

И вдруг он уходил. Он поднимал воротник своего
синего плаща, брал под мышку футляр со скрипкой и
уходил по узенькому тротуару прочь от консерватории,
не появляясь в ней неделями.

О существовании Юрки я узнала в тот день, когда
у нас пропала лекция по «Анализу музыкальных форм».
Бог знает, из-за чего пропала — то ли преподаватель

заболел, то ли очередное мероприятие на кафедре проводилось, — мы толком и не узнали. Алтухов как-то сразу заморочил мне голову, и мы от нечего делать пошли мотаться по магазинам.

Это было очень увлекательное путешествие. «Пойдем знакомиться с манекенами! — сказал Алтухов. — Заведем себе парочку друзей. Они прелесть, эти манекены, знаешь? Вежливые, милые, без претензий на духовное богатство». Я засмеялась.

В витрине магазина музыкальных инструментов стояла девушка-манекен со скрипкой. Шейка скрипки покоилась на ее раскрытой гипсовой ладошке, а удивленно приветливые гипсовые глаза созерцали пульт, на котором стоял перевернутый вверх ногами «Самоучитель игры на баяне». Манекен не был приспособлен для демонстрации музыкального инструмента и был похож на девушку, играющую в «стоп, замри!». Правая рука с нечеловечески длинными пальцами указывала на левую, и девушка как бы предлагала нам взглянуть и подивиться, что это за штуковину вставили ей между шеей и кистью левой руки.

— Слушай, слушай! — вдруг воскликнул Алтухов и остановился. — Как мне грустно от этой девушки! Почему? Наверное, потому, что мы с ней похожи. А знаешь чем? — Он засмеялся.

— Тем, что одинаково разбираетесь в скрипичном репертуаре! — съязвила я.

— Тем, что она успела сделать в жизни примерно столько же, сколько и я... — не обращая внимания на мой выпад, серьезно сказал он. — А ведь она сущест-

вует гораздо меньше, а? — И задумался, поеживаясь
от ветра и пряча подбородок в ворсистый коричневый
шарф.

Мы обошли еще несколько магазинов, и вот тут я
заметила, что его тянет в отдел игрушек. А меня туда
почему-то не тянуло. Я с трудом затащила его в отдел
верхней одежды и заставляла держать вешалки, пока
примеряла всякие пальто...

Рядом со мной какая-то маленькая толстая женщина
крутилась возле зеркала, пытаясь увидеть в нем свою
спину, вернее, хлястик на спине. Ее светлые волосы
были скручены желтой резинкой на затылке в пучочек,
а зубы почему-то росли здорово вперед. Очень вперед.
Признаться, я еще в жизни своей не видала женщину
с такими короткими толстыми ногами и чтобы зубы у
нее настолько росли вперед, что казались самым важ-
ным органом осязания.

Я аккуратно повесила пальто на вешалку, которую
Алтухов держал, как робот, беспомощно оглядываясь
в толпе женщин, и тихо сказала:

— Алтухович, знаешь, если бы у меня была такая
внешность, я бы уже не покупала себе пальто. Я бы
уже ничего не покупала.

— Ей холодно зимой, понимаешь... — ответил он.

— Но если ты когда-нибудь заметишь, что у меня
стали такие ноги, убей меня, пожалуйста.

— Отстань, — сказал он и все-таки пробился в
отдел игрушек.

Я бы могла спросить, для кого это он старается.
Может быть, для племянника или какого-нибудь сосе-

да. Но мы с ним вообще никогда не разговаривали нормально, поэтому я только кивнула в сторону пестрых коньков-каталок и сказала:

— Может быть, лошадку купишь?

— Да ну... — отозвался он, рассеянно оглядывая прилавок. — У Юрки и без этого столько лошадей, что он вполне может сколотить конармию.

На полпути к трамвайной остановке мы нашли на асфальте живую тепленькую летучую мышь. Алтухов держал ее на ладони, приподнимая то одно перепончатое крылышко, то другое, и что-то долго объяснял мне — наверное, объяснял, как можно летать при помощи таких штук. А я все время смотрела на него и думала, что если бы старик Алтухов закрыл минут на пять один глаз, а другой оставил открытым, то он бы стал похож на слепого рапсода со звездой во лбу. То есть она сначала вроде бы сияла во лбу, а потом скатилась на висок под бровь...

Мы решили положить мышь в водосточную трубу. Наверное, ей там будет уютней, ведь, надо полагать, у летучих мышей несколько иные взгляды на уют, чем у нас. Впрочем, потом, на остановке, Алтухов вспомнил о ней и сказал: «Зря мы ее в трубу положили, там темно. Она еще подумает, что ночь наступила, вылетит и расстроится...» Он провел ладонью по лицу сверху вниз, как актер, надевающий маску расстроенной летучей мыши, и я засмеялась, потому что вместо великого комика и трагика Алтухова на меня круглыми испуганными глазами смотрела расстроенная летучая мышь... Так мы ничего Юрке в тот день и не выбрали.

А самого Юрку я увидела на ноябрьской демонстрации. Нам было велено собраться ровно в восемь
возле консерватории, а я почему-то явилась на полчаса
раньше, стояла и злилась на себя. И тут подходит
Алтухов и за руку держит мальчишку, который время
от времени от радостного ожидания очень высоко под-
прыгивает.

— Это Динка, — сказал ему про меня Алтухов. —
Вы, дети, постойте, а я на минутку в киоск. За сига-
ретами.

— Хорошо твоему Алтухову! — сказала я мальчику. — Он думает, если ему целых двадцать семь лет
и он где только по свету не мотался, так уж всех людей
можно детьми обзывать...

— А оркестр будет? — радостно спросил парнишка
и подпрыгнул. Здорово высоко он прыгал. И выгова-
ривал букву «р». А я очень уважаю детей, которые,
вопреки шаблону, выговаривают букву «р».

— Ну, это зависит от того, как тебя зовут, — ответила я.

— Юр-р-р-ка! — заорал он. Он безумно хотел,
чтобы заиграл наш студенческий оркестр, наверное, Алтухов обещал.

— Будет, будет. Сейчас выйдут наши молодцы и
начнут дуть в свои трубы. Морды у них станут красными, а трубить они будут так фальшиво, что даже ты
услышишь. Но тебе, я понимаю, все равно...

У меня создавалось впечатление, что прыжки в вы-
соту были главным занятием в его жизни. Он сосредо-

точивался, вытягивал руки по швам и подпрыгивал вверх солдатиком.

— Ты опять?! — грозно крикнул Алтухов. В зубах у него торчала сигарета, и глаза были круглые и весёлые. — Я предупреждал тебя, ты ударишься головой о звёзды, и тогда я ни за что не отвечаю!

— Где же звёзды? — тихо и испуганно спросил Юрка, прикрыв ладошкой затылок.

— Ну, тогда собьёшь с ног Динку-пианистку. А ей, как лётчику, без ног — никуда. На педали-то как нажимать?

— Она на велике ездит? На гончем?!

— На легавом, — ответил этот великий воспитатель Алтухов. — На легавом с отвислыми ушами.

Он взглянул на меня своими дурацкими круглыми глазами. На этот раз взгляд был насмешливым и ласковым. И это было особенно оскорбительно. Потому что я знала: это его дар — сказать что-нибудь настолько образно и метко, чтобы слушатель сразу увидел сказанное в действии. И я знала, что сейчас представляюсь Юрке верхом на смешном легавом велосипеде с отвислыми ушами. Уж не знаю, каким он казался Юрке, этот велосипед, но лично мне он представлялся довольно ясно...

— Слушай, знаешь что! — разозлившись и от растерянности не зная, что ему ответить, выпалила я. — Вынь, наконец, свои руки из карманов плаща! Это неприлично!

— А-а, вздор... — не вынимая рук из карманов, лениво ответил он. — Предрассудок с тех времён, когда какой-нибудь ковбой носил в кармане плаща огнестрельное оружие. Тогда было просто страшно, если навстречу шел человек, засунув руки в карманы.

Оказывается, у них сегодня была разработана целая программа действий. После демонстрации — просмотр какого-то нового цветного художественного, потом — катание на самой большой карусели в мире, той, что в парке культуры и отдыха (сколько помню себя, карусель запускал один и тот же пьяный дядька, понятия не имеющий о времени, в результате чего одна группа детей каталась полчаса, другая — десять минут), и в заключение, как мощный аккорд «Богатырской симфонии», — сто граммов крем-брюле в кафе «Снежинка»! (Не замечали, что во всех городах имеются кафе именно с таким названием?)

— Если вы не пригласите меня с собой, — пригрозила я, — вы будете иметь дикий скандал!

И они испугались. И пригласили меня с собой.

Мы сидели под красным пластиковым тентом и копались ложечками в тонконогих розетках. Солнечные лучи, проникая сквозь тент, полыхали на Юркиной и алтуховской физиономиях алым пламенем.

— А ведь ты сегодня еще ничего не наврал, — заметила я. — Ну-ка, давай начинай, рассказывай.

— А что? Как я тонул этим летом, рассказать? Только держитесь покрепче за ложки, а то упадете со стульев. Этим летом я отдыхал в... — и замолчал. Как будто задумался. Это он всегда нам так нервы трепал.

Я подождала немного и нетерпеливо спросила:

— Так где ты отдыхал этим летом, старый черт?

— В горах, — сказал он и посмотрел на нас своими круглыми черными глазами, расставленными настолько широко, что они были похожи на два удаленных друг от друга маяка в штормующем море. — Понимаете, дети, — тихим и красивым голосом сказал он, — представляете, дети... Снег — и белые березы!

Это в горах-то белые березы!.. А впрочем, не берусь утверждать обратное. Он так красиво рассказывает, вернее, он так красиво показывает, этот врун Алтухов!

— Речка там — чокнутая. В ней не то что купаться — умываться было невозможно. Того и гляди, наклонишься, а голову оторвет течением и понесет, как божье яблоко, — только глазами вращай. Ну, и играли как-то мы с ребятами на берегу в волейбол. И вдруг мяч ветром на воду снесло. Я наклонился, чтобы рукой достать, оступился и — шарах! — в воду.

Он замолчал. Но живой же он был, этот Алтухов, сидел же сейчас рядом с нами!

— Метра два по инерции, ничего не понимая, плыл за мячом, а потом так скрутило, завертело, что не до мяча стало... Меня на камни несет, я за них цепляюсь, а они скользкие, холодные, острые, только руки все поранил. Тут меня опять подняло, вынырнул и ослеп — солнце вверху тяжелое, охристое, падает на голову, как кулак. «Нет! — думаю. — Сволочь! — думаю. — Ах ты, сволочь!» Не помню, что дальше. Кажется, швырнуло меня на камни у берега, я мертвой хваткой во что-то вцепился, выполз. Выполз — труп. Упал в какие-то кусты и сижу, как кусок студня. Сижу, и все... Подбегают ребята, говорят: «А здорово ты за этим мячом плыл, мы по берегу бежали, спорили: поймает или не поймает. Ну на кой тебе этот мяч сдался?» А я сижу в колючках, обхватил голову порезанными окровавленными руками, плачу и смеюсь...

Я смотрела на Юрку. Он спокойно слушал, он совсем не волновался за Алтухова, он, наверное, думал, что с его Алтуховым никогда ничего не случится.

На следующий день Алтухов явился в консерваторию позже обычного. Он был в очень линялой зеленой рубашке.

— Я ее постирал так тихонько, ласково... — объяснил он. — А она взяла и слиняла. Вот дура, а? — и смеется.

Я отозвала его в сторону.

— Признайся, злостный алиментщик Алтухов, это твой ребенок? — грозно спросила я.

— Это не мой ребенок, — ответил он. — Но это — мой сын. Я понятно объясняю?

— Ну конечно! — сказала я. — Ты украл его, когда кочевал с пушкинскими цыганами. Разве не так? «Цыганы шумною толпой по Бессарабии кочуют...» Или Юрка — сын несчастной падшей женщины, которую ты наставил на путь истинный, а потом великодушно взял в жены с ребенком?

— Не дай бог на ней жениться, — вдруг серьезно и как-то брезгливо сказал он. — Это — ужасная женщина, а что касается Юрки, ты почти права: я собираюсь его отнять и воспитывать... А ты — клопик. — Он легко провел указательным пальцем по моему носу,

от переносицы до кончика. — Она когда-то была моей
любовницей, ясно?

— Алтухов, я маленькая первокурсница, — сказала
я. — Любовница — это непонятное слово.

— Добро, — коротко ответил он и забрал у меня
конспект по истории.

Забрал конспект и пропал на неделю. Нет и нет
его... Сначала я все выглядывала в окно на узенький
тротуар — не появится ли его синий плащ, но он не
появлялся. А мне ужасно был нужен конспект по истории! Впрочем, чего врать! Какому студенту нужен
конспект в середине семестра... Я узнала в деканате его
адрес — Алтухов снимал комнату в старом городе —
и после занятий поехала к нему.

В этот день лил сумасшедший скачущий дождь. Он
прыгал по тротуарам, сбегал у обочин в кофейные реки
и мчался дальше, барабаня по листьям деревьев.

Я стояла на остановке автобуса и наблюдала за
хромой пегой псиной, которая обнюхивала мокрые скамейки и заискивала перед прохожими, особенно перед
какой-то молодящейся старухой с цветным зонтиком.
Старуха время от времени отпихивала собачонку левой
ногой в черном резиновом сапоге, и с собачонки от
толчков лились потоки воды.

— Кто не любит собак, тот недостоин звания человека! — сказала я старухе. — Так говорил Сент-Экзюпери.

Сент-Экзюпери этого не говорил. Это сказала я.
Но моего авторитета для нее было явно недостаточно.
Поэтому я метнула в старуху своей цитатой и пригвоз-

дила ее именем Сент-Экзюпери. А я не знаю, может быть, Сент-Экзюпери и сказал что-нибудь такое... Ну почему одна и та же мысль не могла прийти в голову мне и писателю Сент-Экзюпери!

Потом я купила в магазине бублик и минут десять гонялась за этой собакой, пытаясь накормить ее. А она не брала. Она смотрела на меня тоскливыми рыжими глазами и, наверное, думала: «Слушай, ну отстань! Слушай, ну чего ты прицепилась?»

Алтуховскую калитку я долго не могла найти, потом меня завели в какой-то тупик и показали длинный одноэтажный дом. В нем жило много семей, и Алтухов снимал угловую комнату.

Он увидел меня и испугался.

— О господи! — сказал он. — У тебя крылья промокли!

Он снял с меня плащ и повесил его на вешалку в общем коридоре. Давно я таких вешалок не видала — черные оленьи рога, похожие на худые двупалые руки калеки. Они тянулись со стены вперед, будто просили подаяние...

— Умер Леня Вайнер, — просто сказал Алтухов.

— Леня Вайнер? — растерянно переспросила я.

— Да, от менингита... Глупо, что умер Леня Вайнер...

Я молчала и боялась спросить его, кто такой Леня Вайнер. Наверное, это был кто-то из его старых друзей. Он думал, этот чудной Алтухов, что все люди должны знать и понимать друг друга и очень горевать, когда с кем-то из них случается беда... Если бы я подошла к

Алтухову и сказала, что какому-нибудь Пете Сидорову позарез нужен синий алтуховский плащ, то он, я думаю, даже не спросил бы, кто такой Петя Сидоров и на черта ему дался личный плащ Алтухова. Он бы просто спросил: «На каком транспорте к нему добираться?»

На старом алтуховском диване спал Юрка. Его большая голова на подушке была как золотистый стриженый шар, а одна тонкая рука лежала поверх одеяла.

— А тут еще Юрка, дьявол, простудился... — шепотом сказал Алтухов. — Температура три дня держалась, а сегодня вот упала... Разбудить его? А то узнает, что ты приходила, и будет обижаться. Знаешь, как часто он тебя вспоминает!

— Ты думаешь, я на полминуты зашла? — сказала я. — Я сто лет здесь сидеть буду, он еще успеет проснуться.

Я подошла к столу и придвинула к себе листок, записанный нелепым алтуховским почерком.

«Вот так да! — подумала я. — Вот так новости!» Он пробовал сочинять акростих на мое имя. И так странно было смотреть на эти буквы, написанные его рукой и складывающиеся в удивительно знакомое звукосочетание, которым называлась на этом свете я:

Д — давай подумаем, нужна ли нам зима?
И — и снег на крышах мертвенно-холодный,
Н — ненужный в отношениях туман...

Строчка на букву «А» не получалась.

— А — Алтух, поэт ты никуда не годный! — подытожила я.

— Ну и не вмещается в ритм.

Мы сидели с ним на одном стуле, потому что больше сидеть было не на чем.

Сидели, опираясь друг о друга спинами, и шепотом разговаривали. То есть мы не разговаривали, а переругивались. Я его ругала, а он молчал или говорил в ответ какую-нибудь глупость. Вот не мог он мне как-то достойно дать отпор! Всем мог, а мне нет, и это удивляло.

Я вспоминаю, как однажды все мы сидели в тридцать шестой аудитории и Сашка Белоконь, взгромоздившись на стол, рассказывал про свои знакомства с известными людьми. Как он с кем-то из них рубал в ресторане яичницу. Нам всем было противно... И вот тогда уставший Алтухов, неторопливо протирая носовым платком струны на скрипке, сказал ему вдруг негромко и ласково:

— Эх, Белоконь... — как будто с сожалением сказал он. — Ну, какой же ты Бело-конь? Ты просто серая лошадка.

И мы все вокруг застонали от восторга и от обожания. А Алтухов бросил протирать струны, положил скрипку в футляр и вышел из аудитории. Он всегда умел уходить так, что всем хотелось вскочить и побежать за ним следом, вернуть его. А это, я считаю, дар божий — уметь уйти так вовремя, чтобы всем захотелось тебя вернуть.

Мы сидели спиной друг к другу, я чувствовала его горячее плечо и думала, что вот он, Алтухов, старый и одинокий человек. Ему уже двадцать семь лет, а, кроме Юрки, у него в этом городе ну никогошеньки.

— Когда я ушел из института живописи... — начал он шепотом.

— Ты, должно быть, врешь, Алтухов, — перебила я, — наверное, тебя оттуда просто выгнали за то, что ты не умел рисовать.

— Рисовать? — переспросил он и улыбнулся. — Я был на скульптурном отделении... Ну, впрочем, да, и рисовать... Там есть такой предмет. Один из основных... — Он замолчал.

— Ты хотел что-то рассказать...

— А? Да нет, я просто вспомнил... Нам в институте позировала одна пожилая женщина. По профессии она была учительницей биологии. Спиной позировала... Спина у нее была худая, и под левой лопаткой какой-то шрам... Жаловалась, что живет в коммунальной квартире, что соседи пьяницы и скандалисты и она мечтает подработать и сделать в своей комнате толще стенки. Поэтому и позирует. «Вот так я докатилась до вашего института...» — говорит. Чудаки, почти все они считали позирование чем-то зазорным... Нервная, издерганная женщина... Чуть что — плачет. А город менять не хочет. «Как выйду на Неву...» — говорит, и опять в слезы... Единственная мечта в жизни — подработать и сделать толще стенки. В этом что-то есть, а?

— Ничего в этом нет, — решительно сказала я. — Больная, нервная женщина, вот и все.

Я знала, что он учился в институте живописи и скульптуры, но не видела ни одной его скульптуры, ни проволочного каркаса, ни засохшего куска глины, ни одного карандашного наброска... Как будто он начисто смел все, что связывало его с институтом. Однажды он рассказывал мне о своем товарище, вообще-то хорошем скульпторе, который покончил жизнь самоубийством, оставив коротенькую записку: «Не обнаружил в себе гениальности». Записка лежала на снимке со скульптуры Родена «Амур и Психея».

В том, что эта дурацкая история была сочинена от начала до конца, я не сомневалась. Но вероятно и то, что Алтухов вложил в нее долю своего отношения к этой проблеме.

Я смотрела на спящего Юрку, на ребенка, которого страстно любил Алтухов, и мне хотелось сделать им обоим не просто что-то хорошее, а непременно что-то такое важное и громадное, от чего бы жизнь их сразу изменилась. Я просто ощущала такую жгучую потребность. Чтобы к ним не нужно было ехать полтора часа на старых, замызганных автобусах, которые сохранились только в старом городе, чтобы не надо было искать по тупикам их калитку, и чтобы в коридоре не висели эти страшные вопрошающие рога, и вообще чтобы Юрка не спал больше на старом алтуховском диване...

Я слушала, как Алтухов продолжал шепотом рассказывать что-то, и мне показалось, шепот его — нечто осязаемое, нечто мягкое и теплое, как живой воробей.

— Алтухов! — опять перебила я его, и он покорно замолчал. — Алтухов, я так люблю твои бредни, что, когда ты говоришь, мне хочется поцеловать звук твоего голоса... Что бы это значило?

Он поправил спавший с ноги шлепанец и сказал:

— Это значит, что ты проголодалась. Я сварил суп

из курицы с двумя шейками. То есть у моей была одна
и еще одну подарила соседка Нина Дмитриевна, потому
что ее девчонка шейку не любит. Сейчас я согрею...

Пока он возился на кухне, Юрка проснулся и сел
на диване, по-турецки скрестив ноги. Юрка пялил на
меня сонные глаза и никак не мог поверить, что я
пришла.

— Как ты вырос, Юрка! — сказала я. — Ты как-
то подлиннел.

— Я скоро стану совсем большим! — похвастался
он. — Таким большим, как Алтухов. Даже еще больше. Я скоро буду ходить руками по потолку, а ногами
по полу... А еще я вчера набил себе синяк. Вот. — Он
показал локоть. — Сначала он был красняк, теперь
синяк. Потом будет зеленяк, а потом — желтяк.

— Это ужасно, когда человек сам себе что-нибудь
набивает! — согласилась я. — Однажды я сама себе
наступила на ногу и страшно злилась, потому что некому
было сказать: «Хамка вы!»

— А еще... а еще... — Он повертел колючей головой, придумывая или вспоминая, какую бы еще новость
мне выложить. — А еще я теперь у Алтухова живу,
видишь? — радостно сообщил он. — И буду до-олго
жить, если мама не спохватится.

— Ладно, молчи! — быстро перебила я. Еще не
хватало, чтобы он тут выболтал мне алтуховскую тайну!

— Почему? — простодушно удивился Юрка. —
Она не услышит, не бойся, она далеко! У меня мама —
артистка. Только ее никогда на сцене не видно, потому
что, как раз когда она выходит, много всяких людей

вместе с ней танцуют или говорят. Алтухов сказал — это называется «массовка»... А правда, слово «массовка» похоже на слово «винтовка»? Я так думаю, что мама и не спохватится. Она ведь и так забывала в садик за мной заходить. Алтухов говорит — очень я ей нужен!

— Юрка! — закричала я, чтобы он наконец перестал рассказывать. — Если бы ты знал, Юрка, кого я сегодня на улице видела! Зеленого! С ушами и хвостом!

— Крокодила! — озабоченно крикнул он. — Но у него нет ушей!

— Чего вы разорались? — спросил Алтухов, занося кастрюлю с супом. — Как голодные птенцы. Вот... — Он разливал суп по тарелкам. — Юрке шейку... и тебе шейку!

— Это суп из Змей-Горыныча? — спросил Юрка.

— Из царского двуглавого орла, — сказал Алтухов.

Потом он отвозил меня домой. Мы ехали в такси по ночному городу и смотрели на спящие троллейбусы, носами уткнувшиеся друг в друга. Они были похожи на причесанных людей. Это из-за опущенных дуг. А кстати, почему дуг, когда это вроде бы прямые палки? У меня с детства слово «дуга» ассоциируется с широкой трехцветной радугой... Какие-то полузабытые стишки из детской книжки: «Ах ты, радуга-дуга!»

— Если бы ты знала, какая морковная луна всплывает над Ленинградом после белых ночей! — сказал мне Алтухов.

Он постоянно тосковал по Ленинграду, и иногда это

чувствовалось так ясно, что мне становилось невыносимо жаль его.

— Знаешь, как скрипят входные двери в институте
живописи, — говорил он, — когда сторож закрывает
их на ночь?..

— Почему ты уехал оттуда? — как-то спросила я,
глядя в его круглые печальные глаза.

— Видишь ли, весной там не хватает витаминов, —
ответил он и улыбнулся. — А я не могу без них.

И я его не стала больше спрашивать об этом; с ним
невозможно было разговаривать; все не как у людей.

Даже последний наш разговор не получился чело-
веческим. Потому что мы с самого начала, с того момента, когда он заглянул в аудиторию, не поняли друг
друга. Я не поняла, что он пришел прощаться, а он не
понял, что я решила наконец влюбиться в него, урода...
Поэтому, когда я обошла пианино, заглянула ему в глаза
и сказала, что здорово его доконало восстание на Сенатской площади, он кивнул, отвернулся к окну и вдруг
сказал:

— Мы с Юркой уезжаем... — Аудитория была
пустая и гулкая.

— Ты сегодня плохо побрил левую сторону шеи, —
сказала я. — Поэтому по тебе, как по замшелому де-
реву, можно узнавать, где север и где юг.

— Мы уезжаем завтра, знаешь...

— У тебя бритва плохая. Или ты невнимательно
брился, — сказала я. И заплакала. Беззвучно заплакала, чтобы он не слышал. А он и так не слышал, он
сидел, отвернувшись к окну.

— Значит, план такой: я меняю Юрке фамилию, чтобы эта мадам не сумела найти его, отвожу парня к моей тете в Пермь, а сам еду в институт живописи. Я не могу без Питера.

Я проглотила застрявшие в горле соленые всхлипы и сказала ровным голосом:

— Это жестоко — отнимать у женщины ребенка.

— Замолчи! — закричал он. — Что ты понимаешь, клоп! Господи, ну что ты понимаешь в жизни! Что ты знаешь об этой женщине? Это истеричное, дрянное, мелочное существо! Это опустившийся человек, у которого чувство материнства сведено к нулю. Юрка издерган, ему пять лет, а он уже знает, что такое мама в подпитии! Да что там! — Он замолчал.

— А ты в институт? — спросила я. — Опять в институт? Но ведь тебе уже двадцать семь, магистр, уже почти тридцать! Ты всю жизнь собираешься провести замечательным Никем? Талантливым, обаятельным Никем?

— Ты знаешь... — сказал он. — Когда-то я наткнулся на одну старинную гравюру — «Похороны Александра Македона». И никогда не забуду: воины, понурив головы, несут тело, и с носилок свесилась его мертвая рука. Рука — пустая... Владел половиной мира, а туда с собой ничего не взял. Сколько буду жить, буду помнить: пустая, беззащитная ладонь великого человека. Жест нищего, просящего подаяние...

Он медленно играл одним указательным пальцем хроматическую гамму от ноты си-бемоль вниз. И я отчетливо представила себе длинное черное шествие с

телом Александра Македонского и увидела, что у
воина, несущего факел перед носилками, было лицо
Алтухова. А факел освещал безжизненную руку, све-
сившуюся с носилок, и тяжелые круглые глаза воина,
спрятавшие в себя скорбь.

И я подумала, что, наверное, за то мы и любили
Алтухова, что он рисовал себе захватывающие, чарую-
щие картины, а потом дарил их нам, насовсем, выбра-
сывал, как выбрасывает большой волшебник всякие
мелкие чудеса на потеху обыкновенным людям. Забавлял нас — и сам забавлялся этим от скуки. Потом
покидал нас и мучился, что не делает ничего значитель-
ного, и шлялся по городам, и объявлялся снова, сумасшедший, непонятный Алтухов...

А может быть, он тем и отличался от нас, что, не
обнаружив в себе гениальности, он был потрясен до
глубины души, это стало несчастьем всей его жизни. А
мы как-то не замечали, не хотели замечать своей обык-
новенности, своей будничности... Проще говоря, мы
здраво смотрели на эти вещи, как и должно смотреть
на них взрослым людям.

— ...Ты напишешь мне хотя бы, проклятый Алтухов?

— Не плачь, — сказал он. — Ты плачешь, как
пьяный Сашка Белоконь. А я не люблю его...

— А кого ты любишь?!! — заорала я.

— Тебя, — просто ответил он.

Потом неловко залез в рукава своего плаща, взял
скрипку под мышку и вышел.

Я стояла у окна, смотрела, как по узенькому тро-

туару прочь от консерватории удаляется сутуловатая
фигура в синем плаще с поднятым воротником, и представляла, как через недельку какой-нибудь Сашка Белоконь сбегает в деканат, а потом, вернувшись, объявит:
«Собратья, Алтухов пропал!»

— Не пропал, а исчез... — машинально поправлю
я его и подумаю: как это мы тогда не поняли друг друга!
Я не поняла, что он пришел прощаться, а он не понял,
что я наконец-то решила влюбиться в него, урода...

1980

Содержание

Двойная фамилия 3

Терновник 59

Уроки музыки 95

День уборки 145

Собака 173

Дом за зеленой калиткой 211

«Все тот же сон!..» 229

Астральный полет души на уроке физики . . . 259

Концерт по путевке «Общества книголюбов» . . . 273

Любка 287

Когда же пойдет снег?.. 329

По субботам 383

Этот чудной Алтухов 403

Литературно-художественное издание

Рубина Дина

ДВОЙНАЯ ФАМИЛИЯ

Редактор Е. А. Дмитриева
Художественный редактор О. Н. Адаскина
Технический редактор Н. В. Сидорова
Корректор Г. Н. Страхова

Подписано в печать с готовых диапозитивов 25.02.2000.
Формат 84х108^1/32. Бумага типографская. Гарнитура «Академическая».
Печать офсетная. Усл. печ. л. 22,68. Доп. тираж 5100 экз. Заказ 1853.

Налоговая льгота — общероссийский классификатор
продукции ОК-00-93, том 2; 953000 — книги, брошюры.

ООО «Издательство Астрель».
Изд. лиц. ЛР № 066647 от 01.06.99.
143900, Московская обл., г. Балашиха, пр-т Ленина, 81.

ООО Издательство «Олимп».
Изд. лиц. ЛР № 065910 от 18.05.98.
123007, Москва, а/я 92.
E-mail: olimpus@dol.ru.

ООО «Издательство АСТ».
Изд. лиц. ИД № 00017 от 16.08.99.
366720, Республика Ингушетия,
г. Назрань, ул. Кирова, 13.
www.ast.ru.
E-mail: astpub@aha.ru.

При участии ООО «Харвест». Лицензия ЛВ № 32 от 27.08.97.
220013, Минск, ул. Я. Коласа, 35—305.

Налоговая льгота — Общегосударственный классификатор
Республики Беларусь ОКРБ 007-98, ч. 1; 22.11.20.300.

Отпечатано с готовых диапозитивов заказчика
в типографии издательства «Белорусский Дом печати».
220013, Минск, пр. Ф. Скорины, 79.